ENFANT DE VILLERAY

Textes autobiographiques

Et puis tout est silence, roman
La petite patrie, récit
Sainte-Adèle, la vaisselle, récit
Pointe-Calumet boogie-woogie, récit
Pour tout vous dire, journal
Pour ne rien vous cacher, journal
Une saison en studio, chronique
Encore un été trop court, journal
Comme un fou, récit
Albina et Angela, poèmes

Romans para-autobiographiques (parfois à partir de voyages)

Délivrez-nous du mal (Cape Cod)
Éthel et le terroriste (New York)
Pleure pas Germaine (Gaspésie)
L'outaragasipi (L'Assomption)
La sablière, Mario (Oka, Pointe-Calumet)
Maman-Paris, maman-la-France (France)
Le crucifié du Sommet Bleu (Sainte-Adèle)
Une duchesse à Ogunquit (Ogunquit, Maine)
Des cons qui s'adorent (Villeray à Montréal)
Alice vous fait dire bonsoir (Outremont)
Le gamin (saisi par le monde) (Italie-France)
La vie suspendue (Pointe-Calumet-Oka)
Pâques à Miami (New York, Floride)
Papa Papinachois (la Côte-Nord du Québec)

Claude Jasmin

ENFANT DE VILLERAY

Récit

LANCTÔT
ÉDITEUR

LANCTÔT ÉDITEUR
1660A, avenue Ducharme
Outremont, Québec
H2V 1G7
Tél. : (514) 270.6303
Téléc. : (514) 273.9608
Adresse électronique : lanedit@total.net
Site Internet : www.lanctotediteur.qc.ca

Photo de la couverture :
Collection personnelle de l'auteur

Coloration de la photo :
Martine Doyon

Maquette de la couverture :
Stéphane Gaulin

Mise en pages :
Folio infographie

Distribution :
Prologue
Tél. : (450) 434.0306/1.800.363.2864
Téléc. : (450) 434.2627/1.800.361.8088

Distribution en Europe :
Librairie du Québec
30, rue Gay-Lussac
75005 Paris
France
Téléc. : 43.54.39.15

Nous remercions le Conseil des arts du Canada et le ministère du Patri-
moine canadien de l'aide accordée à notre programme de publication. Nous
remercions également la SODEC, du ministère de la Culture et des Com-
munications du Québec, de son soutien.

À Raymonde, la femme de ma vie.
Pour renseigner mes enfants, Éliane et Daniel.
Pour m'attacher davantage Marc et Lynn.
Pour mes cinq petits-fils, Thomas,
Simon, Gabriel, Laurent et David.

La lune

L'ÊTRE SUPRÊME s'ennuie dans l'éther, appuyé au balcon des anges. Il s'ennuie des hommes. Il regarde la Terre. Il s'amuse avec sa lorgnette magique. Il voit de plus près les Amériques, celle du Sud et celle du Nord, il voit deux océans, l'Atlantique et le Pacifique. Dieu contrôle sa longue-vue comme il veut. Il voit maintenant l'Amérique du Nord seulement, de l'Arctique jusqu'aux frontières du Mexique. Puis il observe les États-Unis, où ça ne va pas trop bien : séquelles d'une grande crise économique, on est en 1933. Il voit ce qu'il veut, quand il le veut, l'Être suprême. Nouveau focus et il capte tout le Québec avec ses jumelles. Il ajuste le télescope et observe les Grands Lacs, le fleuve Saint-Laurent, le Labrador glacé. Il ne veut plus observer que l'île de Montréal, qui a la forme d'un oiseau. Il touche sa lunette de son doigt magique et il voit, il le veut, le nord de l'île, il distingue, bouquet de brocoli, le parc Jarry.

Il fait foyer maintenant sur un seul quartier, il est attiré par quelque chose. Un tas de briques rouges, des balustrades de bois, des escaliers en tire-bouchon et puis un point clair, une petite tache blonde, deux grands yeux ouverts vers le ciel. Un petit bonhomme qui bouge, qui remue beaucoup. Il ajuste de nouveau sa mire, il voit la

rue Saint-Denis dans Villeray. Il s'amuse. Dieu passe
le temps. Il est curieux. Il regarde, en gros plan, une
maison à trois étages, puis la fenêtre du bas où il y a de
la lumière. Dieu regarde en souriant ce petit garçon aux
cheveux hirsutes, immobile à sa fenêtre. L'aurait-on tiré
de son sommeil? Dieu se demande ce qu'il peut bien
regarder aussi intensément, puis il court vite se cacher
derrière un gros nuage tout gris, bien opaque. On ne sait
jamais, un enfant ça voit tout et, lui, il est supposé être
invisible aux humains. Dieu se cache.

Le petit enfant écarquille les yeux. Ses parents veillent
tard, il y a des invités au salon et il s'est réveillé. Il a
pleuré d'abord : tant de bruit, trop de voix caquetantes.
Alors, on est venu le chercher dans sa chambre et il a
obtenu la permission de veiller avec les grands. Tout
content, il a avalé goulûment un biscuit qui traînait sur
un plateau. Il ne saisit pas bien ce qui se dit. Il entend le
mot *crise* et le mot *krach*. Il n'a que quelques mots bien
à lui. Il n'a même pas trois ans. Il est allé à la fenêtre du
salon, de ses deux petites mains a soulevé les rideaux. Il
regarde dehors. La rue est déserte à cette heure tardive.
Il lève les yeux. C'est magnifique! Est-ce un ballon, cette
immense sphère translucide, si brillante? C'est plus beau,
bien plus beau que le gros dirigeable vu, dimanche dernier, avec son père. C'est si rond, cela semble si chaud.
C'est si luisant! Il n'a jamais vu ce ballon dans le ciel. Il
n'en revient pas. Il est tout excité. Une boule de verre
qui file dans le ciel! Est-ce un jouet? Pour qui? Pour les
anges dont lui parle sa mère? Une gigantesque balle
perdue par un géant volant? Il admire, les yeux écar-
quillés, cette énorme citrouille jaunissante. Il en reste la
bouche bée. Derrière lui, ça jacasse de plus belle.

Devrait-il les alerter? Dire : «Venez voir, il y a un gros
ballon lumineux au ciel!» Ils le savent déjà sans doute
puisque les adultes savent tout. Ils connaissent peut-être

l'existence de ce ballon, mais ils ne lui en parlent jamais, de peur qu'il ne veuille sortir de son lit, la nuit. L'enfant se dit qu'il reviendra à la fenêtre du salon demain soir, et après-demain aussi. Tous les soirs. Toujours. Mais sera-t-elle là chaque soir, cette boule ? Va-t-elle continuer à filer, loin, très loin ? Peut-être ne la reverra-t-il plus jamais de sa vie ? C'est si beau ! Il rêve de sortir, une bonne nuit, quand ses parents dormiront. De la suivre où qu'elle se rende. Car elle bouge, lui semble-t-il. Soudain, le ciel se remplit de nuages violets et gris, filandreux, qui courent autour du ballon. L'enfant s'imagine que ce disque navigue dans le firmament. Pourtant, il constate que son ballon miraculeux ne bouge pas vraiment, qu'il avance sans avancer, à portée de regard. Il examine le plus attentivement qu'il peut la belle balle géante. Maintenant, il croit y déceler deux yeux, un nez, une bouche, des traits flous. S'il y avait moins de ces nuées violettes qui les voilent de temps à autre, il verrait mieux. Qui a lancé ce ballon ? D'où vient-il ? Le verra-t-il encore, demain, à la lumière du jour ? Il ne le sait pas. Il sait si peu de choses, ce petit enfant. Il fixe la boule, ne la lâche pas une seconde des yeux et il se sent gonflé de bonheur. Comme c'est joli !

Il est heureux, il l'aime, oui, il l'aime. Il se sent léger comme un ballon au firmament de cette nuit d'automne. On dirait qu'il n'y a plus personne autour de lui, qu'il n'entend plus vraiment le placotage du salon, qu'il n'existe plus que lui et son ballon. Qu'il n'y a que ce gros visage jaune, cette figure curieuse au-dessus des maisons de la rue Saint-Denis. S'il rêve, il ne veut absolument pas se réveiller. L'enfant n'ose même plus bouger de peur que ce sortilège s'éteigne soudainement. C'est sa boule, son ballon. Il est peut-être seul à le voir ? C'est seulement pour lui qu'il s'est installé dans la nuit noire. Juste pour lui, pour lui dire : « Je suis là, avec toi, je te vois moi aussi, je te regarde, mon petit enfant, et nous sommes seuls au monde tous les deux. » On dirait bien qu'il vogue, qu'il tressaute parfois. Oh! à peine. De temps en temps, l'enfant croit discerner un clignement d'yeux complice et son ballon court se cacher dans ses draperies mauves. Puis, il réapparaît. « Coucou, c'est moi, tu es toujours là ? » Ce bon petit Jésus qu'on le fait prier tous les soirs lui aurait-il envoyé ce beau joujou, ce gros bijou de lumière opaline ?

« Que c'est envoûtant, songe le petit enfant. Qui faut-il remercier ? » Ce Jésus dont on lui a dit qu'il était infiniment bon, infiniment aimable ? Ce Jésus qui serait venu sur Terre il y a très longtemps, raconte maman, pour « nous » sauver. Qui aurait dit, d'après papa : « Si vous ne devenez semblables aux petits enfants, vous n'entrerez pas dans le royaume des cieux ».

Le petit garçon a levé une main. S'il pouvait y toucher ! Est-ce que cela brûle ? S'il pouvait s'envoler comme un oiseau ! S'il pouvait grimper là-haut et s'emparer de ce ballon extraordinaire, le faire rouler. Taper dessus juste pour jouer. Prendre ce gros bonhomme, rougeaud par moments, dans ses bras et le cajoler, le ramener sur Terre, ici, chez lui, dans sa chambre ! Tiens, le ballon qui se cache encore, puis se montre de nouveau. Coucou ! C'est le plus beau soir de sa jeune vie ; il se retient de rire, de battre des mains. Il se retient de se retourner pour vérifier si on le regarde. Quand il le fait enfin, ça rit, ça boit, ça jacasse ; les grandes personnes ne le voient pas.

Il est seul et il est bien d'être seul à savoir. Il veut garder son secret. Ce sera quelque chose entre lui et le ciel, entre lui et le ballon lumineux. Dehors, un homme passe, pressé, sur le trottoir d'en face. Il n'a rien vu, se dit l'enfant. Il en est certain, le voyant foncer dans la nuit, le collet de son manteau levé, le nez dans son foulard, la tête basse. S'il levait les yeux au ciel, il verrait lui aussi ce jouet merveilleux. Non, les grands ne voient pas tout. Ils ne savent pas tout. L'enfant se dit qu'il se trompait : les grandes personnes ignorent des choses quand elles se dépêchent. Elles vont à leurs affaires, le jour, ou vers leur maison, le soir ; elles se hâtent d'aller dormir, de bien se reposer parce que, demain matin, elles iront travailler, elles prendront des tramways bondés, liront leur journal, descendront au centre-ville. Dans leurs usines, dans leurs bureaux, les gens ne regarderont pas davantage le ciel. Ils savent qu'il est toujours là, le ciel, partout au-dessus de leurs têtes. Inutile de vérifier. Ou bien il fait soleil, ou bien il pleut. Le ciel n'a pas d'importance dans la vie des grands.

L'enfant se jure de toujours guetter le firmament désormais, car ce soir il en a été récompensé. On lui a installé un réverbère aérien unique tel qu'il n'aurait jamais pu en imaginer dans ses plus beaux songes. Oui, il croit qu'il est seul sur la Terre en ce moment et, pour une fois, n'a pas peur d'être seul au monde. Il a un ami là-haut, cette bouille comique qui lui fait des cachotteries. Il s'attend même à ce que ce bonhomme, soudain, lui tire la langue en riant. Il se taira. Il n'a décidément pas envie de partager son secret. Hélas, la voix de maman se fait entendre :

— Mon petit gars, ça suffit, faut penser à aller dormir maintenant !

Lui révéler la chose ? Que dirait-elle s'il se confiait. Elle répondrait : « Mais non ! Tu rêves ! » Peut-être qu'il faut être un enfant pour le voir ? Car il ne rêve pas, le calorifère du salon est bien là, devant son ventre, lui réchauffant les genoux. Dehors, le voisin qui travaille de nuit, monsieur Le Houiller, descend l'escalier et s'en va à son boulot. En face, Pitou Lafontaine ferme les lumières des vitrines de sa « grocerie ». Le chat angora de madame Larose vadrouille, la queue en l'air. Le chien de Pété Légaré arrose d'urine la borne-fontaine. On lui touche une épaule, l'enfant sursaute, c'est son père :

— Viens mon Claude, dodo. Je vais te raconter une belle histoire !

Aucune belle histoire ne pourrait rivaliser avec ce qu'il voit là-haut.

Voilà que papa s'approche pour baisser le store, et s'exclame aussitôt :

— Oh, Germaine ! Viens voir la belle lune !

Papa a vu mon ballon et il sait ce que c'est ! Mon ballon a un nom : la lune. Papa semble étonné, pourquoi ? On ne voit donc pas cette lune toutes les nuits ?

— Papa, c'est quoi cette lune ? On dirait qu'il y a une sorte de visage dedans...

— La Terre sur laquelle nous vivons est une planète ronde qui tourne autour du Soleil. Il y a aussi cette Lune, cette petite planète qui nous accompagne partout, qu'on peut apercevoir souvent. Cette Lune est comme une petite Terre et c'est le Soleil qui l'illumine.

« Une petite Terre ? »

— Papa, est-ce qu'il y a des gens sur cette planète ?

Il me caresse la tête :

— Non, je ne crois pas. Tu sais, jamais personne ne pourra s'y rendre, c'est trop loin, alors on ne sait pas si elle est habitée.

J'aurais dû me taire, pense le garçon. Elle a disparu. On lui a fait peur, papa et moi. Ses longs rideaux violets l'ont complètement recouverte. Le ballon est pris dedans. Je ne le reverrai plus.

— Où est-elle partie, la planète lumineuse, papa ?

Papa sourit :

— Elle ne bouge pas, les nuages te donnent l'illusion qu'elle bouge.

Le bambin imagine qu'elle doit s'ennuyer :

— Elle est toute seule dans le ciel ?

Le père baisse le store, referme les rideaux :

— Il y a d'autres planètes mais trop éloignées pour qu'on puisse les voir. Viens te coucher maintenant.

« Je reste, je veux la revoir une dernière fois. »

— Tu es certain qu'on ne la reverra plus, papa ?

— Pas ce soir, pas de la nuit. On l'a annoncé à la radio, il va y avoir plein de nuages et de la pluie toute la journée demain. Viens dormir.

Il m'entraîne vers le couloir :

— Papa, est-ce qu'il pleut sur la lune ?

Il me pousse doucement vers ma chambre :

— Je ne sais pas.

« Les grandes personnes ne savent vraiment pas tout ! »

Maman se fâche :

— Ça suffit les questions. Il est presque minuit. Vite, dodo, le petit poucet !

Papa m'a pris dans ses bras. Il me couche, il tire ma couverture jusque sous mon nez.

— Fais de beaux rêves. Demain, tu pourras jouer avec ton nouveau jeu de blocs !

Je m'étire, m'allonge :

— Papa, demain soir, tu viendras me réveiller, promis ? Je veux revoir la lune encore !

Il tapote mon oreiller :

— C'est promis, c'est promis. Endors-toi, maintenant. À demain !

Je ferme les yeux et il s'en va, referme doucement la porte. Je me relève et cours vers la fenêtre de la chambre de Lucille et Marcelle, mes grandes sœurs. Au-dessus de la ruelle, le ciel est tout noir. Le chat des Delfosse rôde, le dos rond, sur l'armoire à conserves. Pas de ballon lumineux ! Rien. Je retourne dans mon petit lit de fer. Je ferme les yeux. Je songe : « Est-ce qu'il y a des gens, oui ou non, sur cette planète ? Des enfants ? Est-ce qu'il y en a un qui regarde la Terre par sa fenêtre, notre pays, notre quartier, notre rue, notre maison ? »

Le sommeil gagne l'enfant et il imagine une lune remplie de joujoux. Il y en a des quantités formidables, c'est là que le père Noël doit se rendre pour remplir son traîneau. Demain, il demandera à son papa si ça se peut. Va-t-il encore lui répondre : « Ah ça, je ne sais pas » ? « Les grandes personnes ne savent décidément pas tout ! »

L'Être suprême rit dans sa barbe. Il a tout entendu.

CHAPITRE 1

L'avaleur de terre

J'AI MANGÉ de la terre. Maman est affolée. Je ne lui voyais que les jambes, mais voilà qu'elle se penche. Elle a le visage rouge, elle m'agrippe, me sort de là. De ma meilleure cachette. De mon abri préféré sous le hangar de la cour. Là où je règne seul. Je sens que je dois apprendre à mieux me débrouiller seul. Il y a un bébé chez moi maintenant. C'est ma sœur. Je ne l'aime pas. Elle a pris ma place. Maman ne cesse de s'en occuper. Je ne suis plus l'enfant gâté de la famille, le plus jeune, le plus petit, celui qu'on dorlote, depuis qu'il y a cette Marielle. Je passe après elle, je m'en suis rendu compte rapidement. J'ai été l'enfant-roi seulement quatorze mois! Maintenant que j'ai presque trois ans, cette nouvelle venue a pris toute la place. Ma place. Alors, je fais ce qui m'est défendu. Manger de la terre, par exemple. Lucille, sept ans, est celle qui a crié la première : « Maman, maman! Claude a mangé de la terre! » Marcelle, cinq ans, m'observe, elle, en grimaçant, en riant. Elle a l'air de ne pas en revenir. Est-ce si dangereux ?

On me lave la bouche, on me fait boire de l'eau et on veut que je la recrache aussitôt. Mon père est dans son magasin de la rue Saint-Hubert sans doute. Quand il rentrera ce soir, va-t-il lui aussi me chicaner? On verra bien. Ils ont tous fini par se calmer. Maman a dit à une voisine :

— Je n'arrive plus à tout contrôler. Vous rendez-vous compte ? Le p'tit a mangé de la terre.

La voisine m'a dit :

— Pis, mon petit bonhomme, as-tu aimé ça ? Est-ce que ça a bon goût ?

On rit tout autour. La terre a un goût spécial. C'est âcre et mou en se mêlant à la salive. Je ne le ferai plus. J'ai promis. Dix fois. On l'exige.

— Non, c'est promis. Oui, je veux dire, je ne mangerai plus jamais de terre.

On semble apprécier ma bonne résolution. On semble satisfait. On se calme. Je ne sais jamais ce qui est permis. Ce que j'ai le droit de faire.

L'autre jour, j'ai réussi à défaire le fermoir de ma barrière sur le balcon d'en avant et je suis allé sur le trottoir. Il y avait le gros cheval poilu du laitier ; je voulais le voir de plus près. C'est une bête gigantesque. Il a des courroies de cuir un peu partout. Le laitier lui retient une patte avec une laisse de cuir épais. Il a peur qu'il parte sans lui. La bête géante mange des graines dans un sac qu'on lui accroche sur la tête. Il a fait de grosses boules de crottin sur le bord du trottoir après avoir levé la queue en l'air. Quand le cheval est reparti, des oiseaux se sont jetés sur ce caca et se sont régalés. Les oiseaux sont fous. J'ai mangé de la terre, mais jamais je ne mangerai du fumier de laitier ! Encore des cris. Encore ma mère, avec bébé Marielle dans ses bras, qui gueule après moi :

— Veux-tu revenir de suite ici, mon petit chenapan !

Je suis un chenapan, moi ? Je déteste cette clôture de bois qu'on déplie dès que je pose un pied sur le balcon d'en avant. C'est quoi au juste, un chenapan ? Quelqu'un qui veut de la liberté ? Je déteste cette clôture qui me sépare de la vraie vie, du cheval, des voitures, des gens qui passent, de ce trottoir de ciment qui doit conduire partout, loin, loin des surveillantes qui m'entourent sans cesse. On m'a ramené d'une poigne de fer sur mon balcon. Quand pourrai-je donc me promener en liberté comme tout le monde? Quand? Je ne suis plus un bébé. Le bébé de la maison c'est Marielle, pas moi.

Ma grande sœur Lucille a une amie. Elles viennent jouer sur le balcon avec des poupées de carton découpé, leur mettent des robes de couleur, des chapeaux à fleurs, des chaussures à talons hauts. Elles n'en finissent plus de catiner. J'ai mes jouets à moi, des petites autos, des petits camions et le plus beau des jeux de blocs. J'arrive mal à édifier une maison. On se moque de moi. Je place les fenêtres aux petits micas rouges aux mauvais endroits, disent-elles. On veut tout le temps m'apprendre, on me corrige, on s'accroupit à mes côtés, on m'explique, on m'enseigne, on veut que je sois parfait. J'ai reçu de ma mémère Albina, la mère de mon papa, une grosse automobile à pédales. Elle est verte. Il y a un personnage avec des ailes sur le devant. On m'a dit que j'aurai un tricycle l'an prochain. J'ai très hâte. Cette voiture est difficile à faire avancer sur la terre bossue de la cour.

Le long des clôtures, poussent toutes sortes d'herbages, quelques fleurs sauvages. Des papillons viennent s'y poser. Rien de plus joli! Des jaunes, des blancs. Il y en a aussi des noirs, plus grands, avec de gros picots orangés. C'est beau. Je voudrais un chien, un petit chien comme celui que j'ai vu chez la voisine, madame Kouri.

— N'y pense pas, a dit ma mère.

Il semble que papa n'aime pas les chiens. Il aurait eu une grande peur quand il avait mon âge et qu'il habitait dans le rang des Bois-Francs. Le chien d'une ferme voisine l'aurait attaqué. Un chien très méchant, et mon père, par frayeur, se serait jeté dans le puits et aurait manqué de se noyer. Depuis ce temps-là, mon papa se méfie de tous les chiens, gros et petits. Tout ça, c'est ce que j'ai entendu raconter, un soir, par ma grand-mère qui est veuve et riche et qui m'achète de belles étrennes chaque jour de l'An. Elle m'a promis une pelle à « stime » pour cette fin d'année. Elle m'a dit qu'elle avait vu ce jouet merveilleux dans la vitrine d'un grand magasin du bas de la ville, Dupuis et Frères. Elle a dit que cette pelle mécanique avait des roues munies de chenilles en caoutchouc, une cheminée avec un vrai foyer dans lequel on peut allumer un feu miniature. J'ai très hâte. Elle m'a fait voir la photographie de ce jouet dans un catalogue. Cette machine est bleue et noire. On peut s'asseoir dessus, il y a un petit siège de métal blanc.

Papa nous a annoncé une grande nouvelle : il y aura une pelle mécanique dans la cour l'an prochain. Une vraie ! Une grosse qui va creuser la cave, l'agrandir, car il veut installer son magasin de la rue Saint-Hubert ici, sous notre maison. Ce creusage me fera des montagnes de terre, youpi ! Maman a eu l'air bien surprise d'apprendre son projet. Elle a dit à madame Lemire, une autre voisine :

— C'est parce qu'il a eu la visite des voleurs un vendredi soir, rue Saint-Hubert. C'est sa vendeuse, Rose-Alba, qui l'a découvert et délivré. Ils l'ont attaché. Mon mari est devenu très nerveux et veut installer son commerce ici, maintenant.

Elle rit quand elle ajoute :

— Il compte sur moi pour le protéger des bandits.

Et moi ? J'ai une carabine, moi. Si un brigand se montre ici, je lui tire dessus. Ce ne sont que des bouchons de liège mais le fusil lui fera peur et il déguerpira. J'aime mon père. Il est grand et vigoureux. S'il avait eu une arme, il ne se serait pas laissé faire, ça j'en suis bien certain !

Mon père n'a peur de rien, de personne. Il me fait monter sur ses épaules et il galope, tout le tour de la cour. Il est si fort. C'est mon cheval d'amour, mon papa. Il m'apprend à faire des acrobaties, des pirouettes, des culbutes. Il m'a l'air très fier de moi, son garçon unique. Avec mes sœurs, il joue moins. Elles se plaignent toujours pour rien. Elles partent à brailler si papa les fait balancer trop fort sur la galerie. Des chialeuses. Les filles ça pleure souvent. Elles n'endurent pas le froid, se lamentent s'il fait chaud, si une couverture pique, si le lait est trop tiède, si le dessert n'est pas assez sucré. Elles n'arrêtent pas de se lamenter. Ma mère a dit, l'autre soir :

— J'ai hâte d'aller en reconduire une autre à l'école.

Elle parlait de Marcelle qui a cinq ans. Lucille y va depuis le mois de septembre. Ma mère dit qu'elle a pleuré à fendre l'âme le jour de la rentrée ; elle a dit ça à madame Lemire : « ... à fendre l'âme ! » Ça me fait rire mais, en vérité, je n'ai pas du tout hâte d'y aller. On dit que c'est sévère, dans une école, qu'il faut rester assis à un pupitre durant des heures. Il me reste au moins trois belles années devant moi. Le moment venu, je me le suis promis, je ne pleurerai pas. Je ne suis pas une fille, moi.

Mon père a disparu durant deux mois l'année passée. J'ai eu une grande peine à ce qu'on m'a dit. J'ai boudé souvent, j'ai rechigné sans cesse. Mon cheval était disparu, mon papa si fort, mon protecteur n'était plus là. Il serait allé voir des importateurs de chinoiseries à l'autre bout du Canada, dans une ville au bord d'un océan. Vancouver, son nom. Maman a été très seule, très inquiète aussi. Madame Denis lui a dit :

— Craignez rien. Il va revenir avec plein de contacts pour son commerce. Vous allez voir comme c'est utile, ces voyages d'affaires.

Quand il est revenu de Vancouver, papa m'a rapporté un drôle d'instrument de musique. Il a dit :

— C'est une cithare japonaise.

Ça fait une musique merveilleuse. J'en joue souvent.

Les jours de pluie, je fais le tour des pièces de la maison. Aucune n'a de secret pour moi. Je préfère le salon, en avant, à cause du tapis aux couleurs variées. C'est doux de s'y traîner. Dans le boudoir, en face du salon où il y a deux crachoirs en cuivre par terre qui me dégoûtent, il y a un prélart. C'est froid du prélart mais j'aime les fleurs jaunes, rouges et orangées qui y sont gravées, entourées de grandes feuilles d'un vert lumineux. J'aime aussi inspecter la chambre de mes parents, juste derrière le boudoir. Les meubles sont noirs.

— C'est de l'ébène, a dit mon père.

Je tente toujours de retenir chaque mot nouveau. Je m'en fais toute une collection dans ma tête. J'aime grimper dans le lit de mes parents, le matin, très tôt. Ma mère me dit chaque fois :

— Retourne te coucher dans ton petit lit.

Papa ne dit rien. Il dort si dur, lui. Frileux, il dort souvent avec sa robe de chambre qu'il dit être en poils de chameau. À son cordon, pendent deux gros pompons. Je les tripote, je compte les franges, je tire sur les glands de cette drôle de ceinture. Je le dérange, je le secoue, oui, je le réveille, je veux toujours qu'il me fasse galoper sur ses genoux avant de partir pour la rue Saint-Hubert.

Lucille m'a raconté avoir appris que la mère de papa, la veuve riche, lui avait ouvert d'abord deux magasins il y a quelques années. Un premier, loin, dans Westmount, avenue Greene, puis, un peu plus tard, un deuxième, rue Mont-Royal. Et, enfin, celui qu'il possède toujours, rue Saint-Hubert, près de la rue Saint-Zotique. Il paraît qu'il n'arrivait pas à contrôler ses commerces, qu'il a fallu fermer les deux premiers, l'un après l'autre, que ma mémère avait été déçue de son Édouard de fils.

— Votre père, dit maman, n'a pas la bosse des affaires.

Elle répète aux voisines :

— S'il pouvait se trouver un emploi, il travaillerait de huit à six comme tout le monde et je l'aurais plus longtemps pour m'aider avec mes quatre petits tannants.

Quand elle lui a répété son souhait, mon père a dit :

— Pas question ! Jamais de la vie ! Je suis mon propre patron avec personne au-dessus de ma tête.

Maman a répliqué :

— Tu as été trop pourri par ta mère. Elle vous a trop gâtés, toi et tes deux frères, beaucoup trop.

Mon père a perdu son papa quand il avait trois ans. Une maladie terrible. Au ventre, paraît-il. Avec un nom long comme ça. Il est mort empoisonné. « Dans ce temps-là, a dit papa, on soignait pas aussi bien qu'aujourd'hui. »

C'était en 1909, à Saint-Laurent, dans le rang des Bois-Francs. Son petit frère, l'oncle Léo, n'avait qu'un an. Son grand frère, l'oncle Ernest, on ne le voit jamais. Il est parti enseigner Jésus et tout et tout, en Chine, un pays situé juste à l'envers de notre pays, juste en dessous. Lucille se moque-t-elle de moi quand elle me dit :

— Tu vas m'aider avec ta petite pelle, on va creuser un trou dans la cour, si profond que l'on va retrouver l'oncle Ernest en Chine.

Peut-être quand j'aurai ma pelle mécanique ! Sait-on jamais ! Lucille et Marcelle ont un jeu favori. Avec leurs petites amies, elles s'installent dans un escalier de la rue, une d'elles lance la balle, celle qui l'attrape monte d'une marche. Si elles ratent la balle, elles doivent redescendre d'une marche. Un jeu à n'en plus finir. Et elles s'excitent, elles crient. Je préfère mon gros ballon jaune et rouge que je lance sur le mur du garage voisin, dans ma cour, et qui rebondit si bien.

Quand je fais le tour de ma maison, de mon royaume, je m'arrête longuement dans la salle à manger derrière le salon. Il y a là un meuble avec vitrine et, dedans, plein d'ustensiles et de pièces de vaisselle en argent. Ça brille beaucoup. Il y a un porte-coquetiers à poignée sculptée en forme de carrousel avec des petites cuillères pendues tout autour. Je veux toujours jouer avec, mais maman surgit chaque fois, referme le vaisselier et me ramène vite vers la cuisine. Il y a deux autres pièces en arrière. Celle qui est proche de la fenêtre est la chambre de Lucille et Marcelle, les chanceuses, car moi, j'ai mon petit lit de fer dans l'autre chambre, sans fenêtre, un espace que je partage avec Marielle, qui y a son lit-cage de fer avec une barrière qui se monte et se descend. C'était mon lit il y a deux ans. Entre ces deux chambres, une haute tenture avec des dessins de paons et des fleurs imprimées. Ma mère a dit :

— S'il nous arrivait un autre enfant, je ne sais pas trop où on l'installerait.

En viendra-t-il d'autres ? Il me semble qu'on est assez nombreux comme ça.

Je me demande parfois comment ça vient, les bébés. On m'a dit :

— Par des cigognes.

J'y crois pas trop. Pas plus que je crois aux enfants nés dans les choux, ou à ces sauvages qui livreraient les enfants après avoir battu leur mère. Des contes à dormir debout. Lucille, qui en sait long depuis qu'elle va à l'école, a dit à Marcelle à voix très basse :

— Les bébés sortent du nombril des mères. Une fille de troisième année me l'a dit.

Du nombril de maman, moi? Un jour, j'irai à l'école et on m'expliquera à mon tour. Je sens que Lucille ne dit pas tout, qu'elle garde des secrets. Elle est méfiante quand je l'interroge. Elle voudrait apprendre à jouer du piano comme ma mère. Elle a de l'ambition parce que ma mère est fameuse au piano. Il y a une dame, rue Chateaubriand, qui donne des cours. Papa a dit:

— C'est bon la musique pour un enfant, ça développe l'esprit.

Il a ajouté:

— Elle pourrait suivre aussi des cours de ballet. Il y a monsieur Morenoff qui enseigne aux enfants. Je vais mieux m'informer.

Lucille m'a donné toute une boîte de vieux crayons de cire. De toutes les couleurs. Des dizaines et des dizaines. J'aime barbouiller. Maman dit que je fais de beaux gribouillis, mais je ne suis pas fou, je sais bien que je n'arrive pas à faire des beaux dessins comme papa, lui, sait en faire. Il m'a dit qu'il avait appris dans des cours du soir à l'école de Lamennais, mais que déjà, enfants, lui et son frère Ernest étaient fameux en dessin.

Quand je vagabonde partout dans la maison, je grimpe parfois sur le tabouret du piano et je cogne sur les notes de toutes mes forces. Vient un moment où ma mère se fatigue et crie:

— Bon, ça suffit, monsieur Chopin!

Quand elle dit ce nom, c'est le signal qu'elle s'en vient refermer le couvercle du piano. J'aime jouer avec les calorifères, mais je ne dois pas ouvrir leur petit robinet à eau. Défendu, ça aussi! Ils sonnent agréablement quand je les frappe avec une cuillère. L'hiver, ils sont chauds, c'est réconfortant. Il y en a un dans chaque pièce. Je m'y suis brûlé un jour. Dehors, il ventait fort, les gens marchaient pliés en deux, foulard sur la bouche. C'était une terrible tempête de neige. J'ai grimpé sur le calorifère du salon pour bien voir tous ces flocons étoilés dans l'air. Papa avait peut-être trop chauffé sa fournaise de la cave. J'ai eu les fesses rougies et maman m'a mis un onguent. Je n'ai presque pas pleuré, je veux m'endurcir.

Le soir, tard, j'entends souvent papa qui brasse ses cendres, comme il dit. Il manœuvre une sorte de bras de fer sur le côté de la fournaise et ça fait des bruits épouvantables. La maison en tremble. J'ai voulu aller examiner cette fournaise un jour où ma mère avait oublié de refermer la trappe et badabang! je suis tombé la tête la première dans l'escalier de la cave. J'ai senti que je partais dans le vide puis j'ai atterri au pied de l'escalier. Il y a eu des cris terribles et ma mère a failli débouler les marches en courant me ramasser. Un de ses souliers s'était défait. Quand j'ai vu que je n'étais pas mort, je me suis relevé et j'ai souri pour rassurer ma mère très énervée. Je n'avais rien. Juste une bosse sur le front. On m'a mis de la glace sur la tête et c'est là que j'ai perdu connaissance. Complètement évanoui. Ça a duré quelques minutes, c'est tout.

L'autre matin, je ne sais pas ce qui m'a pris, j'ai voulu vider les tiroirs de la chambre de mes parents. Oh! que maman n'a pas été contente! Elle criait:

— Qu'est-ce qui t'a pris, pour l'amour du ciel? Veux-tu me le dire? Tu ne trouves pas que maman a assez d'ouvrage avec quatre enfants sur les bras?

C'est vrai, quatre enfants, c'est beaucoup de soucis. J'ai regretté mon geste, j'ai promis encore. Je promets toujours, et puis je recommence. On dirait qu'un enfant, ça n'a pas beaucoup de mémoire.

— Le diable cela! a dit madame Denis en riant.

Le diable? Qui est-ce que ça peut être? J'ai interrogé Lucille encore quand elle est revenue de l'école. Elle m'a un peu expliqué le diable, l'enfer. On lui parle beaucoup du diable à l'école. On lui parle aussi des limbes, du paradis, des anges, du péché. Des grâces aussi. Je n'ai pas tout compris. Elle s'est lassée et m'a dit:

— Ça ne sert à rien que je te répète tout ce qu'on nous enseigne sur la religion. Quand ton tour viendra tu vas t'ennuyer si tu sais tout tout de suite.

Elle a raison. J'ai retenu mes questions. Je suis très curieux pour mon âge, a dit papa, et il a ajouté:

— C'est pas mauvais signe. Au contraire, mon garçon.

Il y a eu des bibites dans la chambre des filles. «Des punaises», a dit maman. Madame Lemire, elle, a dit qu'elle avait eu des coquerelles. C'est plus gros que des punaises, paraît-il. Papa a dit que c'était peut-être à cause de la farine qu'il a utilisée en guise de colle quand il a changé le papier peint, l'an dernier. Cette histoire de punaises a énervé maman sans bon sens. Elle a dit que ces bestioles sucent le sang! J'ai eu peur. J'ai voulu sortir mon fusil. Maman a ri, a dit que ça n'allait pas être long qu'elles allaient toutes mourir. Elle a lavé les murs avec un liquide qui puait très fort:

— Ça, mon petit gars, c'est un *stuff* qui pourrait tuer un éléphant.

Mensonge encore. Je ne la crois pas. Dans le boudoir, mon père a une collection de revues. Il m'a dit:

— Fais bien attention de pas déchirer mes *National Geographic Magazines*!

C'est comme ça qu'il appelle ses revues précieuses. Il dit que ça le fait voyager sans partir, et c'est la vérité. J'aime les feuilleter, c'est rempli de photographies prises dans des pays lointains où même mon père n'est jamais

allé. J'ai demandé qu'il me montre Vancouver et il m'a
dit qu'il n'y avait rien sur Vancouver, que ce n'était pas
assez loin. Mon Dieu ! il a voyagé pendant deux mois et
Vancouver n'est pas assez loin ? Il m'a rapporté de son
magasin un jeu de patience chinois qui est une sorte de
boule faite d'un tas de languettes qu'il faut tirer, déplacer. Un vrai truc pour se casser la tête.

— On va bien voir si tu as de la jarnigoine ! a-t-il
rigolé.

Il m'a observé pendant que j'essayais, la langue sortie,
de replacer toutes ces languettes pour reformer la boule
casse-tête. Je n'y arrivais pas et il a dit :

— Les Chinois sont des patenteux extraordinaires !
Moi, j'y parviens, mais après des heures de patience.

Le lendemain, il m'a rapporté un truc avec des billes
de bois, un boulier que cela s'appelle. Il a essayé de me
faire comprendre les chiffres en manipulant les gros
grains de bois du boulier. J'ai aimé ça, c'est pas si
difficile. Quand ma sœur Lucille est rentrée, je lui ai dit :

— Moi aussi, je sais compter.

Elle a dit que c'était faux. Sa surprise quand je lui ai
récité tout d'une traite : un, deux, trois, quatre... jusqu'au
chiffre seize, comme papa m'avait enseigné. Elle n'en
revenait pas ! Dimanche, il pleuvait fort et maman a joué
avec nous. J'aime quand elle joue avec nous. Son jeu de
la guenille brûlée est le plus amusant. Elle cache un
mouchoir quelque part dans la maison et, au moment
voulu, elle crie : « Prêts ! » On fouille partout. On se glisse
sous tous les meubles, sous les lits, on soulève les draps,
les oreillers, les coussins du salon, on grimpe sur les fauteuils, on déplace les cadres et tout, et tout. Il y a toujours
une récompense. Soit des bonbons, soit un sou noir,
parfois un blanc. Je ne suis pas le plus habile dans ces
recherches, je ne suis pas assez grand. C'est Lucille qui
gagne le plus souvent, mais elle me donne la récompense.

Je suis si bien de connaître tout ce qui m'entoure. Ça me rassure, je me sens en grande sécurité. Je ferme les yeux et je peux voir ce que je veux, ce que je connais, le piano, la fournaise, un calorifère, ma boîte de crayons de cire, mon automobile verte, mon lit de fer, le lit-cage de Marielle, le plafond décoré de déesses enguirlandées, les petites murales du portique, le luminaire du salon, la radio, le boulier chinois, la machine à laver, à coudre, la boîte à pain, à sucre, à farine, le vaisselier, les coquetiers en argent, la vanité à deux miroirs mobiles de maman, ma pelle de tôle rouge, mon râteau jaune, mon beau jeu de blocs et tout et tout! Quand j'ai terminé ma revue de mémoire, j'ouvre les yeux et je cours voir le soleil. L'après-midi, il est souvent là, juste au-dessus des maisons dans la cour. Il me chauffe la peau et je l'observe. Ah! pouvoir m'envoler, monter dans les nuages, être un oiseau, un aigle géant comme celui que j'ai vu dans les magazines de papa.

Je suis bien. Je ne mangerai plus jamais de terre. C'est dangereux. Je connais le danger, je devine mieux ce qui est permis ou pas. J'attends, je guette et j'ai hâte de grandir, j'y pense sans cesse. Quand j'aurai quatre ans, j'aurai un tricycle, papa me l'a promis. J'irai me baigner au parc Jarry en juillet, fini la grande cuvette d'eau froide sur la galerie. J'irai en tramway. Aussi en train, papa l'a dit. J'irai peut-être à Vancouver? Demain, j'aurai un nouveau cahier à colorier, cadeau de mémère. Plus tard, à l'école, j'apprendrai à lire et à écrire. J'apprendrai à dessiner aussi bien que papa. J'irai très loin un jour, peut-être en Chine voir l'oncle missionnaire et ses petits Chinois. Je pourrai lire dans le journal de maman, dans les revues de papa. J'aurai une automobile verte, une vraie qui roulera très vite dans la rue Saint-Denis. J'aurai un vrai fusil et j'irai chasser les loups. Je n'aurai plus peur la nuit, je ne craindrai plus les grosses voix comme celle de mon pépère Lefebvre. J'aurai des bijoux comme ceux de maman. Je deviendrai encore plus grand que Marcelle. J'assisterai mieux Lucille qui aime tant creuser des trous dans la terre de la cour.

J'ai hâte de voir le cadeau de la pelle mécanique que va m'offrir ma grand-mère au jour de l'An, de voir aussi celle qui viendra agrandir la cave l'an prochain. Mon père travaillera au sous-sol, juste sous mes pieds, je pourrai le déranger tant que je voudrai. Il me prêtera ses jeux japonais, ses jeux de magie chinoise. Un bon jour, j'aurai un cheval. Il sera tout blond et j'irai galoper dans des campagnes très vertes comme celles montrées dans les *National Geographic* de mon père. J'aurai peut-être un jour un gros camion rouge, un vrai. Je livrerai, comme monsieur Foti, de la glace l'été. Pour ma mère, ce sera gratuit. Je vendrai du charbon aussi, comme monsieur Turgeon. Pour mon père, ce sera gratuit. Je vendrai des légumes comme les cutivateurs qui passent dans notre ruelle en chantant à tue-tête. Pour ma famille, ce sera gratuit. Ce sera un camion à tout faire. Mon camion ! Je deviendrai un homme très fort. Je pourrai soulever ma mère, la prendre dans mes bras, je l'aime tant. Elle pourra s'asseoir avec moi dans mon camion rouge. Je lui montrerai tout ce qu'il y a de bon et de beau à voir, loin, de l'autre côté du monde, jusqu'en Chine peut-être.

CHAPITRE 2

Un feu d'artifice

QUAND CE FUT TERMINÉ et que papa m'eut ramené à l'intérieur pour me coucher dans mon lit, il me sembla que je n'oublierais jamais le moment que je venais de vivre. Je venais d'aller au ciel. J'avais vu des miracles. Je revenais d'une aventure céleste toute particulière. D'abord, mon père était entré dans ma chambre et m'avait réveillé tout doucement. En pleine nuit! Il fallait que ce soit important! Je me frottais les yeux, qu'est-ce qui se passait? Est-ce qu'on fuyait en pleine nuit? Y avait-il le feu au logis?

Dehors, dans la cour, sur toutes les galeries, je vois les voisines, les voisins, j'entends des petits cris, des murmures. On attend un événement. On guette quelque chose, mais quoi donc? Un défilé de nuit dans la ruelle? Impossible. Le passage du père Noël? Ce n'est pas l'hiver. Tout le monde regarde le ciel au-dessus de la rue Drolet, vers le sud-ouest. Je vais vite comprendre. Il y a des bruits de pétards dans l'air. C'est parti. Des éclairs aveuglants. Des flèches décochées par des guerriers invisibles et qui explosent en paquets de diamants et de poudre d'or. Je vois des balles de feu qui, en sifflant, filent à toute allure au zénith, s'étoilent, s'éclatent. Des rouges, des vertes, des bleues. Qu'est-ce que c'est que toutes ces éclaboussures mirobolantes? Une fête spéciale, c'est certain. La fête de quoi? La fête de qui? De quel saint?

Maman dit à madame Le Houiller:

— C'est beau, hein? Leur fameux saint Antoine va être content!

— Papa, c'est qui ce Antoine?

Mon père répond:

— Un personnage vénéré de nos voisins italiens.

Le ciel s'illumine encore davantage. Des gerbes de fleurs grimpent, voltigent, s'agrandissent en bouquets éblouissants. Je les suis des yeux, ravi, un peu intimidé. C'est trop impressionnant. Papa me soulève parfois, comme entraîné par ces vertigineuses flambées pyrotechniques. Il est tout souriant, lui-même changé en enfant trépignant de bonheur. Il a pourtant trente ans! Ma mère, qui doit bien en avoir trente-cinq, s'excite aussi comme un enfant en joie. Elle est montée dans le petit escalier du tambour qui conduit aux hangars et tient mes deux sœurs par la main, Lucille et Marcelle. Papa m'a installé sur ses épaules. Je suis grand. Il est mon cheval vaillant ce papa qui fume sa pipe et pousse des «ah!» et des «oh!» d'admiration. Moi, je reste muet, pas un mot, rien. Je suis trop fasciné. Je ne savais rien des feux d'artifice.

J'ignore qu'à deux rues, au parc du Shamrock, il y a des spécialistes du feu qui s'agitent en tous sens autour de leurs installations. Pour moi, il n'y a que ce ciel noir déchiré d'illuminations mirifiques. À intervalles réguliers, des fusées sifflantes éclairent farouchement notre nuit. Je n'ai encore jamais vu un si grandiose spectacle! Je suis au ciel, dans le ciel, au milieu de ce ciel, j'accompagne ces zébrures de feux multicolores. Le spectacle dure, dure, et j'espère que ça ne finira jamais. De longs serpents gris, en se tortillant, montent en zigzaguant et, soudainement, s'ouvrent, éclatent dans une explosion de comètes étincelantes. Que c'est beau! Des voisins enthousiastes s'émeuvent, crient. Ils applaudissent frénétiquement quand la bombe se révèle remplie de milliers d'astérisques spectaculaires. Quelle heure peut-il être? Je l'ignore. Le temps n'existe plus pour moi. Suis-je un enfant favorisé? Est-ce que ça se passe ainsi toutes les nuits pendant que les enfants dorment?

Le meilleur était à venir. Voici que, dans le ciel obscur, s'installe un dragon fantastique dont la gueule crache des météorites aux couleurs joyeuses. Voici un homme-cheval — «Le centaure», dit papa —, un drôle de taureau! Voici un homard gigantesque — «Le scorpion», dit papa —; ses pinces s'allument en cramoisi. Voici maintenant une chèvre — «le bélier», dit mon père — qui remue ses cornes, il me semble! Oh! cette fois, c'est vraiment un miracle: sous une auréole étincelante, une longue silhouette de lumignons blancs, avec un long cou. Le visage de la Sainte Vierge? Sa bouche, formée d'étincelles, a remué! J'en suis sûr! Ses yeux se ferment et s'ouvrent plusieurs fois! Mais oui, ils bougent! C'est incroyable. Je gigote d'étonnement, ravi, épaté. Mon père m'agrippe mieux, craint que je m'envole, ma foi! Cette femme céleste au visage noir, si beau, auréolé de flammèches, est en vie! Un miracle! Je suis au paroxysme de l'excitation. Le visage marial se détache de son corps, se fractionne en morceaux qui glissent, se disloquent, s'émiettent. Cette vierge, évanescente, se désagrège en une poussière de minuscules étoiles argentées. Adieu!

Où suis-je? Suis-je toujours sur la Terre, dans ma cour? Je ne sais plus. Je vérifie, oui, ma mère est bien là avec mes sœurs, les voisins sont toujours juchés sur leurs galeries. Je ne rêve pas. M'a-t-on autorisé à pénétrer un beau secret, le secret des secrets du monde des adultes? Je sens au plus profond de mon être que, à jamais, je resterai reconnaissant de cette permission tout à fait spéciale. Des odeurs de poudre à fusil flottent dans l'air jusqu'à nous. De très loin, dans la rue Henri-Julien sans doute, on peut entendre des cris et des applaudissements. Ils sont peut-être des milliers, là-bas, là où les magiciens travaillent. Papa rallume sa pipe. Est-ce que cela s'achève, est-ce la fin ? Je crois que oui, hélas. Non ! Pétarade assourdissante et puis voici qu'une nouvelle silhouette s'illumine dans le ciel. C'est un géant cette fois ! Lui aussi, il semble vivant, enluminé de blanc, comme la dame de tantôt. Le personnage de lumière vacillante tient une haute canne et sa belle barbe frise de lueurs pétillantes. Lui aussi remue les lèvres ! Lui aussi, il cligne des yeux !

— Regardez, c'est lui, c'est saint Antoine, a crié Laurette Denis de son perchoir.

Murmures satisfaits tout autour. Comment font ces magiciens invisibles ? Je ne le saurai sans doute jamais. Ils sont, à mes yeux de bambin, les plus grands prestidigitateurs de l'Univers.

— C'est terminé, mon gars, dit papa.

Il me fait descendre de ses épaules, me serre dans ses bras, me ramène à la maison. Me reconduit à mon petit lit de fer. Il a allumé la veilleuse, je l'ai exigé. Je ne veux pas me rendormir. Je voudrais que se continuent toujours ces images flamboyantes, miraculeuses. Je refuse de sombrer dans le sommeil. Mes plus beaux songes ne pourront jamais égaler la splendeur de cette nuit illuminée. Ma mère fait du chocolat chaud dans la cuisine, ça sent bon. Mes sœurs disent des « Bonsoir maman, merci beaucoup ». Demain matin, je m'éveillerai, il fera jour, le laitier passera, le boulanger aussi. La vie ordinaire reprendra. Papa parle à voix basse dans la cuisine, je peux l'entendre qui dit :

— C'est décidé, Germaine. Ma mère va me passer de l'argent et je vais pouvoir faire creuser et installer mon magasin dans notre cave. En moins d'un mois ce sera terminé, un entrepreneur me l'a garanti.

Sa voix s'estompe, je ne l'entends plus, ne l'écoute plus. Je revois cette bouche de femme de rêve qui remuait dans le ciel. Que disait-elle? Je n'ai rien entendu. Elle me disait peut-être: «Bonne nuit, mon petit! Fais de beaux rêves. Je veille sur toi.»

CHAPITRE 3

Un tricycle neuf

J'AVAIS APPRIS à marcher. C'était bien mais, désormais, j'allais pouvoir me déplacer autrement : en me servant de mon premier tricycle. Quelle belle invention : une machine à parcourir des espaces sans marcher ! Le bonheur pour un enfant, non ? Quel cadeau ! Je ne l'oublierai jamais. Une machine bien stable, sans grand danger puisqu'elle a trois roues. Pour l'orienter : un guidon. Pour s'y installer, un confortable siège en cuir. On s'assoit, on actionne des pédales et on peut aller d'un endroit à un autre, comme on veut. J'avais trois ans.

Quelle hâte de l'enfourcher ! Le fameux cadeau m'avait été offert au jour de l'An, jour béni, il y avait déjà quatre mois de ça, mais l'hiver n'était pas fini, hélas ! Alors, mon père l'avait remisé dans le hangar, dans sa boîte de carton ! J'allai souvent l'admirer au cours de ce trop long hiver. J'ouvrais le dessus de la boîte et j'admirais mon tricycle. Chaque semaine, je soupirais : « Ah, si l'hiver peut finir ! » En mars, j'espérais : si la glace sur le trottoir pouvait fondre rapidement. À la fin d'avril, enfin du temps doux. Un vendredi matin ensoleillé, mon père se décide :

— Aujourd'hui, si tu veux, tu peux essayer ton tricycle neuf.

Si je veux ? Papa le sort de sa boîte. Il est splendide. Tout rouge, à part l'aile d'en avant, de tôle émaillée blanche aussi luisante que le reste. Les poignées du guidon sont d'un rouge de réglisse aux fraises !

Mon Dieu, merci ! C'est le grand jour ! C'est le moment énervant, le grand moment du départ. Sur le balcon d'en avant, mes deux sœurs, mes parents, tous me regardent m'installer. Ma première expédition. Oserai-je pédaler jusqu'au bout de la rue ? Me le permettra-t-on ? Dans la rue Saint-Denis, des autos, des camions, des tramways, plein de véhicules modernes. Moi aussi, maintenant, j'ai ma machine moderne, mon moyen de locomotion. J'y vais. Ça fonctionne ! C'est facile. Je n'ai qu'à appuyer sur les pédales et ça roule, ça avance. Je me déplace, et vite, non ? Derrière ma selle de cuir brun, il y a, sur la tige de fer, deux rondelles métalliques et, un jour, je pourrai y faire monter un copain. Debout derrière moi, il n'aura qu'à me tenir les épaules. Ce sera mon meilleur ami, Tit-Yves.

Fantastique invention, le tricycle ! Ce matin-là, je regardais tout autour. Où aller ? Un monde nouveau, si vaste, s'offrait à moi. Rouler vers le sud ou vers le nord ? Notions inconnues d'un enfant, certes. Alors, aller où ? Vers Jean-Talon et l'enseigne du salon de coiffure des Teasdale, ou vers Bélanger et la marquise du cinéma *Château* ? Mon père s'approche et me dit :

— Aimerais-tu que je te pose deux blocs de bois sur tes pédales ? Tes jambes sont un peu courtes, tu trouves pas ?

Insultant papa. Ça va aller, voyons, je n'ai qu'à bien tendre mes jambes. Il voit bien que j'y arrive, non ? Je roule. J'ai hâte de laisser derrière moi ce père trop protecteur. Je ne suis plus un bébé. J'ai quatre ans, presque. Ça y est, ça va. Le professeur Laroche, à l'étage de son collège commercial, me voit. Il me sourit. Il est étonné

sans doute et il remarque que mon tricycle est tout neuf.
Si brillant. Du même rouge que les camions des pompiers. Je regarde droit devant moi. Je ne dois me laisser
distraire par personne. J'ai à conduire un engin moderne,
moi, et qui file si vite. Le boulanger s'arrête devant moi,
au milieu du trottoir, les bras chargés de pains et de
gâteaux. Il me laisse passer, me fait des signes d'encouragement de la tête. On me respecte.

Je suis un autre. Je ne suis plus le bambin quasi
invisible qu'on bouscule, qu'on manque souvent de
renverser. Non, je suis un garçon assis sur une machine
qui peut faire de la vitesse. J'existe vraiment maintenant.
J'ai ma place dans tout ce trafic de la rue Saint-Denis.
J'examine mieux les détails, la bouche des égouts avec
son gros couvercle métallique, les poteaux soutenant les
fils électriques, ceux des tramways, du téléphone, et tous
ces fouets de réglisse noire qui amènent la lumière dans
nos maisons. Je dois lever la tête pour tout voir, je ne suis
pas un géant. Je voudrais tout examiner, installé ainsi sur
ma petite machine à pédales. Je vois les lampadaires, les
clôtures des parterres, notre borne-fontaine où mes deux
sœurs accrochent leur corde à danser, la boîte postale au
loin, du même rouge que mon engin. Quelle ivresse! Ce
bon vent de fin d'avril dans mes cheveux. Je suis libre.
On ne pourra plus me surveiller, guetter sans cesse mes
allées et venues, je suis enfin indépendant, maître de mon
destin. Il était temps.

Je me retourne et je vois ma mère, très loin, qui me
fait de grands signes. Veut-elle me rassurer? Inutile! Est-
ce qu'elle a peur pour moi? S'imagine-t-elle que je ne
reviendrai plus jamais? Que les mamans s'énervent donc
pour des riens! J'aime bien pourtant qu'elle s'inquiète
un peu. J'ai besoin de la provoquer. Je veux aller loin.
Très loin. Qu'elle me perde de vue pour une fois.
Envie d'aller là où plus personne ne pourra me crier de

rentrer ou de me rapprocher de notre parterre. Puisqu'on m'a confié cet engin, on veut bien que je
m'éloigne, non ?

De l'autre côté de la rue, les petites sœurs Fortin me
font des signes des deux mains. Elles n'en reviennent pas
sans doute. Oui, j'ai un tricycle ! Eh oui ! André m'aper-
çoit à son tour. Lui si chiche, si réticent à me prêter ses
soldats de plomb, le voilà qui me dit :

— Veux-tu ma boîte de soldats ?

Il perd son temps, pas question de m'arrêter. Je lui
lance un « Non, merci » et je file. Une trombe. Je suis le
vent en personne. Je roule de plus belle. Je pédale à fond.
André Desbarrats devrait bien voir que je suis rendu
ailleurs, au-delà de nos jeux de batailles avec ses fantassins, ses artilleurs, ses colonels et ses généraux à cheval,
ses sergents en bicycles à gaz. Fini de m'accroupir sur son
balcon avec ses soldats immobiles. Peut-être plus tard, s'il
pleut. Si je vais à la guerre de nouveau, ce sera avec ma
machine rouge luisante. J'ai un engin formidable pour
aller combattre l'ennemi. Pour fureter partout où je voudrai. Lui n'en a pas. Pas ma faute. Il n'a qu'à supplier ses
parents comme je l'ai fait, ou alors une marraine, un
parrain riche. Chacun son trésor, lui, sa belle collection
de soldats de plomb, moi, mon tricycle. Ce soir, je l'installerai dans ma chambre, juste à côté de mon lit.

Je l'aime déjà. Il sera mon compagnon de tous les
jours. Je le trouve si beau. Si neuf. Si rouge. Je me lèverai
plus tôt désormais, c'est certain. Je ne m'ennuierai plus
jamais, je le sens. J'irai, un jour, au bout du monde. De
ma ville, je veux dire. J'irai partout un jour. Je pourrai
aller visiter ma cousine Marthe qui a de si beaux cahiers
à colorier, rue Faillon, ou mon oncle Léo qui m'aime
tant, ou ma tante Alice, rue Gounod, qui fait du si bon
sucre à la crème. Un jour, seul, sans mon encombrante
grande sœur Lucille, je roulerai jusqu'à la carrière

Villeray. Fini la voiturette de bébé! Fini de m'asseoir comme un poupon dans la poussette familiale, entre le lot de sandwichs aux tomates et les breuvages, pour aller pique-niquer au parc! Non, ouvrant la marche, je précéderai tout le monde dans mon char rouge flamboyant. J'irai en tête de cette cohorte des samedis d'été quand maman décide de nous conduire à la pataugeoire du parc Jarry. Déjà, je fais des plans. Déjà, j'imagine des randonnées formidables, des excursions extraordinaires. Le monde va m'appartenir. Il faut juste me donner le temps de maîtriser mon nouveau moyen de locomotion et de grandir un peu. Pédaler va y contribuer pour beaucoup, c'est certain. Comme je ne regrette pas d'avoir chialé chaque fois que nous croisions un garçon de mon âge qui possédait déjà son tricycle.

Je pédale, j'avance, je roule. C'est encore mieux que j'avais pensé. Une merveille! Voici le fils du pharmacien, le grand Cardinal, Jean-Guy, qui est en quatrième année à l'école. Un grand sourire et le voilà qui grimpe derrière ma machine sur l'axe des roues arrière. Pour me faire accélérer, il donne des poussées à coups de pied sur le macadam. Je ne veux pas pleurer, mais il doit s'en aller. Je lui fais des yeux méchants. Je grogne. Il rit:

— Avance, avance tit-boutte! On va aller en bas de la ville ensemble.

L'idiot! Je freine, je lâche le guidon, je croise les bras, je baisse la tête. Si maman est encore sur le trottoir et si elle le voit, elle va accourir. Je me retourne:

— Débarque de là! T'as pas le droit. Descends vite! C'est à moi tout seul.

Il me donne une taloche et s'en va. Grand niais, ce Cardinal, qui se croit tout permis parce que sa mère chante au cinéma *Château*, à l'émission *La Living Room Furniture présente*! Ma mère répète qu'elle chante faux. Le vieil infirme, Gourou, s'amène sur ses béquilles. Il s'arrête pour me voir passer. Il a souri. Pas jaloux, il me dit : « Chanceux va ! Chanceux ! » Voisines du cinéma, les trois sœurs Matte jouent avec leurs poupées dans leur parterre. Elles quittent leurs jeux pour me regarder. Je bombe le torse. Ginette, qui a mon âge, me crie :

— Fais-moi faire un tour !

Je dis :

— Pas le temps ! Une autre fois. Plus tard !

Ça y est, je suis arrivé au coin. C'était pas difficile. Il n'y a plus qu'à tourner et revenir chez moi. Quel beau début ! Je ne me lasserai jamais. Revenir ? Pourquoi ? Si je continuais ? Si j'osais...

J'ai osé. J'ai continué. Je roule maintenant sur le trottoir de la rue Bélanger. Au coin de la rue, un tramway beige, en train de tourner vers Bélanger, est tombé en panne, bloquant un tram vert sur Saint-Denis. Ça boucane en diable ! Une panne de moteur sans doute. Les deux conducteurs aussi fument énormément ! Ils placotent. Ils attendent un mécanicien. Ils m'ont vu, ils m'observent, me font des petits saluts. Tout le monde me remarque ce matin. Moi aussi, je suis conducteur de quelque chose. Au coin, dans sa cabane tapissée de magazines, le vendeur de journaux me pointe du doigt :

— Veux-tu devenir mon livreur, tit-gars ?

Se moque-t-il de moi ?

Rue Bélanger, une des boutiques attenantes au cinéma offre des chapeaux pour dames. Sous sa marquise, la propriétaire me fait un grand sourire en arrosant la terre dans deux boîtes accrochées sous ses vitrines. Le gérant du cinéma, casquette bleue bordée d'or sur le crâne, remplit frénétiquement un panier à déchets fixé à un lampadaire. Il me regarde, fronce les sourcils, me grogne, dans son énorme moustache jaune :

— Va pas trop vite, mon petit bonhomme !

Ils me donnent envie de rire, tous ces conseillers froussards. Je sais ce que je fais. Je sais où je vais, non ? Non, en fait, je ne sais plus trop. Je désobéis en ce moment. Je triche. Mon père m'a bien dit tout à l'heure :

— Tu restes autour. Va pas trop loin ! Bien compris ?

Mais quoi, le trottoir de la rue Bélanger est comme les autres, comme le trottoir du devant de ma porte, aussi lisse. Il est même d'un ciment plus neuf. Il a été refait, c'est sûr ! Je me décide, j'irai encore plus loin. Je tournerai dans une rue nouvelle, inconnue. J'oserai bravement. J'aurai quatre ans dans six mois, pas vrai ?

Oh ! un obstacle ! Une chaîne de trottoir. Pas grave. Je descends de mon engin, je traverse notre ruelle. Les petites Matte m'ont rejoint avec des robes longues qui descendent jusqu'aux chevilles, des chapeaux de vieilles pleins de fleurs de coton, des souliers à talons hauts. Elles me font des gestes frénétiques. Ginette me crie :

— Viens jouer avec nous, tu feras le père de nos enfants !

Non mais... elles voient pas que je suis en expédition ? Elles remarquent donc pas que je suis devenu, depuis ce matin, quelqu'un de différent, un explorateur ? Je fonce vers le coin de la rue. Je veux me sauver du Chinois qui a fait claquer la porte de son échoppe et qui m'a regardé d'un drôle d'air. Il me fait peur avec sa face ronde si large, ses yeux quasiment invisibles, sa couette dans le dos ! Je pédale plus vite. Voici enfin la rue Drolet. Je tourne en vitesse. Le Chinois n'est plus très loin. S'il vient à moi, je vais crier, me débattre, je vais lui donner des coups de pied. Il ne pourra jamais m'enfermer dans son gros sac de lavage. Ouf ! Sauvé ! Il va vers la rue Henri-Julien, vers l'église des Italiens. Il doit être le blanchisseur de tout le linge des prêtres. Avec papa, je l'ai déjà vu entrer au presbytère de notre église, rue de Castelnau.

Je découvre du pays. Ici, rue Drolet, il y a beaucoup plus d'arbres, le long du trottoir et dans les parterres, que dans ma rue Saint-Denis. C'est joli. Une sorte de campagne. Un homme chauve sort d'un grand garage aux portes en accordéon et entasse des tuiles de toutes les couleurs. Il y a des piles de carreaux rouges, des bleus, des jaunes, des mauves, des verts. Je ralentis, c'est beau à voir. Un homme barbu le rejoint avec un sac de plâtre et des truelles. Ils se parlent, en italien peut-être, car je ne comprends pas. Le plus vieux des deux, une main dans sa poche, vient se placer devant moi :

— Veux-tu un bon *klondake*, mon petit gars ?

Je fais un détour et je fonce en avant, je m'éloigne vite. Mes parents me répètent que je ne dois jamais accepter les friandises d'un inconnu. Qu'il y a des hommes méchants qui cherchent à empoisonner les petits enfants pas méfiants. L'homme rit de me voir pédaler à toute vitesse. J'ai de l'énergie, je suis plein de fougue aujourd'hui. Je fais peur, je crois. Des passants m'évitent soigneusement, certains poussent des petits cris de frayeur. Je modère. Je ne veux pas passer pour un garçon mal élevé. On ne sait jamais, une passante pourrait être une amie de maman, un passant, un client de papa.

Le vent d'avril me caresse le visage. J'écoute les piaillements des moineaux. Je suis transformé en voyageur. J'attendais ce jour depuis si longtemps. L'hiver, avec mon cadeau dans le hangar, m'a paru interminable. Quelle délivrance ! Déjà, je pense à demain. À toute la semaine. Au doux mois de mai qui s'en vient. Je pourrai enfin me joindre aux autres, aux plus vieux. Nous allons former une caravane avec tous les tricycles de la rue, celui d'Yvon, vert et plus petit que le mien, celui de Roland, bleu, plus haut mais acheté usagé chez Dumoulin et qui rouille de partout. Tit-Yves, mon meilleur ami, aura le sien en juin, son père l'a promis. Tit-Gilles, lui, a une sorte de trottinette, jaune. Pourra-t-il nous suivre? Heureux, en pédalant rue Drolet, je prévois déjà des jeux nouveaux. Il y aura un tricycle garagiste, un tricycle policier, un autre, livreur d'épicerie. Moi, je serai le pompier du groupe. Je voudrais tant devenir pompier plus tard. On organisera des courses et personne n'arrivera à me battre. Il est neuf, mon tricycle. Neuf!

Me voici au beau milieu d'une rue inconnue. J'ai un peu peur. Jamais je ne me suis éloigné, seul, si loin de la maison. Devant ce monde nouveau, j'éprouve une certaine frayeur. Je ne reconnais rien par ici, aucun repère familier. Je vois pour la première fois des maisons à deux étages. Dans ma rue, elles sont toutes à trois étages. C'est excitant et c'est énervant. Voilà que j'ai le sentiment d'avoir foncé dans l'inconnu. Je voudrais, vite, vite, me retrouver en face de chez moi. Je ne m'aime pas d'avoir peur. Je me parle, je me raisonne. Il faut bien, dans la vie, faire des découvertes. C'est plein d'étrangers par ici. Qui sont ces deux femmes en robes noires avec de grands châles sur la tête, tenant d'énormes sacoches noires? Où vont-elles? On dirait des sorcières de l'Halloween! Elles n'ont pas du tout l'air de nos mères! Je sais si peu de choses encore. Où vont ces bonshommes en salopettes grises qui transportent d'immenses carreaux de vitre, qui marchent très lentement, le visage crispé. S'en vont-ils remplacer des vitrines brisées par des voleurs de banque?

Oui, j'ai peur. Je pédale plus vite. Il me semble que ce trottoir n'a plus de fin. J'aperçois un camion-arrosoir qui roule avec fracas. Quand il arrive à ma hauteur, des jets d'eau puissants m'arrosent les jambes. Mes sandales luisent! Mes chaussettes sont trempées. Rafraîchissement gratuit. Le conducteur de l'arrosoir municipal fume le cigare et me fait des signaux comiques. Un vieux fou! Le

facteur dégringole un escalier. Le sac bourré, les mains
pleines d'enveloppes, il me fait un clin d'œil, me sourit.
Fierté ! Deux gros nuages siamois me cachent subitement
le soleil. Le vent est plus fort, il me semble. Plus de
soleil ! Il n'y a plus personne dans la rue Drolet. Que
moi, moi, le petit garçon imprudent qui pédale, si seul,
vers la rue Jean-Talon. J'avance. Ça va mieux. Un
monsieur ventru marche vers moi. À chaque rencontre,
la folle idée qu'on va m'arrêter, qu'on va me soulever de
mon petit engin et qu'on va m'entraîner dans un logis
pour téléphoner à mes parents :

— Un petit blond, madame, oui ! Il s'était perdu. Il
est seul. Venez vite le chercher, madame !

J'accélère. J'ai les yeux un peu mouillés.

Nouvel obstacle, au coin de la rue, le trottoir de la
rue Drolet finit encore à cause de la ruelle, comme tantôt
au coin du Chinois. Même manœuvre. Et me voilà,
cheveux au vent, roulant vers le prochain coin de rue. Je
vais achever de faire le tour complet de notre vaste pâté
de maisons. On refusera de me croire, c'est certain. Et
puis non, mieux vaut garder tout cela pour moi. Je n'en
parlerai pas à mes parents. Ils me gronderaient. Il suffit
que moi, je sache la vérité : sans même avoir encore
quatre ans, je peux pédaler sur quatre trottoirs différents.
Me voici vis-à-vis du champ vacant de la rue Jean-Talon.
C'est ici que, l'été, une multitude de papillons voltigent
à travers les chardons, que mes sœurs nomment des
« piquants ». Je les ai déjà accompagnées avec leurs pots
de confiture vides pour y emprisonner des papillons ou
des abeilles, parfois un gros taon méchant. Lucille et
Marcelle étaient habiles, je les observais soulever le
couvercle du pot d'une main prudente et paf! d'un geste
furtif, elles capturaient un papillon. Paf! Avec le piquant
parfois ! J'aimais observer ces insectes affolés qui zigza-
guaient dans la bouteille de verre.

Avant d'arriver au coin de la rue Saint-Denis, je vois des taxis stationnés le long du trottoir. Ils attendent les clients. Il y a un gros téléphone noir vissé sur un poteau de téléphone. Les chauffeurs fument, jasent, se taquinent, observent la circulation, les tramways qui tournent en tous sens au coin de la rue. Deux des chauffeurs sont assis sur un long banc de bois fixé à la base des immenses panneaux-réclame. Une musique d'harmonica se fait entendre. Je m'arrête. J'aperçois le fameux Rosaire, surnommé « Bombarde » parce qu'il joue aussi de la guimbarde ! Il vient quêter souvent sous les marquises des cinémas. On en a peur. C'est un drôle de type, si maigre, si grand, avec des bras si longs. Il a des tics nerveux. Il se met parfois à rire à gorge déployée, sans motif. Les adultes disent qu'il « trouble », qu'il finira à l'asile. Comment ça se fait qu'un adulte devient fou ? Papa m'a dit un jour :

— Crains rien, Bombarde est pas méchant. Il est gentil comme tout.

J'écoute sa rengaine. Il cesse de jouer, regarde mon tricycle attentivement, se rapproche. Il rit et secoue son harmonica, l'essuie farouchement sur son pantalon déchiré. Je me sauve de lui. Il se gratte la tête furieusement. Un chauffeur de taxi me dit :

— En as-tu peur, mon petit boutte ? Il est pas mauvais !

Je pédale plus vite encore.

Je pédale. Je tourne le coin. Ça y est, ma rue, mes repères familiers. De l'autre côté, l'énorme vitrine ronde du pharmacien Besner, et puis le magasin de madame Lafleur, fleuriste. C'est son vrai nom ! Je vois son enseigne au néon, une rose gigantesque. Je pédale. Devant moi, l'enseigne suspendue du salon de coiffure Teasdale. Je pédale. Au loin, j'aperçois l'enseigne de notre voisin, monsieur Laroche. Le notaire Décarie qui sort de chez lui, de la paperasse plein les mains. Il semble surpris de me voir, monte dans son automobile, d'un rouge... moins brillant que celui de mon tricycle !

Je l'ai fait ! J'y suis arrivé ! Je ne suis pas peu fier. Ma mère me guettait, m'attendait sur le balcon :

— Veux-tu bien me dire où t'étais passé ?

Dire la vérité ? Comprendra-t-elle le besoin que j'ai eu d'aller très loin pour étrenner ma machine ? Ne pas parler. Elle me voit encore comme un bébé. Alors, je mens :

— J'étais sur le balcon des sœurs Matte. On a joué avec leurs poupées.

Maman est rassurée, n'a plus tous ces plis sur le front. Facile de mentir, je le constate de nouveau.

Marielle, enfermée dans son parc, a répandu autour d'elle trois catins de celluloïd, les deux petits ours en peluche que je lui ai donnés et mon jeu de blocs... que je ne lui ai pas donné ! Elle lève les bras et maman la prend sur sa poitrine. Moi, elle ne me prend presque plus. Ma sœur a volé ma place, c'est évident. Je dois donc vieillir au plus vite. Je me demande s'il ne nous viendra pas d'autres bébés. Combien serons-nous un jour ? Il me semble que quatre enfants c'est assez, non ? Je tire à pleine force mon tricycle dans l'escalier et jusque dans la cuisine. Ma mère dit en riant :

— Tu l'aimes en pas pour rire ! Vas-tu le mettre sur ton lit pour dormir ?

Oui, je l'aime, c'est le plus beau cadeau que j'ai jamais eu. Papa revient de son magasin de la rue Saint-Hubert pour manger avec nous les bonnes saucisses de ce midi. Maman remplit mon assiette de patates pilées, y verse généreusement de la sauce.

— Veux-tu encore du lait ?

— Oh oui, je suis si fatigué ! J'ai besoin de forces.

Je viens de trop parler! J'entends ma mère qui dit à papa:

— Je m'énervais pour rien, Édouard, le petit jouait chez les petites sœurs Matte.

Mon père, aussitôt:

— C'est faux, j'y suis allé et il n'était pas là!

Mon Dieu! Quoi dire? Avouer? On sonne à la porte. Sauvé!

Mon père va ouvrir. J'entends la grosse voix de Bombarde:

— M'sieur, je vous rapporte ça. Votre tit-gars l'a pardu au poste des taxis du coin.

Papa le remercie et claque la porte. Il jette un petit chapeau de roue en métal à côté de mon assiette:

— T'étais au poste des taxis?

Rien à faire, alors j'avoue:

— Oui et j'ai fait tout le tour des rues, de la rue Drolet jusqu'à Jean-Talon, et c'est pas si difficile!

Un silence! Mes parents se sont regardés. Lucille et Marcelle, la bouche pleine, me jettent des regards sombres. Y a-t-il de l'admiration ou de l'envie dans ces yeux-là? Mon père, un morceau de saucisse au bout de sa fourchette, me dit:

— J'ai compris. Ton tricycle va rester dans la cour et défense d'en sortir, mon petit bonhomme!

Ma mère ajoute:

— Si tu penses qu'on a le temps d'aller te chercher au diable vauvert, tu te trompes, mon garçon!

Mon père me parle d'hommes dangereux qui offrent des bonbons empoisonnés, qui piquent les enfants déso-béissants. Je n'y crois pas. C'est des histoires de Bonhomme Sept Heures qu'il me raconte pour me garder à sa portée.

À l'entendre, je devrais attendre d'avoir quoi, dix ans, avant de pouvoir sortir de mon coin? À l'écouter, je saisis vaguement deux choses : la vie serait un repaire de méchantes personnes ; nous, les petits garçons, on serait la proie de maniaques vicieux. Et voilà aussi que les rues cacheraient plein de grands trous, de grosses bosses, de pièges. Des balivernes ! Il ment, j'en suis sûr. Mon père est un grand peureux puisqu'il ne m'est rien arrivé. Il me semble que mes petits camarades ont la chance, eux, d'avoir des parents plus ouverts, moins peureux. Je n'entends jamais mes amis se plaindre de trop de surveillance. Roland est allé, seul, à deux coins de rue, faire donner une injection à son chat chez le vétérinaire Leclerc. Tit-Yves, seul lui aussi, est allé chercher une collerette de renard argenté chez le fourreur Bélanger. Et pour moi, des interdits ! On veut trop me protéger, ça m'étouffe !

Je ne disais rien mais je digérais mal mes saucisses, ça ne passait plus. Je n'ai pas répliqué mais je me suis promis, qu'ils le veuillent ou non, de sortir mon tricycle de la cour demain, de filer au sud jusqu'à la rue Saint-Zotique, jusqu'à la rue Beaubien même, si je voulais. En passant par les ruelles, j'irais au nord visiter celui qui a la plus belle collection d'autos miniatures, mon cousin Jacques Bouchard.

Pendant que maman ramasse la vaisselle, je sors mon tricycle dans la cour. Il est lourd et j'en arrache. Je replace l'enjoliveur rapporté par Bombarde sur ma roue arrière. Le marchand de glace passe en criant :

— Glace en haut ? Glace en bas ?

Une voisine lui lance :

— Monsieur Turgeon ! Un, et un gros pour une fois ! Et votre carte pour ma fenêtre !

La veuve Denis et sa fille Laurette sortent leurs poubelles en haletant, pestant contre l'escalier trop étroit de leur hangar. Je les aime bien, ces deux voisines ; elles me donnent souvent des jujubes multicolores.

— Oh que tu as reçu un beau bicycle !

De sa poche de tablier, madame Denis sort une poignée de jujubes et me les offre par-dessus sa clôture.

— Veux-tu venir avec nous ? On s'en va acheter une poule vivante au marché Jean-Talon.

Vite, aller demander à maman. J'y cours, le cœur en fête.

— Au marché avec madame Denis ? C'est bien vrai ?

Ma mère sort leur parler :

— Soyez bien prudentes avec lui, c'est un vrai matamore.

J'ouvre la barrière, c'est ma deuxième expédition hors de mon enclos dans la même journée.

— Vas-y, passe devant, on va te regarder pédaler, mon petit chou.

Je déteste ces « petits choux ». Je roule vite. Laurette et sa mère ont du mal à me rejoindre. Ça me fait rire.

Dans les rares stalles occupées du marché, quelques enfants de cultivateurs ouvrent de grands yeux, admirent sans doute mon engin rouge tout neuf. Je me pavane. La veuve Denis m'offre d'autres jujubes. Il y en a cinq à la réglisse noire, mes préférés ! Elle fait mettre la poule choisie dans un sac bien scellé et puis l'accroche derrière ma selle. Je la sens, la pauvre bête, qui gigote, qui se débat pour sortir du sac. Laurette dit, en riant :

— Demain, samedi, ton papa acceptera certainement de lui couper le cou. De l'ouvrage d'homme.

Je dis aussitôt :

— Comptez pas sur lui ! Il est pas trop brave, mon père. Il veut même pas que je sorte de la cour tout seul.

La veuve Denis rit :

— Et toi, tu pourrais lui trancher le cou ?

Je fais celui qui n'a pas entendu et je pédale plus vite pour m'éloigner. Se moquent-elles de moi ? Je comprends mal les grands : ou bien ils défendent tout, ou bien ils permettent des absurdités.

Revenu dans la ruelle le premier, je décide d'entrer dans la cour de Tit-Yves. Il a une épée de bois verni, un bouclier et un arc à flèches. J'ai envie de libérer la poule pour qu'on puisse la pourchasser avec les flèches.

— Tu me prêtes ton tricycle et je te passe toutes mes armes, me dit Tit-Yves.

Il n'en est pas question. Je sors de la cour. Je le vois qui vise le gros chat tigré du notaire Poirier grimpé dans un des peupliers. Laurette secoue le sac de la poule, qui gigote toujours :

— Continue, pédale, pédale. Tu dois livrer notre bestiole jusqu'à notre porte, sinon, plus de jujubes.

À mon arrivée, ma mère me sourit en étendant des jupons sur sa corde à linge. La poulie grince comme jamais. En haut, sur sa galerie, le conducteur de tramway, monsieur Diodati, boit sa bière. Il s'écrie, en voyant les Denis sortir la poule du sac :

— Bougez pas, je descends, mes petites madames. M'en vas vous la décapiter, votre poulette. Je viens justement d'aiguiser ma hache.

Ma mère et les voisines rient. Je range ma petite machine sous notre galerie et je rentre. Je ne veux pas voir le massacre. J'entends des cris et des rires. Les adultes, du drôle de monde ! Je ne les comprends pas !

J'avais conservé les jujubes noirs et, rendu sur le balcon d'en avant, je les mets dans ma bouche tous les cinq. D'un seul coup. Miam ! Une sirène hurle si fort que les autos s'arrêtent partout. À toute vitesse, une ambulance tourne le coin et freine avec fracas. La voisine de droite, madame Kouri, me dit :

— C'est Coco-la-guerre, le gazé. Il vient de se faire frapper par le camion du vendeur de glace !

Je cours chercher mon tricycle, je ne veux pas manquer ça. Je fais des bruits de sirène avec ma bouche. Arrivé dans la cour, je vois monsieur Diodati, brandissant sa hache. Il tente de maintenir la poule gigoteuse sur une bûche de bois. Autour de lui, cris et rires toujours.

— Où vas-tu encore? dit ma mère.

Je réponds:

— C'est Coco-la-guerre! L'ambulance est là! Un accident!

Au même moment, j'entends le coup de hache: shlack! Des cris d'effroi. Et puis le silence. Monsieur Diodati pousse un cri de victoire. La poule étêtée fait trois, quatre pas, avant de s'écrouler! Je n'en reviens pas! Des applaudissements. Madame Denis lui tranche les deux pattes en deux coups de hache précis. Laurette Denis vient vers moi avec une des pattes:

— Prends-en une. Tu tires sur le nerf qui est là et les ergots se dressent! Vas-y!

Je cours dans la ruelle retrouver Tit-Gilles qui passe sur son *teddy-car*. Je crie:

— Regarde ça! Une patte morte qui est encore vivante!

Il a peur! C'est vrai que c'est amusant. Un jouet à bon marché! J'avais complètement oublié Coco-la-guerre.

Ce soir-là, j'allais m'endormir quand j'ai entendu un bruit. Ma mère, tout doucement, sortait le tricycle de ma chambre. Elle croyait que je ne l'avais pas entendue marmonner:

— La place d'un tricycle, c'est dehors, sur la galerie!

Puis, je me suis senti pesant, si lourd, et ma chambre s'est soudainement illuminée! Le soleil luisait. Il y avait une formidable course de tricycles dans la ruelle. J'en voyais de toutes les couleurs, six, dix, douze! Nous portions tous un blouson de serge noire avec des chiffres en blanc. J'avais le numéro huit, mon chiffre chanceux. Aux deux extrémités de la ruelle, il y avait un arbitre avec un drapeau à carreaux noirs et blancs. J'ai ajusté des lunettes d'aviateur en m'installant sur mon tricycle neuf. Strident coup de sifflet! Aussitôt, j'ai foncé comme un démon, la langue sortie. Aux carreaux des hangars, plein de monde. Le long des clôtures, je voyais le Chinois, les sorcières noires de la rue Drolet, les chauffeurs de taxi, monsieur Diodati, Bombarde, le facteur, le boulanger, et même Coco-la-guerre sur des béquilles! Tous criaient, nous encourageaient. J'étais en tête des coureurs!

Ce matin, je m'en suis souvenu, j'arrivais bon premier dans mon rêve et Ginette Matte m'avait passé autour du cou une médaille en or. Monsieur Diodati et mon père m'avaient transporté en triomphe sur leurs épaules jusque dans la cour et là, ma mère m'avait pris dans ses bras et serré très fort. Puis, madame Denis m'avait offert un gros sac de jujubes. Ils étaient tous noirs!

CHAPITRE 4

L'amour des couleurs

CHEZ NOUS, il y avait très peu de jouets. Ils coûtaient trop cher. À Noël, dans un bas de coton, nous recevions des oranges, une banane et quelques bonbons. Au jour de l'An, à part le jouet offert par mémère Jasmin la riche, nos étrennes se résumaient à une pièce de vêtement. Alors, quand le temps était mauvais, que la pluie battait aux fenêtres, ou que, l'hiver, le thermomètre descendait très bas, ma mère disait :

— Est-ce que tu t'ennuies ? Veux-tu mes boutons ?

C'était gagné. L'ennui disparaissait. La boîte à boutons, c'était mon trésor innombrable : des ronds, des triangulaires, des carrés, des minces et des épais, certains rebondis prodigieusement, à deux, à quatre trous, des minuscules, d'autres énormes, des jaunes, des bleus, des rouges, des verts, mats ou brillants, en vitre, en fausses pierres précieuses, ou en ce qui semblait être du granit, du marbre, en matière plastique, en bois, en *terra cotta*, en porcelaine, en faïence fine, en argent et, mes préférés, en or ! Un trésor excitant.

Ma mère sortait de la dépense, au-dessus de la trappe qui menait à la cave, sa grosse boîte métallique noire et je m'y jetais à deux mains grandes ouvertes. Quel plaisir ! Les petits enfants se font un jouet de tout. La multitude de boutons — ramassés comment? depuis quand? — m'était occasion de tout imaginer. Ces boutons devenaient des petits soldats, des animaux minuscules, des fleurs, des maisonnettes. Des pétrifications de ce que je décidais qu'ils étaient. Ainsi, quand s'amenaient ces jours de mauvais temps, je restais calme, je savais qu'il y avait cette boîte magique dans la dépense au-dessus de la trappe. Que j'aimais ces formes variées, ces couleurs si différentes! Je ne savais plus à quoi servaient les boutons dans ces moments-là, j'oubliais volontairement avoir déjà vu maman en choisir attentivement un pour remplacer celui que nous avions perdu. Non, ils n'étaient plus du tout des objets utiles. Ils étaient mon jouet, mon jeu extraordinaire. Les heures passaient vite quand je les rangeais par formes, par couleurs, quand je les alignais pour des combats de bateaux, des chasses d'avion, des défilés militaires, des parades. Centaines d'heures à farfouiller dans ces centaines de pastilles trouées, dans un de mes plus beaux jouets d'enfant.

Oui, le petit enfant fait flèche... de toutes choses. Il arrivait pourtant que je dise «non» à ma mère quand elle m'offrait ses boutons! C'est que j'avais joué avec sa boîte la veille ou l'avant-veille. J'étais, à ce moment, à bout d'imagination. Alors, elle m'offrait son panier à repriser, à broder et à tricoter. Nouveau plaisir! Je faisais des tris dans ses pelotes de laine et dans ce qu'elle appelait de la flaze à broderie. C'était encore le spectacle stimulant des couleurs. Toutes ces balles de laine — qui n'aime pas la douce texture de la laine? — devenaient des balles de neige qui ne fondaient jamais. Que cette variété de couleurs était stimulante! Il y en avait d'inusitées, d'un mauve tendre, d'un violet agressif, d'un fuchsia pimpant ou d'un orangé lumineux. Quel plaisir de palper cette flaze, ces brins de soie luisante, ces tiges satinées! Quelle joie de prendre de la couleur dans mes doigts! Je m'en fabriquais des petits bonshommes, poupées miniatures molles avec lesquelles je parlais.

Je dialoguais, jouant tous les rôles de mes personnages imaginaires, proposant à ces lutins colorés des projets inventés. Une balle de laine noire était une sorcière, une autre, d'un bleu royal, était un prince, moi, bien entendu ! Une autre encore, toute rouge, jouait le rôle d'un pompier, une autre, aux laines bariolées, me servait de petit clown. Avec les bobines de fil à repriser, de toutes les couleurs elles aussi, je bâtissais des pyramides formidables. Comme tous les enfants du monde, j'aimais la couleur. Par exemple, je contemplais très longuement des échantillons de couleurs de peinture, rapportés de la quincaillerie, dépliants cartonnés, avec leur panoplie de languettes émaillées. J'organisais une échelle graduée de mes préférences. J'hésitais : mettre ce rouge écarlate en haut de liste ? Non, plutôt ce jaune aveuglant. Je ne pouvais me décider. Oui, le jaune serait désormais ma couleur préférée. Et puis, je me ravisais. Non, ce serait plutôt ce vert forêt. J'aimais toutes les couleurs, ma foi, et je ne me décidais jamais !

Un peu plus tard, quand il avait converti son magasin d'importations en restaurant, mon père, peut-être pour faire plaisir à ma mère, avait rempli une grande boîte de tous les bijoux exotiques de son ancienne boutique. Quel autre magnifique jouet ! Chaque fois, cependant, il fallait que j'insiste beaucoup pour que ma mère consente à descendre, de la tablette du haut de sa garde-robe, la boîte aux bijoux. Elle me recommandait chaque fois :

— D'accord, mais fais bien attention de ne pas les briser.

Je m'installais au milieu de son grand lit, heureux comme un roi. Le cœur palpitant, je sortais les dizaines de colliers, de bracelets, de broches, de bagues. C'était sans doute de la camelote à bon marché, mais, pour un enfant, c'étaient de fabuleux bijoux. Je n'y connaissais pas grand-chose, je ne pouvais identifier les matériaux utilisés pour la conception de toutes ces breloques importées de Chine ou du Japon... et de je ne sais où encore. Ma mère tentait parfois de m'apprendre certains mots : jade, onyx, turquoise, rubis, topaze. Pour moi, c'étaient de magnifiques colliers jaunes, verts, bleus ou rouges. Les rares colliers de perles m'éblouissaient. Leurs perles étaient-elles vraies ou en vitre ? Je m'en fichais. Les diamants étaient-ils du simple quartz ? Aucune importance !

Je mettais des bagues qui flottaient dans mes dix doigts. Je fixais sur ma chemise un tas de broches, araignées d'ébène, hannetons nacrés, papillons de jade. Je glissais autour de mon cou d'inestimables parures. Soudain, j'étais riche comme Crésus, lourd des plus gros colliers avec des perles rondes parfois luisantes, parfois mates, avec des grains ouvragés, sculptés, taillés en figurines symboliques ou en motifs floraux exquis. J'étais métamorphosé en chef indien, en sorcier africain, en danseur égyptien ! Je paradais dans toutes les pièces de la maison, chantant des airs inventés, affublé de mes parures princières. Certains longs colliers me traînaient jusqu'aux genoux. Je flamboyais ! Mon reflet, dans les vitres des portes du salon, me faisait bomber le torse. Fou de ces ornements prestigieux, ambitieux, j'allais jusqu'à m'accrocher des boucles d'oreilles : des dragons miniatures en émeraude, des hippocampes en pierre à savon, ou bien des abeilles en topaze.

Ma mère m'applaudissait. Mes grandes sœurs, en rentrant de l'école, se moquaient de moi, s'esclaffaient à la vue d'un petit bonhomme déguisé, recouvert de toute cette joaillerie de pacotille. Parfois, après ces séances de bijouterie folle, j'étais excité et, me dépouillant de ces ornements d'un pape païen, d'un empereur de Chine,

redevenant ce que j'étais, j'allais me jeter sur la grosse
boîte des crayons de cire. Naissait alors une version dessinée de tout ce que je venais de rêver. Je traçais, dans
mes gribouillis, un monarque tout-puissant qui luttait
contre une soldatesque ennemie, un Ali Baba fantasma-
tique, un pirate enrichi, un bouffon couronné roi. Je
couvrais des pages et des pages de vingt, cent enlumi-
nures tortueuses, mandarins chinois, chevaliers japonais,
personnages difformes aux bedaines couvertes de longs
colliers. Ma mère, généreuse, s'exclamait :

— Que c'est beau ! Bravo, mon petit gars ! C'est
bien ! Tu seras un grand dessinateur un jour !

Tous les enfants du monde, fils de roi ou fils de
gueux, sont des inventeurs ravis par les couleurs.

Hélas ! dès l'âge de six ans, je pris conscience que
j'avais un redoutable concurrent, mon père. Il était très
habile dessinateur. Un papa tente toujours d'épater son
enfant. Il s'emparait d'un bout de papier brun de boucher et me dessinait la glacière, ou le pot à fleurs, la
théière ou l'appareil-radio. Une chaise... avec moi assis
dessus ! J'enrageais de ne pas être aussi habile que lui à
reproduire exactement les objets qui m'environnaient.
Maman était une menteuse, je ne savais pas dessiner.
Papa, lui, était tout-puissant, il pouvait, avec un bout de
crayon, reproduire n'importe quel objet. Je lui cachais
mes coloriages enfantins.

Si j'osais rivaliser avec lui, je me décourageais. Mon
père ramassait le gribouillis jeté par terre et me disait :

— Non, faut pas jeter ça. Attends, je vais te montrer,
ce n'est pas si difficile.

Avec patience, la pipe boucanante, il me prenait sur
ses genoux, me tenait la main et s'efforçait de m'enseigner ses trucs de dessinateur expert. À sept ans, je finis
par arriver à dessiner, un tout petit peu correctement, la
machine à coudre, le calorifère, le pot de mélasse, la

machine à laver et son tordeur, le pot de limonade, la pinte de lait et, plus difficile, la chatte tigrée, transformée en griffon bizarre ! Ce n'était pas aussi bien que lui, mais c'était mieux que mes barbouillages d'antan. La cloche d'en bas sonnait. Papa redescendait au magasin et moi, resté seul, je revenais à mes graphiques folichons et je pondais un camion de pompiers géant, bien rouge, un peu difforme, avec un long dragon chinois serpentant dans l'échelle *magyrus*, des gnomes aux masques hideux sur le marchepied. À la fin, le camion n'était plus qu'un char allégorique délirant, mais j'étais content. La liberté gagnait sur la réalité, c'était mon monde à moi, le monde inconnu dont les enfants rêvent même éveillés.

Dehors aussi, quand le beau temps revenait, il y avait plein d'occasions de rêver. J'installais des bouts de planche sur la terre boueuse de ma cour, j'étais un Noé s'évadant dans son arche et tous mes animaux m'entouraient. Il fallait lever la voile, puis accoster quelque part. À l'horizon, deux poubelles étaient deux forts ennemis. Il me fallait les combattre. « À l'abordage ! » criais-je. Je ramais avec le vieux râteau rouillé et notre vieille chatte, tigresse souple, sautait sur le pont !

CHAPITRE 5

La fanfare

J'AIMAIS REGARDER LE BÉBÉ de la famille quand il dormait, les poings fermés. J'étais content d'avoir un petit frère. Je m'en promettais. Il allait vieillir et on aurait un gars de plus dans la bande. J'oubliais que nous allions tous vieillir aussi et que la différence d'âge ne serait jamais comblée. Ça avait été une journée de canicule. Nous avions pu nous « saucer », comme disait maman chaque fois qu'elle installait ses deux grosses cuvettes sur la galerie et qu'elle les remplissait d'eau toujours trop froide. Nos cris !

— Ça suffit, le tintamarre ! Avec cette chaleur, l'eau va vite se réchauffer.

La soirée était un peu plus fraîche et mon père, dans son fauteuil d'osier, lisait son journal, comme toujours, les pieds sur la balustrade, la pipe éteinte au bec. Ce soir-là, au parc Jarry, il y aurait concert de musique populaire sous le kiosque, une « gracieuseté », lisait-il, de la compagnie Campbell :

— Les enfants, préparez-vous, je vais vous amener écouter de la belle musique, de la vraie musique. Vous allez découvrir un vrai orchestre, avec tous ses instruments.

La joie ! Sortir avec notre père n'était pas chose fréquente.

Aller entendre un orchestre, c'était une nouveauté dans notre jeune vie. J'avais quatre ans et demi. Nous trépignions tous les quatre, Lucille, Marcelle et ma petite sœur Marielle de trois ans, qui battait des mains. Ma mère, toujours soucieuse des apparences, nous avait passés en revue, le peigne et la brosse à la main. On rechignait.

— Faut pas me faire honte, rendus là-bas. Conduisez-vous bien. Obéissez à votre père.

Elle devait rester car Raynald, le bébé, dormait mal depuis quelques jours, il avait fréquemment des crises convulsives et il fallait tenir la moutarde forte pas loin, prête pour les bains chauds.

Arrivés au parc Jarry, l'air était plus supportable, même qu'une légère brise soufflait. Mon père entre dans le grand parc, poussant allégrement le carrosse de Marielle. Je me tiens debout sur le marchepied d'en arrière. Papa est fort! Lucille et Marcelle tiennent fermement la barre de la voiturette. Nous roulons dans une allée. Il y a déjà plein de monde assis sur des bancs en demi-cercle autour du kiosque. Une foule impressionne toujours. Les musiciens du kiosque sont en train d'installer leurs instruments, leurs lutrins et leurs cahiers à musique. Ils sont au moins une vingtaine! Mon père nous déniche un banc libre et, à cinq, on le remplit aussitôt. Le chef, vêtu d'un costume rutilant de décorations brodées, coiffé d'une casquette de capitaine, lève sa baguette. La foule se tait instantanément. Éclate alors une multitude de sons qui me soulèvent d'aise. Que c'est entraînant! Marielle, sans doute trop impressionnée par toutes ces ondes amplifiées, se met à brailler. Papa se lève et, pour ne pas embarrasser les autres spectateurs, il s'éloigne avec elle, la berçant dans ses bras. Tant pis pour elle!

J'aperçois une place libre tout à fait en avant. Je cours m'y installer. J'aime déjà comme un fou cette fanfare avec tous ses musiciens en costumes militaires, tout à fait comme j'en ai vu, photographiés sur un paquebot, dans le «Supplément» de *La Presse*. Les gros tambours ronds me stimulent énormément. J'aime les tambours. La grosse trompette toute recourbée, immense, émet des sons étonnants. Les flûtes font des merveilles, leur harmonie me transporte. Je dodeline de la tête en rythme. Je distingue qu'il y a plusieurs sortes de ce que j'appelle des clairons ou des trompettes : en forme de grosses pipes métalliques, brillantes ; avec des boutons dessus que l'artiste presse agilement sans arrêt, des longs et des courts, avec des sortes de pistons. Il y a des violons ordinaires comme celui de l'oncle Ovila, et un très gros posé par terre ! Que d'instruments dont j'ignorais même la forme. Ça sonne, ça vibre, l'air du soir en est secoué !

C'est merveilleux ! Je pressens que j'aimerai à jamais cette musique entraînante. J'ai des images dans la tête, les images des soldats de plomb de mon ami Desbarats. J'aperçois le grand maigrichon, Roland Morneau, le frère de Tit-Gilles, installé près de Lucille. Il lui joue dans les cheveux ! Ma mère va le savoir. Lucille lui donne des tapes sur les mains mais lui sourit. Elle a presque dix ans et je sais comment les filles s'excitent pour des riens. J'ai bien vu que les garçons de son âge se pensent beaux et lui tournent autour. Je le dirai à maman pour savoir si elle a le droit de se laisser jouer dans les cheveux. Marcelle, à ses côtés, semble, comme moi, subjuguée par la musique. Papa est venu se rasseoir. Marielle a gagné un cornet de glace aux fraises. Pourtant, ma mère dit sans cesse qu'on n'a pas un seul sou à gaspiller. C'est pas juste, papa m'en doit un.

Dès qu'un morceau est terminé, les gens applaudissent à tout rompre. Je m'en bouche les oreilles. Comme je regrette que maman n'ait pu venir écouter cet orchestre extraordinaire ! Je lui raconterai tout, j'essaierai d'imiter les bruits des instruments. Je la connais, elle va rire ; elle dit souvent que je suis son « petit comédien ». Je retourne au banc familial. Marielle me prête son cornet aux fraises pour une lichée et papa sort un sac apporté de la maison, rempli de raisins de Corinthe. Lucille et Marcelle en prennent aussitôt. Le grand Morneau est allé se cacher. Durant une pause de la fanfare, je vois un homme avec un grand panier suspendu à son cou qui offre des friandises. Il maraude autour des bancs d'en arrière. Évidemment, ce n'est pas pour nous. « On est trop pauvres », dira papa si je quémande. La noirceur d'août descend vite sur le parc. Des lumières se sont allumées sous le toit du kiosque. La musique me paraît encore plus féerique. Je suis bien, je resterais ici toute la nuit à écouter. Certaines pièces musicales sont connues car, dès que le chef les entonne, des gens éclatent en applaudissements spontanés.

J'aimerais avoir une de ces flûtes toutes noires. Elles ne doivent pas être trop coûteuses puisqu'elles sont en bois peint. Elle émettent des sons étranges et merveilleux. Il faudra que je trouve les noms de tous ces instruments. Tante Rose-Alba a peut-être une encyclopédie de musique dans son sous-sol transformé en librairie de livres à louer. J'irai avec maman, ou avec mon père qui va si souvent visiter son frère Léo, le mari de ma tante. J'aimerais un jour posséder autre chose que les tambourins chinois de papa, qui émettent des sons brefs et résonnent si peu. Il y a bien ma harpe japonaise, mais elle n'a rien à voir avec ce que j'entends ici.

Roland Morneau, moins intimidé, ose se rapprocher et, pour amadouer mon père, offre du *cream-soda* à Marielle qui mord la paille au lieu d'aspirer. J'aurais dû prévenir Tit-Gilles et Tit-Yves. Ils ignorent sans doute qu'il y a un concert gratuit ici. Ça me fera quelque chose à leur raconter demain matin. La fanfare entonne l'air que maman chante souvent le dimanche quand elle revient de la messe. Elle m'a déjà dit que c'était l'air du beau *Danube bleu*. Je l'ai reconnu. Maman serait si heureuse de l'entendre avec nous tous. Marcelle a vidé le sac de raisins secs. Marielle est beurrée de crème. Ça coule ! Papa a sorti son mouchoir pour lui nettoyer le visage. Lucille, qui se sait observée par le grand Roland, fait sa *smatte* et applaudit plus fort que tout le monde chaque fois que se termine un morceau. Elle n'arrête pas de se peigner les cheveux. Je suppose que c'est comme ça, les filles, quand elles poussent trop vite. Il faut toujours qu'elles aient un admirateur pas loin. Un air enjoué, au rythme enlevé, et je pars, je vole, je me sens ailleurs, comme hors du monde. Je n'ai jamais vu mon père si attentif. J'ignorais qu'il aimait la musique à ce point.

— Tu regrettes pas d'être venu, hein papa ? lui dis-je.

Il se penche, me fait une petite caresse dans le cou :

— C'est mieux qu'à la radio, pas vrai, mon gars ?

Il a bien raison. Ici, on voit la musique, on ne fait pas que l'écouter dans une boîte de bois verni.

J'aurais envie de me lever et de danser sur ces rythmes entraînants. Je ne bouge pas mais je m'imagine en oiseau voletant au-dessus des musiciens, me posant sur un des instruments. Je me vois en ange du ciel avec une de ces belles trompettes de cuivre luisant. Je ferme les yeux de temps en temps et la fanfare m'entraîne dans des rêveries de toute beauté. Je voyage dans le temps, un air léger me change en dauphin nageant dans une mer turquoise, un autre air, plus martial, me change en lion musardant dans d'immenses prairies, un autre, tout fou, me change en Superman voltigeant au-dessus de villes inconnues dans des pays étrangers. Mon père a bien vu mes transports de joie, il se penche pour me dire :

— On ira les écouter encore. Ils donnent des concerts dans différents parcs. On ira en tramway.

C'est terminé car tout le monde s'est levé. Les musiciens aussi se lèvent pour jouer l'hymne national des Anglais, *God save the King*. Je connais cet air. Ensuite, ils jouent le *Ô Canada* et je songe aux blagues de Tit-Gilles avec les mots de cette chanson. J'ai envie de faire rire Marcelle en gueulant : « Ô Canada, crotte de chat ! Terre de nos aïeux, crotte de beu ! Ton front est ceint, crotte de chien ! » Mon père n'apprécierait pas. Tit-Gilles, qui n'a que cinq ans, sait déjà par cœur une dizaine de chansons à la mode ! Je demanderai à papa si je peux amener Tit-Gilles avec moi au prochain concert de fanfare. J'y pense, mes sœurs vont vouloir nous accompagner et papa refusera de s'encombrer d'un enfant de plus. Il n'a pas quatre mains, comme il dit quand ma mère le presse de tout réparer en même temps. Les lumières du kiosque s'éteignent. Tout le monde se disperse. Tout le monde semble léger.

Nous reprenons la poussette et je m'installe de nouveau sur le marchepied, ma place. Il fait très noir. Bientôt septembre. Papa m'a promis de m'apprendre à lire et à écrire. Il prétend que l'an prochain, à cinq ans et demi, il pourra me faire commencer l'école. Ça ne m'intéresse pas plus que ça. Mes grandes sœurs se plaignent de tous ces devoirs à l'encre qu'il faut faire avec des transparents sans salir leurs cahiers, des leçons qu'il faut apprendre par cœur. Marcelle est en première année et elle en arrache tant les religieuses la surchargent. Lucille est en troisième année, elle aussi trouve qu'on lui en donne trop. Elle voudrait aller à Saint-Édouard, la paroisse voisine.

— Pas moyen de changer d'école, a expliqué ma mère. C'est partout le même programme et chaque enfant est obligé de fréquenter l'école de sa paroisse.

Nous marchons maintenant et mes sœurs me tiennent la main fermement comme si j'allais m'envoler. Pas de danger, il n'y a plus de musique pour me transporter... après m'avoir transformé. J'aime marcher dans la pelouse du parc, c'est si doux. Je me retourne, il n'y a presque plus personne déjà dans le kiosque et sur les bancs. Est-ce qu'un musicien peut apporter son instrument chez lui ? Ah ! si mon père pouvait être un musicien, j'aurais un de ces gros tambours ronds sous la galerie. J'en jouerais, il me semble, matin, midi et soir.

Nous arrivons au coin de la rue Jean-Talon. Les phares des autos nous aveuglent. Papa s'énerve, nous regroupe autour de lui. Nous passons devant l'édifice des sourds et muets, où il y a d'énormes colonnes. Quelle calamité pour ces gens de ne pas pouvoir parler, de ne pas pouvoir entendre surtout. Jamais ils n'entendront ce merveilleux orchestre du parc Jarry. J'ai de la peine pour eux. Quand j'en parle à mon père, il me dit :

— On ne souffre pas de ce que l'on ne connaît pas, tu comprends ?

C'est vrai. Avant de venir ici, j'ignorais le plaisir d'entendre de la musique vivante et je ne souffrais pas de ne pas connaître ce bonheur. Mon Dieu ! s'il fallait que je devienne tout à coup sourd et muet, moi aussi ! Nous marchons vers notre coin de rue. Des criquets stridulent dans certains parterres. Chez madame Theasdale, le chien aboie méchamment mais papa, qui a la frousse des chiens, se rend vite compte que l'animal est attaché. Chez le notaire Décarie, un beau chat en laine angora se lèche le pelage. Il nous regarde passer tous les cinq, ses yeux phosphorescents tout grand ouverts.

Arrivés chez nous, maman est là, sur le balcon, avec Tonine, la bonne, et sa bien-aimée voisine, madame Le Houiller. Elle dit :

— Pis toujours, avez-vous aimé votre soirée, les enfants?

Lucille et Marcelle parlent aussitôt en même temps pour vanter la fanfare. Quand elles finissent par se taire, je monte sur le balcon:

— Maman, ça doit être bon marché, une trompette en bois peinturé noir?

— On dit une clarinette, mon gars.

Je risque:

— Moi, maman, ce que j'aimerais le plus au monde, c'est de jouer de cette grosse trompette géante qu'on se passe autour du cou.

— On appelle ça un tuba, dit maman. Tu demanderas à ta grand-mère qu'elle t'en offre un en cadeau au jour de l'An.

Elle doit se moquer de moi, cette grosse flûte, le tuba, doit coûter des centaines de piastres!

Papa s'assoit, allume sa pipe et pose ses jambes, comme il fait toujours, sur la balustrade. Ma mère proclame:

— Bon, dodo, tout le monde! Demain, dimanche, la messe pour les filles.

Dans ma chambre, je joue de la clarinette, du tuba, avec mes mains refermées sur la bouche, puis je mime le batteur de gros tambours ronds en battant des mains sur ma commode. « Des timbales », a dit maman. Mes sœurs, dans la chambre voisine, protestent. Lucille dit:

— Raynald dort, chut!

Je continue de plus belle. Exaspérée, elle sort de son lit, ouvre violemment la portière de rideaux et me crie:

— Ça suffit! On veut dormir, Marcelle et moi.

Marielle ne dit rien. Dans son lit voisin du mien, elle ronfle déjà, on dirait! Elle a le sommeil facile. Comment fait-elle? Maman vient vérifier si on a fait notre prière du soir. On avait oublié.

— Tout le monde à genoux autour du lit !

C'est long, ça n'en finit plus. Quand maman arrive au rituel : « Faites, bon saint Joseph, que notre père obtienne du succès dans son commerce », je sais que c'est la fin et je saute dans mon lit. Je dis tout bas à maman :

— Tu sais, maman, Roland, le grand frère de Tit-Gilles, eh bien, il tournait autour de Lucille et elle lui souriait tout le temps.

— Saudit grand bavard ! éclate ma sœur.

Elle est loin d'être sourde. Elle vient me talocher dans ma chambre. Maman la force à retourner dans son lit :

— Soyez sages, dormez ! Demain, mes enfants, on ira faire une visite chez votre tante Gertrude, à Verdun.

Je suis content. Ce que j'aime, quand on va à Verdun, c'est qu'il y a trois sortes de tramways à prendre pour s'y rendre et qu'ensuite on va marcher le long du fleuve où il y a plein de mouettes. Cette tante a un phonographe et des disques. Je lui demanderai si, dans sa collection, elle a des musiques de fanfare militaire. Mes airs favoris à jamais ! J'ai entendu mon père sur le balcon qui disait :

— Ton gars m'a l'air d'aimer la musique comme c'est pas possible. Je me demande si on ne devrait pas lui acheter une flûte, une guitare. Je sais pas, moi.

« Quelle bonne idée ! » me suis-je dit et, juste avant de sombrer dans les bras de Morphée, une musique de fanfare m'est revenue à la mémoire. Je me suis retrouvé dans un paysage de plantes mirifiques, rempli d'oiseaux exotiques. J'ai fini par m'endormir vraiment en pensant que j'étais chef d'orchestre avec un costume flamboyant, que j'avais cent musiciens et que mon kiosque était grand comme l'oratoire Saint-Joseph !

CHAPITRE 6

L'incendie

MIL NEUF CENT TRENTE-CINQ : un événement ! Un
soir d'octobre, alors que je dormais depuis longtemps, branle-bas dans la maison soudainement. Quel
tintamarre ! Ma mère, en jaquette et robe de chambre,
pousse des cris de mort, et mon père, en camisole, les
bretelles sur la taille, se démène, tasse un meuble, s'écrie :

— Faites ça vite, messieurs, très vite, sinon on va tous
y passer !

Dressé, énervé, les mains sur les oreilles, je m'agite,
j'ai envie de pleurer. Qu'est-ce que je vois ? Des pompiers
dans le couloir chez moi ? Des pompiers avec des haches,
d'autres qui tirent derrière eux de longs tuyaux d'arrosage. Le feu ? C'est clair, oui, le feu est pris chez moi.
Lucille et Marcelle veulent sortir de leur chambre :

— Bougez surtout pas, les enfants ! Restez dans vos
lits !

En voilà une affaire ! La maison flambe et nous
devons rester enfermés dans nos chambres, sagement ! Je
voudrais tant participer à l'action. J'aime les pompiers,
moi ! J'entends qu'on donne des ordres sur la galerie
arrière :

— Grimpez ! Allez-y en vitesse, les gars. Faut stopper
ça vite !

Arrêter quoi ? Ah, si je pouvais avoir la permission
d'aller voir ! Le cri d'un voisin :

— Le hangar flambe, regardez ! C'est effrayant !

Les hommes en cirés, en bottes de sept lieues, courent — bruits de sabots —, je les vois passer et repasser.
De nouveaux tuyaux d'arrosage serpentent dans le couloir. Je pourrais les toucher. Je regarde Marielle qui dort
à poings fermés dans son petit lit de fer.

Dans le cadre de la porte, un immense gaillard
m'apparaît, une hache rouge gigantesque à la main. Il me
regarde un instant. Suis-je dans un des contes effroyables
de Perrault ? Il me fait un sourire :

— Chanceux d'avoir une borne-fontaine presqu'en
face !
et il file aussitôt vers la cuisine. Je crie :

— Papa ! Papa !

Il vient dans la porte ouverte :

— N'aie pas peur, les pompiers connaissent leur
affaire. Tu vas voir qu'ils vont en venir à bout rapidement ! Bouge pas de ton lit !

Je dis :

— Mais papa, dans le hangar, il y a mon tricycle, ma
pelle à *stime*, tous mes jouets !

Papa sourit :

— Crains pas ! C'est pas en bas. Le feu est pris au
troisième, dans le hangar de madame Delfosse.

Un tuyau d'arrosage est mal vissé à un autre et de
l'eau gicle dans le couloir. Ma mère, les cheveux dans le
visage, essuie tout ça avec sa serpillière. Elle nous dit, à
moi et à mes sœurs :

— C'est à cause des cendres de son poêle ! La
Delfosse les a mises dans sa *shed* et c'était mal éteint.

Lucille et Marcelle s'énervent de plus belle. Je cours
me réfugier au milieu de leur lit. On se tient par les
épaules fermement. On regarde le terrible spectacle de

ces hommes forts qui galopent, qui sont essoufflés, qui gueulent des ordres. Un chef vient vers mon père, qui, lui aussi, tente de contenir les dégâts dans le couloir :

— On peut pas faire autrement. C'est noyé en haut. Faut défoncer votre plancher de hangar pour que ça s'écoule jusqu'au sol. On peut ?

Mon père lui répond d'une voix nerveuse :

— Faites ce que vous avez à faire. Qu'est-ce que vous voulez que je vous dise ?

Cette veillée s'annonce mémorable. Un peu calmé, je retourne dans mon lit. Marielle remue, ouvre la bouche comme pour bâiller, se tourne de côté et repart dans ses rêves.

Voici que madame Le Houiller, cigarette au bec, s'aventure sur le site du fléau et lance, avec son accent irlandais :

— Oh, ma pauvre Germaine ! Avais-tu besoin d'un tel malheur ? Est-ce que je peux aider ?

Ma mère l'entraîne au boudoir :

— Madame Olier — maman n'a jamais pu dire : « Le Houiller » —, tous les hangars vont être inondés. Y pensez-vous ? Mon linge d'hiver dans la commode, mes boîtes de biscuits secs, mes tomates vertes pour mes conserves ! Ça va être un gaspillage épouvantable !

Ma mère semble aimer qu'on la réconforte. Elle chiale. Une autre voisine s'amène ! Madame Bégin. Aussitôt, ma mère repart :

— Est-ce que Dieu veut nous punir ? Mais de quoi, Seigneur ?

J'entends de furieux coups de hache. J'ai l'impression que les pompiers jettent les hangars à terre. J'ai hâte à demain pour constater le carnage.

Un pompier en sueur entre dans ma chambre, me sourit, enlève ses grosses mitaines, s'éponge le front :

— Ça se tasse, mon p'tit gars. Ça va mieux. On contrôle le feu. Y a pus de danger pour vous autres. Tu vas pouvoir te rendormir.

Et il repart avec son gros extincteur dans les bras. J'aurais tant voulu voir tout ça, collaborer. M'aurait-on permis de tenir une hache? d'arroser? Mon père s'est calmé. Il vient vers ses trois enfants un peu moins terrorisés:

— Ça achève. Ils ont fait du bon travail. On a de bons pompiers. Il n'y a plus que cette fumée dans l'air. Fermez vos portes de chambre, ça sent jusqu'ici.

Ma mère, qui s'est débarrassée de ses deux fouineuses compatissantes, jette un coup d'œil à Marielle et vient s'asseoir au bord du lit:

— C'est incroyable, la petite s'est même pas réveillée. Pouvez-vous comprendre ça?

Ma petite sœur pourra-t-elle comprendre, demain, quand je lui raconterai ce qui s'est passé? Ma mère:

— Si vous voyiez ça, la cour est comme une rivière. Ça coule à flots.

Je suppose que, quand je me réveillerai, cette rivière aura disparu. J'aurais tellement aimé jouer dans l'eau, faire des pâtés de boue. Papa s'amène, il a allumé sa pipe. Peut-être pour se calmer?

Voilà que la responsable du sinistre surgit, la mine défaite, un manteau pauvre sur les épaules. Elle semble envahie de remords:

— Monsieur Jasmin! J'suis tellement honteuse. Tout est de ma faute. Vous allez me chasser comme locataire. Vous auriez mille fois raison. Je me sens coupable d'une négligence impardonnable.

Papa a pris sa grosse voix:

— Écoutez, madame, il me semble que vous devez savoir, à votre âge, qu'on dépose pas des braises encore fumantes dans un hangar?

Elle en pleure :

— Il fait froid en octobre, vous savez. Il fallait que je remette vite du charbon. Ma petite Rolande a le rhume. J'ai fait ça trop vite. J'en conviens, j'ai été d'une folle imprudence. Je vous fais toutes mes excuses.

Ma mère m'étonne. Dure, elle lui dit :

— Il y a qu'ils ont percé des trous dans le plancher des hangars et que l'eau répandue a noyé toutes mes affaires. Vous comprenez ? Quel dégât, et par votre faute !

La femme humiliée éclate en lourds sanglots, se tord les mains :

— J'ai personne moi, je n'ai pas d'homme pour m'aider. J'suis qu'une pauvre veuve !

Ma mère se radoucit :

— Calmez-vous, calmez-vous. Un accident, c'est un accident ! Où est-elle, votre petite Rolande ?

La veuve a sorti son mouchoir, renifle :

— Quand j'ai vu les flammes dans mon hangar, j'ai tout de suite téléphoné aux pompiers et puis, pour sa sécurité, j'ai amené ma petite chez la voisine, madame Denis. Elle doit être à l'envers, la pauvre enfant. Je vais aller la retrouver. Je voulais vous dire mes regrets pour tout ce branle-bas.

Ma mère va la reconduire en la prenant par le bras :

— C'est fini. C'est terminé. Allez-vous-en chez vous. Il n'y a plus de danger.

Papa marmonne :

— Sacrée folle ! Mettre des braises dans un hangar ! Il y a des locataires qui sont des têtes de linotte, je vous le dis, mes enfants.

Un agent de police s'amène ! Il s'approche de mon père, carnet ouvert à la main :

— Vous êtes le propriétaire, je suppose ? Venez dans cuisine, j'ai besoin de vous pour rédiger mon rapport.

Un policier dans notre cuisine! J'imaginais tous les badauds attroupés devant notre maison, rue Saint-Denis. Que j'aimerais avoir le droit d'aller raconter toute l'affaire! En arrière, j'entends des voix de stentor. Des voisins, monsieur Diodati, monsieur Bégin, donnent leur version de cet incendie.

Enfin, les portes se referment. Un certain silence. Tout redevient paisible. Le calme total bientôt. Papa se verse du café. La cafetière est toujours pleine. Mon père boit mille tasses de café par jour! Ma mère dit:

— Je suis morte! Je me couche, je finirai de nettoyer tout ce barda demain matin.

C'était la fin de ce spectacle, affreux pour mes parents et plutôt excitant pour moi. Je suis retourné dans mon lit. Lucille referme la haute tenture qui sépare nos deux chambres:

— Fais de bons rêves! Pas de poux, pas de punaises!

Marcelle rit:

— Demain, quand je vais raconter tout ça à l'école, mes amies me croiront pas!

Je voudrais me rendormir vite, rêver aux pompiers. Je souhaiterais, dans ce rêve, me voir grimper dans une grande échelle, tenir un de ces gros tuyaux vus tantôt dans le passage. Les voisins m'observeraient avec admiration. Des flammes me lècheraient les pieds mais, courageux, je lutterais au milieu de la boucane. J'aurais mon gros casque avec le badge brillant, des gants d'amiante, des bottes de géant et, à la ceinture, une hache bien aiguisée. J'ai fini par m'endormir et le lendemain je me suis souvenu avoir rêvé qu'avec papa je pêchais les perchaudes de la carrière Villeray. Ensuite, j'avais rêvé qu'à quatre pattes dans les pelouses j'aidais nos voisines italiennes de la rue Drolet à ramasser les pissenlits du parc Jarry. Rien d'excitant. Eh, mautadit! on rêve jamais à ce qu'on veut rêver!

CHAPITRE 7

La Fête-Dieu

AVANT MÊME DE PARTIR pour cette procession, j'avais senti de la fébrilité dans l'air du quartier. D'abord, papa avait annoncé qu'il fermait son magasin. En plein jour ? Il allait donc se passer des choses pas ordinaires. Les maisons étaient toutes décorées de douzaines de petits drapeaux ; certains balcons en faisaient voir des grappes entières, réunies par des mains de fonte vissées au bois des balustrades. Maman avait sorti son plus beau chapeau à voilette et elle arborait fièrement son ruban bleu des Dames de Sainte-Anne. C'était la grande cousine Madeleine qui garderait Marielle, quatre ans, et Raynald qui dormait comme dorment sans cesse les bébés. Mes grandes sœurs, Lucille et Marcelle, étaient parties à leur école, où devaient se regrouper tous les élèves. La Fête-Dieu était une grande fête, la plus imposante de l'année après celle de Noël. Le soleil apparaissait et disparaissait, il y avait une lutte au firmament entre lui et des quantités de petits nuages d'un blanc immaculé. Un ciel pavoisé d'ouate céleste, comme prêt à participer à ce défilé. En attendant papa — il avait promis de m'emmener pour la première fois —, j'entendais des tambours et des airs de clairons. Les cadets de l'école Philippe-Aubert-de-Gaspé devaient répéter avant le départ du défilé. Le cœur me débattait ! C'était ma première procession dans la rue. Enfin, papa s'amène ! Il porte, lui, le ruban rouge des Ligueurs du Sacré-Cœur.

— En route, mon petit gars. Allons fêter Dieu !

Des voisines, des voisins sortent de tous les logis pour ce même rendez-vous flamboyant. Je suis fier.

— Tu vas voir comme c'est beau ! me fait papa en empoignant ma petite main.

On a pris la rue Drolet d'abord et, en arrivant au coin de la rue de Castelnau, je découvre la foule, tout ce monde rassemblé au beau milieu de la rue, devant notre église paroissiale ! J'ai peur. Je cesse de marcher, mais papa me tire la main :

— T'as pas besoin d'avoir peur. Viens, viens, c'est le bon Dieu qu'on va fêter, pas le démon !

La foule est grouillante, tout le monde parle en même temps, les gens se saluent, se font des confidences, se donnent les dernières nouvelles, se serrent la main, des enfants comme moi s'accrochent fermement aux manteaux de printemps des mères, aux manches de veston des pères. Comme moi, ils ont peur de se perdre dans cette cohue monstrueuse. C'est la première fois que je vois tant de monde, la première fois de ma vie que je peux me tenir au milieu d'une rue. J'aime ça. Ce n'est pas la vie ordinaire. Les gens règnent. La circulation des voitures est abolie, il n'y a plus que du monde à pied. C'est nouveau. Cela m'excite et m'intimide. Je reste collé sur papa, les yeux très grands ouverts. Je me calme un peu quand je reconnais madame Bégin, madame Denis, monsieur Provost qui écrase son reste de cigare dans le caniveau. Le petit monde de mon pâté de maisons est ici. Ouf !

Soudain, le bruit des cloches emplit l'air. Les paroissiens haussent le ton pour mieux s'entendre jacasser. La foule attend la sortie du prêtre avec son ostensoir en or contenant le saint-sacrement, la grande hostie. Des cris : « Le voilà enfin ! » Un certain silence s'installe partout. Des bigotes font des signes de croix à répétition. Un vicaire agite fougueusement son bel encensoir fumant en face du baldaquin doré sous lequel quatre porteurs, des marguilliers, soutiennent quatre hautes perches, sortes de lances à pointe cuivrée autour desquelles s'enroulent des rubans de couleurs vives. Je n'ai pas assez d'yeux pour tout regarder. Le grand escalier de l'église Sainte-Cécile tient lieu de rassemblement pour les importants. Je vois mademoiselle Rocher, un mouchoir de dentelle sous le nez, émue, toujours triste. Elle est seule encore. Je vois monsieur Odette qui crache son chewing-gum d'un jet, rajuste son chapeau de feutre brun, suçote un cigare éteint. Maintenant, il gesticule, secouant le bras du notaire Décarie.

Les deux garçons du docteur Lemire, courroies de cuir à la taille, portent une haute bannière où sont inscrites des lettres que je ne peux déchiffrer :

— C'est écrit en latin, m'explique mon père, *Excelsior*, qui veut dire : Toujours plus haut ».

J'interroge encore :

— Et sur la bannière mauve, papa ?

Il me dit :

— *Sursum corda*, qui signifie : « Haut les cœurs » !

Je vois Pitou Lafontaine qui guide prudemment sa femme aveugle. Le docteur Émile Saine sort du petit restaurant au coin d'Henri-Julien, grignotant un *May West*, un grand sourire aux lèvres. Une vraie fouine, il regarde partout. Soudain, un policier en motocyclette fend la foule pour préparer le départ. Ça pue !

Je vois Lucille et Marcelle au loin, qui courent vers leurs rangs devant leur école. Les petites croisées s'alignent à part, béret blanc sur la tête, ruban en travers du corps, sérieuses, au milieu de la rue, face à la Caisse populaire. Sortant de leur cour de récréation, escortées par les sœurs de Sainte-Croix aux cornettes gaufrées, voici des centaines de fillettes dans leurs plus beaux atours. En face, rue de Gaspé, tous les garçons de l'école vont prendre leurs places assignées, longs serpents qui ondulent, centaines et centaines de visages poupins.

Madame Le Houiller complimente ma mère, puis me voit, me sourit, vient vers moi :

— Tu es beau en habit de velours comme ça !

Je suis transporté de joie. Les cloches sonnent à toute volée. Les tambours roulent en cadences retenues. Tout va s'ébranler bientôt, je le sens. Les premiers chants pieux s'élèvent, emmêlant le « Je crois en Dieu, il est ma gloire ! » avec le « Je suis croisée, c'est là ma vie ! » et le « J'irai la voir un jour, au ciel, dans sa patrie ! » Cloches, chants, tambours, je n'oublierai jamais la vive émotion que tout cela me procure. Une vingtaine de garçons suivent le baldaquin du saint-sacrement. Ils sont en soutanes rouges et portent des surplis de dentelle finement ajourée, des calottes sur la tête. Ils ont un recueil de cantiques dans la main droite. Avec la gauche, ils tiennent des flambeaux, faux grands cierges blancs avec, au bout, des globes de verre coloré sur des lampions allumés. Je ne dirai peut-être pas non au vœu de mon père qui souhaite tant me voir devenir enfant de chœur un jour. J'accepterai si on me refuse dans le corps de tambours et clairons ! Le vent s'est renforcé et les bannières s'envolent, les porteurs s'arc-boutent. De partout, des voix montent, montent dans une cacophonie étonnante !

Soudain, le corps de clairons et trompettes se met en marche et va résolument se placer en tête du cortège. Je suis très excité. Tout un peuple grouillant s'installe derrière le baldaquin. Cela s'étire jusqu'au coin de Saint-Denis. Des vicaires pressés, les mains jointes, surveillent l'ordre des groupes, distribuent des cahiers de chants. Affublé d'un costume rutilant, apparait le chef de fanfare coiffé de son immense chapeau de fourrure noire. Il crie :

— En avant, marche !

Les clairons éclatent immédiatement. Nous allons partir. Les premiers rangs s'ébranlent. D'abord les enfants, les filles d'un côté, les garçons de l'autre. Série interminable de petits couples ! Mon père entonne avec ses confrères l'hymne : « Jésus, notre sauveur ! » Je lui tiens la main bien serrée. Je regarde en arrière, nous sommes innombrables ! Sentiment de force. Je suis grisé par cette réunion géante.

Je regarde au ciel : de gros nuages blancs filent vers l'est. Au-dessus de ces nuages, j'imagine un ciel peuplé d'anges et d'archanges. Planeurs éternels, ils nous observent sans doute sur la Terre, dans la rue. La tête en l'air, clignant des yeux, il me semble que je les vois admirant notre long défilé. Plus haut, Dieu en personne ! Un bon géant barbu dont la tunique se soulève au vent comme sur les images gagnées par mes sœurs. Dieu est certainement content. Je crois discerner, tout flou, entre deux nuages lumineux, Dieu le fils, Jésus lui-même. Je veux l'imaginer pâle, convalescent, mal sorti encore de sa crucifixion. Il doit avoir les pieds et les mains couverts de pansements rougis. Son suaire s'effiloche au vent. Malgré tout, je l'imagine qui sourit volontiers à cette foule en liesse. Est-ce qu'il nous bénit ? Est-ce sa main, ce flocon blanc qui roule au firmament, ou un mouton, ou un morceau de barbe-à-papa ? J'aimerais monter au ciel, aller voir de près cet autre cortège. Oh oui ! pouvoir m'envoler parmi ces nuages, voir de près la maman, Marie, le papa, Joseph, la colombe aux ailes ouvertes, le Saint-Esprit, voir tous les saints, la sainte sauvagesse, Catheri Tékakouitha, le saint de nos Italiens, Antoine, Cécile la musicienne, patronne de notre paroisse, et qui encore ?

On me bouscule. Mon père me tapote une épaule. Je dois revenir sur Terre, ne plus trébucher dans ses pas. Il faut avancer, suivre. Des chants inconnus de moi montent dans l'air. C'est si nouveau, un tel rassemblement de monde. Je ne savais pas qu'il y avait tant de gens dans mon quartier. On arrive tout au bout de la rue de Castelnau et, loin devant, les clairons éclatent en rythmes triomphants, les tambours battent plus fort. Alors qu'il tourne l'angle de la rue, je distingue l'enfant-major, je vois son haut chapeau de poils noirs. Il fait tournoyer avec beaucoup d'adresse son bâton d'argent. J'aperçois maman, qui chante très fort, fière de sa confrérie. Elle s'est tournée vers nous. Mon père tente de lui faire des signes, moi aussi. À notre tour de tourner dans la rue Saint-Laurent. Des enfants sourds et muets sont entassés dans l'escalier de leur institution, habillés de noir. Le parc Jarry est désert. Nous tournons de nouveau pour entrer dans la rue Gounod. Plein de mères avec des bébés sur les balcons, plein de drapeaux au vent. Trop vieux pour se mêler à nous, quelques vieillards regardent placidement les marcheurs. Nous empruntons la rue Saint-Denis. Ma rue! Puis, nous tournons dans la rue Villeray. Davantage de curieux sur les balcons. Au coin de la rue, un vétéran de la guerre de 1914 en fauteuil roulant agite un drapeau du Sacré-Cœur. Devant la vitrine d'un magasin, un vieillard vend des fanions aux couleurs du Vatican.

Nous marchons vers l'ouest, au milieu de la rue Faillon, contournant l'église inachevée des Irlandais, *Holy Family*. Des policiers bloquent toute circulation dans les rues adjacentes. Nous sommes importants. C'est la fête des fêtes, n'est-ce pas? Je chante très fort. Je voudrais que nous traversions toute la ville, que nous allions jusqu'au bord du fleuve. Rendus au port, nous nous embarquerions sur un paquebot pour traverser l'océan. Croisés modernes, nous irions au pays de Jésus, en Palestine, visiter Bethléem, Nazareth. À Jérusalem où Jésus a vécu son horrible destin. Au nombre que nous sommes, nous pourrions refaire son histoire accablante, reprendre du début, de son baptême avec Jean-Baptiste, éliminer Judas le traître et le sinistre Calvaire. On le couronnerait Roi des hommes, Seigneur de toute la Terre. Nous, les gens de Villeray, installerions un Jésus tout neuf, bien rétabli de ses blessures. Il reprendrait sa mission avec, cette fois, un succès fantastique, fort du secours du monde de Sainte-Cécile qui le louange à plein gosier ! Je suis un innocent. À cinq ans, on croit pouvoir changer les histoires qui finissent mal, décidant que le méchant loup se fait tuer avant même que le Petit Chaperon rouge cogne à la porte chez sa grand-mère.

Brouhaha soudain, une fillette s'est évanouie. Je sors de mes songes, on accourt vers elle. Des brigadiers la prennent dans leurs bras, l'installent sur un balcon de la rue Faillon. Pas de danger, moi, on ne me verra pas flancher, je suis en pleine forme. Je chante à gorge déployée, toujours en retard d'un mot sur papa. Je pourrais marcher jusqu'au soir, jusqu'à demain il me semble. Je me dis que ce sentiment de bien-être que j'ai éprouvé ce matin quand je suis sorti admirer les drapeaux, eh bien, c'était le signe prémonitoire de mon bonheur actuel. Je fais partie de cette foule inouïe, je fais partie d'un peuple en oraisons, je deviens quelqu'un enfin ! Les rues nous appartiennent, la ville entière est à nous. Il n'y a qu'à chanter et Dieu nous voit, Dieu nous aime ! Le ciel, pas si loin, pas si haut, veille sur nous tous, sur mon père et ma mère, sur mes sœurs, sur mes copains, sur moi. Oui, je me sens envahi par une formidable chaleur. Nous pourrions tous mourir ici, en ce moment même, et le cortège se reformerait aussitôt dans l'azur. Le firmament nous ferait une route d'ouate

lumineuse et les tambours, les clairons sonneraient
encore plus fort.

Voici la petite rue Jules-Verne et la belle maison du
reposoir. Les images de mon imagination prennent des
formes réelles! De beaux anges dans un escalier remuent,
sourient, les mains jointes, vêtus de robes translucides
avec, sur le dos, de très hautes ailes de plumes soyeuses.
C'est le ciel sur la Terre! Deux archanges, grimpés sur
des socles, encadrent l'autel dressé sur le balcon des
Campeau. À l'étage du dessus, un saint Michel suspendu
menace un dragon hideux de son épée flamboyante. Il
est magnifique! Dans des berceaux de paille, quatre
angelots babillent! La foule s'entasse devant le reposoir.
Des brigadiers ouvrent un sentier, le curé Lefebvre va
poser son ostensoir sur un autel doré garni de fleurs. Des
servants encensent l'hostie, qui disparaît dans la boucane.
Ça sent bon! Des dizaines de lampions de couleur
illuminent ce tabernacle inusité. La chorale de monsieur
Léveillée entonne un chant glorieux. La chanteuse tant
admirée de maman, mademoiselle Dumont, interprète
les couplets. On l'applaudit. Le petit Potvin joue sur un
orgue miniature. On l'applaudit. L'amie de Marcelle,
Claudette Picard, porte le costume de Marie-Enfant.
Papa l'admire. Les curieux, sur les balcons voisins du
reposoir, s'agitent, repoussent les badauds qui veulent
s'installer, qui quêtent de l'eau, un biscuit.

Cohue remuante, la police doit s'en mêler. Je suis un
peu fatigué. Papa me prend dans ses bras.

— Ça achève. On va s'en retourner bientôt.

Je ne veux pas que cette apparition s'éteigne, qu'elle
disparaisse. Je voudrais voir l'enfant Jésus revenir sur
Terre. Parmi nous tous, il danserait, rirait de plaisir. Il
distribuerait de la nourriture qu'il ferait surgir miraculeu-
sement. Je recevrais des petits gâteaux avec du miel
dedans, mes favoris, du sucre à la crème, des raisins. Voilà

qu'un des anges du trottoir me sert un verre de jus
d'orange! On pourrait tous s'asseoir au milieu de la rue
Jules-Verne pour écouter parler le Christ en personne. Il
nous connaît tous, il m'appellerait par mon nom! Pour
me taquiner, il voudrait voir ce que je cache au fond
d'une poche, ma petite toupie bleue. Il voudrait que je
lui montre à en jouer. Merveilleux grand frère, il saurait
vite comment enrouler la corde autour de la toupie. Il la
lancerait et elle tournerait dans l'air jusqu'au ciel! La
foule l'applaudirait. Il irait vers ces deux vieilles femmes
de la maison d'à côté. Il guérirait nos infirmes, donnerait
des bonbons aux bambins.

Papa m'a remis sur mes pieds et on me tape sur
l'épaule. C'est la triste demoiselle Rocher qui me ramène
sur Terre:

— Tu vas aller sur le balcon porter ces fleurs, Claude.

Elle me confie une énorme gerbe de lys blancs. Je
monte, fébrile, l'escalier des Campeau. Un ange prend
mon bouquet et va le placer dans un vase de cristal près
de l'ostensoir. Je suis rouge, confus, j'ai peur de trébucher. J'ai eu un rôle! On m'a vu, on m'a bien vu brandir
ce bouquet. Le curé lève haut les mains. Il va sans doute
réciter une prière spéciale. Un silence se fait aussitôt. On
pose les tambours au sol. J'entend alors:

— Mes bien chers frères, malgré certains événements,
là-bas, en Europe, que 1935 soit une année de paix dans
le monde. Dieu de miséricorde tout-puissant, accordez-
nous la joie de grandir sans guerre aucune, dans la foi du
Christ.

J'ai mal aux pieds. Je m'assois au bord de la rue, je
retire mes chaussures, je me frotte la plante des pieds.
Voilà que maman surgit à mes côtés, m'aide à remettre
mes souliers. Elle dit à mon père:

— Je te l'avais dit qu'il était trop jeune pour l'amener
ici. Je vais rentrer avec lui!

Papa proteste, me hisse sur son dos :

— Il va rester avec moi. Je le porterai jusqu'à la fin, t'en fais pas.

Je suis heureux. Mon papa est si fort. J'étire les bras. Je voudrais porter la bannière à franges dorées. Je l'accroche, je tire dessus. Mon père me dit :

— Fais pas ça, reste tranquille. Nous allons revenir vers l'église et je te porterai jusqu'à la maison quand tout sera fini.

Je croise mes sœurs, je les appelle. Ont-elles honte de moi ? Elles ne me saluent pas, baissent la tête, me renient ! Elles sont jalouses ! Comme maman était belle aujourd'hui ! Je ne suis pas n'importe qui, je suis aimé. Je ne suis pas qu'un bébé de cinq ans, j'ai fêté Dieu ! Les tambours résonnent de nouveau, les clairons claironnent de plus belle, le cortège se remet en marche. Les chants emplissent l'air de cette fin d'après-midi. Papa chante moins fort. Je suis lourd. Je ferme les yeux, je suis un garçon heureux.

Revenu chez moi, c'est la vie ordinaire. Les mêmes tramways passent, des autos circulent, les piétons vont et viennent dans tous les sens. C'est redevenu un dimanche comme les autres. Ai-je rêvé ? Ce fut trop court, ces moments de bonheur. Mon père a rouvert son magasin. Ma mère s'affaire au souper et me dit de ne pas jouer dans la cour :

— Tu vas salir ton petit habit propre. Va t'asseoir en avant !

Sur le balcon, guettant le client, papa a ouvert *La Patrie du dimanche*. Mes sœurs s'arrachent les bandes dessinées. Papa allume sa pipe, sa blague de *Picobac* à ses côtés, et voilà qu'il remet sa rengaine :

— Si tu voulais, l'année prochaine, tu serais devant le baldaquin. Tu pourrais peut-être obtenir un encensoir. T'aimerais pas devenir enfant de chœur?

Je ne dis rien. J'aimerais mieux avoir un tambour, frapper fort dessus avec les baguettes, être vêtu du beau costume des cadets. Mais je ne sais plus trop, il y a le velours cramoisi des soutanes et il y a ce si joli costume des cadets, le beau pantalon blanc avec un *brade* doré, le veston bleu royal, les épaulettes argentées, les ceintures de cuir épais. Je ne sais plus du tout. Alors, je ne réponds pas. Je dis à papa:

— C'est drôle ça, j'avais une petite toupie bleue dans ma poche et je la trouve plus.

Papa tourne une page de son journal et lance:

— Ah! tu as dû la perdre en cours de procession. Quelle idée aussi d'aller à la Fête-Dieu avec une toupie!

Je repense à ma rêverie d'un Jésus qui fait pivoter ma toupie jusqu'au ciel. Un peu perdu, pas encore tout à fait revenu de la procession, je regarde le ciel bleu partout. Ainsi, là-haut, c'est la même chose, on a retiré les nuages et Dieu est rentré se reposer sur son balcon. Fume-t-il la pipe? Non, sans doute que non. Le cœur me pince. Pitou Lafontaine, le juge Dupuis, madame Lafortune, le docteur Saine, plein de voisins sont déjà en train d'enlever leurs drapeaux. Il va me falloir attendre toute une année avant une telle autre fête. Le cœur me serre. Un client s'amène. Mon père se lève et me dit:

— Commence donc à retirer les drapeaux, veux-tu?

Je dis aussitôt:

— Ah non! Pas maintenant, demain seulement.

Il me regarde un moment, il descend au restaurant en souriant, il a compris. J'enlève un de nos drapeaux et je pars parader sur le trottoir. Seul! J'imite du mieux que je peux le bruit d'un tambour avec ma bouche. Je suis si heureux!

CHAPITRE 8

Un jeu de blocs

OH, LE BEAU DIMANCHE MATIN de juin! Le salon est tout illuminé. Sur le plancher, il y a plein de reflets colorés par les petits vitraux des fenêtres. Dans le boudoir, les rideaux semblent enflammés. J'ai été le premier levé. Mes parents dorment encore. Ma petite sœur Marielle, cinq ans, s'est glissée entre eux et elle dort les mains jointes. C'est le seul jour où maman peut se lever un peu tard. Mes deux grandes sœurs se lèvent et décident de se friser les cheveux dans la salle de toilette. Elles papotent sur leurs amies, sur les religieuses de l'école, sur les rumeurs du quartier. Ça parle toujours, les filles. Sans arrêt. On dirait qu'une force invisible m'invite à sortir sur le balcon. Le soleil monte par-dessus les maisons de l'autre côté de la rue en répandant sa lumière éblouissante partout. Quel calme, tôt, le dimanche matin! Je suis bien. Je vis une sorte d'extase sans trop savoir pourquoi. J'aurai sept ans cet automne. On m'a dit:

— Tu auras l'âge de raison.

Comme si je n'avais pas encore toute ma raison à six ans et demi! Je n'écoute toujours que d'une oreille les propos des grands, n'ai pas toujours confiance en eux. Je porte du linge neuf. Une ancre de bateau d'un bleu luisant est brodée sur ma chemise blanche. Je me trouve d'un chic rare. Je porte un pantalon court en velours noir. Je suis bien dedans. Aujourd'hui, je me sens libre. Il fait si beau aussi. Mes chaussettes blanches sont bordées de fils bleu et or. Mes souliers à boucles de cuivre, presque neufs, sont d'une couleur caramel. Je ne me suis jamais senti aussi bien. Je ne sais pas pourquoi, ce matin, je me sens si bien dans ma peau, vraiment le cœur en fête. Un mystère! Je suis là, debout, seul sur le balcon d'en avant, et j'ai le cœur en joie. C'est un matin comme les autres, un dimanche comme les autres. Il n'y a pas de raison.

Régulièrement, un tramway passe avec peu de clients à bord à cette heure matinale. C'est d'un automatisme qui m'intrigue, tous ces p'tits chars qui vont et viennent. Ils sont toujours là, qu'il pleuve, qu'il neige. Il y a long-temps, il me semble, que nous avons pris les petits chars. La dernière fois, ce fut pour aller visiter le Musée de cire, en face de l'Oratoire. Nous avions pris un de ces longs tramways à deux wagons. Nous nous étions installés, tout excités, sur deux banquettes de paille tressée, ouvrant aussitôt les fenêtres, Lucille, Marcelle, Marielle et moi. Raynald avait été gardé par Antonine, la bonne à tout faire chérie de maman. Tonine venait de loin, de la Gas-pésie, au bout du monde, paraît-il. Nous l'aimions beau-coup, cette servante, une fille de vingt ans gentille, indis-pensable pour notre maman toujours débordée avec ses cinq enfants. Notre mère répétait:

— Les sueurs m'aveuglent! J'ai de l'ouvrage par-dessus la tête!

Une autre fois, nous étions allés rue Rachel pour visiter le Palais des nains. Maman aime beaucoup ce drôle de logis où tous les meubles sont miniatures. Sortis de là, nous étions allés pique-niquer au parc Lafontaine. Nous avions fait un tour de gondole — barque en forme de cygne géant — et ensuite, nous avions vu les bêtes du tout petit zoo : un ours, un porc-épic, deux visons, un renard, des tortues immenses. Aussi, un loup. Partout, des écureuils coursaient entre les grands arbres. Un après-midi extraordinaire.

Ce matin, j'espère qu'on fera bientôt un autre voyage en tramway. Un chat tout blanc traverse la rue en courant et entre, en face, chez le juge Dupuis où la porte est restée ouverte. Balle de laine sur le macadam gris. Quel joli matin de juin ! Les feuilles du peuplier chez les Lafortune bruissent si fort que je les entends de mon côté de la rue. Qu'il est joli, ce matin, mon coin de rue ! Il vente fort. Un vent d'ouest, chaud, si doux.

Je vais maintenant à l'école. On m'a fait sauter la première année au bout d'une seule semaine. On a bien vu que je savais tous mes chiffres et mes lettres, que je comprenais les moins et les plus, surtout, que je savais lire. C'est mon père qui a joué au professeur. Grand bonheur ! Il était si content, si enthousiaste. Dès nos premières leçons sur la table de la cuisine, il a dit que j'apprenais très vite. J'étais stimulé sans cesse par lui. Dès mon entrée — j'ai encore honte d'avoir tant pleuré —, je n'ai pas du tout aimé l'école des filles, Sainte-Cécile. J'ai été tout fier d'être transféré de l'autre côté de la rue de Gaspé, à l'école des garçons. Ma nouvelle maîtresse d'école, mademoiselle Lafontaine, est toujours de bonne humeur. Elle sourit sans cesse. Elle parle tout doucement, ne crie jamais. J'aimerais bien qu'elle puisse monter de classe avec nous en septembre prochain. Ce serait merveilleux. Mais je rêve. Elle aime tant enseigner la deuxième année. C'est sa spécialité, je crois. Maman m'a dit de ne pas espérer qu'elle nous suive, qu'il est bon pour nous, les enfants, de changer de professeur chaque année. Les frères, ces hommes en longue robe noire, les Clercs de Saint-Viateur, me font un peu peur. Ils ne sont pas aussi gentils que papa, il me semble. Pour contrôler les jeunes, ils ont des sifflets stridents !

Oh oui, le beau matin ensoleillé ! Je reste là, complètement immobile, à contempler l'autre côté de la rue. Je trouve ça beau, sans savoir exactement pourquoi. C'est beau, toutes ces maisons de briques assemblées comme pour l'éternité, maisons jamais tout à fait semblables, blotties les unes contre les autres. C'est mon jeu de blocs mais en gigantesque ! Un échafaudage étonnant que tous ces balcons empilés sur trois étages, avec leurs balustrades pleines de quilles, leurs hautes colonnes de bois et, en une sorte de ponctuation, les escaliers tournicotants en fer forgé, avec des spirales décoratives, flèches, feuilles, fleurs de lys de métal. C'est cela, exactement : un jeu de blocs installé par un Goliath. Il y a du beige surtout, aussi du crème, de l'ivoire avec, ici et là, du vert pâle, du vert foncé, du brun. Je ne cesse d'admirer cet immense amas de bois, cet enchevêtrement de galeries, d'escaliers, de toitures. Et sur les toits, ces boules de bois bien rondes — des « acrotères », a dit papa — qui forment comme des tuques dans le ciel de la rue Saint-Denis. Tous ces murs de briques rouges, brunes, orangées, toutes ces fenêtres, trous de noirceur qui percent la longue muraille aux briques de terre cuite, oui, c'est joli !

Des voitures circulent de temps à autre. Au bord du trottoir, les automobiles des voisins riches. Mon père, il me l'a dit, ne veut pas avoir une automobile. Il craint ces machines à gazoline. Il en a déjà eu une — il n'était pas encore marié — et il a eu un accident grave qui a coûté très cher à sa mère. Il dit que cela l'a guéri du désir d'en posséder une autre. Il a raison quand il dit qu'on n'en a pas besoin. Nous avons tout ce qu'il nous faut tout autour. Maman va chez le boucher Bourdon, rue Chateaubriand, pour les repas. Ou chez Turgeon, rue Jean-Talon. Et, rue Bélanger, il y a des magasins variés.

Qu'est-ce qui m'arrive ? Je n'en reviens pas : comme elle est belle ce matin, ma rue ! Un décor de théâtre ! Une sorte d'installation qui m'apparaît hors de l'ordinaire. La lumière fait reluire notre côté de rue. L'autre côté, en face, est encore un peu dans l'ombre. Le soleil se lève à l'est — mon père m'a enseigné cela, les points cardinaux — et notre maison y fait face. Alors, tout brille de notre bord. Il vente si fort que des papiers roulent le long du trottoir. Mademoiselle Rocher, à la triste figure, passe, le corps raide, la tête haute, tenant d'une main gantée son chapeau fleuri surmonté d'un petit oiseau. Elle s'en va à la première messe sans doute. Elle ne me voit pas. Elle ne voit jamais personne. Maman dit que c'est une vieille fille frustrée, qu'elle vit une grande peine d'amour. Son cavalier se serait enfui au moment des fiançailles. Il serait allé travailler dans les mines, loin, à Val-d'Or. Au deuxième étage, en face, monsieur Audet fume le cigare en faisant des petits nuages de fumée. Il regarde à gauche et à droite comme s'il attendait quelqu'un. Juste en face de chez moi, le docteur Saine passe vigoureusement la brosse sur son balcon. Rien ne lève ! Saleté invisible. Peut-être cherche-t-il seulement à se dégourdir, à mieux se réveiller.

Dans ma chambre, papa m'a confectionné un petit autel. J'ai tous les accessoires. Je dis des messes pour rire. J'aime jouer au prêtre. Mon père a été assez habile de ses mains pour transformer une petite armoire en autel. Sur les gradins, je place mes petits vases à fleurs, mes chandeliers de cuivre miniatures. J'ai une lampe de sanctuaire vissée au plafond avec un lampion rouge dedans. Papa accepte de l'allumer quand je lui en fais la demande. J'ai mon ostensoir et j'y mets du vrai pain. Au milieu, un tabernacle fait d'une boîte à souliers peinte en or et qui s'ouvre. J'y ai mon ciboire doré, un calice et une patène luisante. J'ai aussi un encensoir avec de l'encens véritable, cônes chinois qui me viennent de l'ancien magasin de papa. Il allume cet encens parfois pour me faire plaisir. J'aimerai à jamais, je crois, l'odeur de l'encens. Je m'habille en prêtre avec un kimono japonais. Ces accessoires d'autel me viennent de la mère de papa, qui vieillit vite, qui n'est pas en bonne santé, qui habite pas loin d'ici. Elle avait acheté tout cela pour exciter la vocation religieuse de son aîné, l'oncle Ernest, le missionnaire. Ma mémère est inquiète, car les Japonais ont envahi la Chine. Mon oncle nous écrit de longues lettres que mon père nous lit avec gravité. Son frère tant admiré y glisse souvent des photographies d'un hospice, d'un hôpital, d'une école, aussi de paysages de la Mandchourie où il vit. Parfois, il ajoute aussi des cartes postales. Ainsi, j'ai une bonne idée de villes comme Pékin, Canton, Nanking et Zeping Kaï où il enseigne. Tout cela m'instruit sur les us et coutumes des Chinois, sur leurs accoutrements. Je n'avais pas encore compris que mon père, à son tour, voulait exciter ma vocation religieuse avec cet autel. L'autre jour, il m'a demandé :

— Est-ce que tu aimerais ça, aller évangéliser les Chinois plus tard ?

J'ai haussé les épaules. Les Chinois, moi, ils me font un peu peur. Celui de la rue Bélanger m'effraie tellement ! J'ai l'impression qu'ils doivent être si différents de nous tous, les Canadiens français. Et puis, c'est devenir pompier que j'aimerais. Je les ai encore vus à l'œuvre l'autre midi, combattant un incendie qui allait ravager le clos de bois des Provençal, rue de Castelnau. Nous revenions de la grand-messe de onze heures, ce dimanche-là. En moins d'une heure, tout était fini. Éteint. Monsieur Provençal leur a offert de la bière et les a félicités. Un vrai beau métier, pompier. Pouvoir un jour conduire le gros camion, celui avec des échelles, des gros tuyaux, et tout et tout. Oui, pompier, mon rêve. Je n'en parle plus jamais car il y a des sourires moqueurs quand je le fais. Le grand Normand Lemire, notre voisin, m'a dit que c'était facile, qu'il y avait une école pour devenir pompier et que, si on avait de bonnes notes en classe, on nous acceptait. J'ai eu de bonnes notes toute cette première année. Je serai donc accepté, c'est certain.

Comme je me sens bien ce matin. Pourquoi donc? Grand-maman Jasmin est si malade qu'il se peut qu'on lui donne une chambre à la maison bientôt. Maman a dit qu'on n'aura qu'à se tasser un peu plus, qu'on lui doit bien ça, qu'elle a été si généreuse avec nous tous.

— Ma belle-mère est une sainte, répète maman.

J'ai bien peur qu'on m'installe un petit lit étroit dans la chambre des filles!

Après la messe, on reviendra manger à la maison. J'ai déjà l'estomac dans les talons, le ventre creux. Je n'ai pas encore le droit d'aller communier, pas avant l'année prochaine quand j'aurai fait ma première communion, mais comme je n'aime pas déjeuner seul je reste à jeun comme le reste de la famille. Je raffole des bananes écrasées sur mes rôties. J'aime bien aussi les céréales pour les bruits que ça fait : crouch, crouch! crich, crich!

Mes deux sœurs iront à la messe au soubassement de l'église avec les élèves de leur école. Elles vont faire les pieuses mais, au retour, elles se tirailleront comme des démontées pour avoir les meilleures bandes dessinées du journal *La Patrie du dimanche*. Je peux les lire maintenant, moi aussi. « Toto et Titi » est ma bande préférée. Deux jumeaux insupportables qui font enrager tout leur entourage. Deux petits comiques qui me font rire aux éclats parfois. Ma mère s'installe toujours au piano, le dimanche midi. Elle chante bien. Des chansons compliquées où ça parle d'amour! Toujours l'amour! Elle ouvre ses cahiers de musique aux pages noircies de notes.

Elle dit qu'elle a appris comment déchiffrer ces cahiers de notes à son couvent de la rue Fullum, chez les Dames de la Congrégation. Je l'admire. Il arrive que papa chante avec elle comme pour se moquer. Ça me fait rire. Marielle dit que papa prend « sa grosse voix des dimanches ». Elle a raison, je trouve. À la radio du boudoir, hier, j'ai entendu une chanson de Charles Trenet très endiablée : « Boum, quand notre cœur fait boum... » Et aussi : « C'est la pluie qui fait tic tac, tic tac... » J'aime ce chanteur-là, il est si joyeux.

Le dimanche, c'est le grand bonheur chez moi. Je dis cela parce que le professeur Laroche a dit :

— En Italie, avec monsieur Benito Mussolini, tout va bien, tout marche sur des roulettes. Par contre, en Allemagne, il y a ce farouche despote, Adolphe Hitler.

Mon père a dit :

— Oui, Mussolini est correct, il protège le pape. Mais vous avez raison, professeur, l'Allemagne pourrait devenir un pays inquiétant.

Ensuite, je n'ai plus trop compris ce qu'ils se disaient. Maman m'a dit :

— Pauvre petit, essaie pas de comprendre le monde des adultes. L'Europe, c'est toujours des chicanes à n'en plus finir.

Mon pays à moi, c'est ma rue et elle est si belle aujourd'hui. Les cloches de notre église se font entendre et c'est encore plus beau. Le docteur Lemire, notre voisin immédiat, sort pour promener son chien, un labrador brun. Il tient solidement la laisse, mais on a l'impression, à les voir aller ensemble, que c'est le chien qui promène son maître. Plus loin, le notaire Décarie grimpe dans sa nouvelle voiture beige avec des bordures brunes, une très belle voiture. Il klaxonne sans cesse et sa femme finit par sortir en finissant de s'arranger.

— Très coquette, la femme du notaire, dit maman.

En face, Pitou Lafontaine installe des annonces pour son épicerie. Il est énorme, bedonnant et a le crâne chauve même s'il n'est pas plus vieux que papa. Sa femme est aveugle. Quand maman m'amène chez Pitou, je suis très mal à l'aise car elle veut toujours me tâter, me mesurer en lançant ses sempiternels : « Comme il a grandi ! Comme il pousse vite ! » Elle me met les mains partout, sur le visage surtout, comme pour vérifier si j'ai bien deux yeux, deux joues, un front et un nez. Ça m'embarrasse beaucoup. Désormais, je refuse d'accompagner ma mère quand elle m'offre d'aller avec elle acheter des pois, du maïs ou des fèves en boîte. Ça la fait rire. Elle dit : « Petit sauvage, va ! » Au dîner, comme souvent le dimanche, nous allons manger un *roast beef* bien saignant, comme je l'aime. Dimanche dernier, il y avait un pot de cornichons neuf et ma sœur Marcelle s'est battue avec Lucille pour obtenir l'unique chou-fleur du pot. Ma mère lui a dit :

— Grand bébé, Marcelle ! À huit ans, tu devrais savoir que dans la vie, c'est chacun son tour !

On a toujours des visiteurs le dimanche, la plupart du temps une sœur de ma mère. Occasion, chaque fois, d'avoir des friandises, des liqueurs douces. Qui viendra aujourd'hui ? Surprise !

Au loin, j'entends *répéter* le corps de tambours et clairons de l'école. Il y aura donc un défilé cet après-midi. Comme toujours, je vais courir dans les rues avoisinantes pour savoir où ils paradent. J'ai parlé à mon père d'entrer plus tard dans ce corps de cadets. Jouer du tambour, mon rêve. J'en joue dans la cour, mais mal, sur un petit tambour chinois. À notre école, tous les vendredis après-midi, à une heure pile, il y a une cérémonie patriotique. Après la récitation d'une sorte de serment très solennel, je frissonne d'émoi quand le corps de tambours et clairons éclate pour saluer notre drapeau. «Oh oui, mon cœur fait boum, boum, boum!» chanterait Trenet!

Seul, ce matin, sur le balcon, je ne parviens pas à m'arracher de cette vue qui me ravit. Je pressens que je n'oublierai jamais ce moment de grâce. À quoi cela tient-il? À presque rien: la lumière de juin, le vent, les cloches de l'église, ce jeu de blocs géant des balcons empilés. C'est fou d'être envoûté à simplement regarder les maisons de ma rue un dimanche matin de soleil.

CHAPITRE 9

L'orphelinat

JE SAVAIS BIEN que mon père ne nous amènerait plus nulle part. Il était pour toujours prisonnier d'un restaurant. L'installation de son caboulot avait mis fin à nos sorties du dimanche avec lui. Cela me faisait de la peine, c'était mon grand bonheur que d'aller avec lui sur la montagne, au grand parc Lafontaine ou au parc Jarry, à l'Oratoire du mont Royal, son lieu favori. Il n'y aurait plus jamais d'excursions ici et là, avec achat de frites, de glaces. Un dimanche de septembre, mon père manifesta sa curiosité pour un cirque ambulant installé pas loin.

— Bon, bien, vas-y donc avec les enfants. Ça te fera du bien et ça va les amuser !

Papa était content. Ma mère ajouta :

— Je garderai ton restaurant, crains rien !

Elle installa mon petit frère Raynald dans la poussette et, avec mes trois sœurs, ce fut le grand départ pour ce spectacle de cirque, rue Christophe-Colomb. On ne savait pas trop ce qu'on allait voir. Papa garantissait qu'il n'y avait rien de plus beau au monde, qu'il gardait d'excellents souvenirs, du temps de sa jeunesse, des grands parcs d'amusement montréalais, le parc Sommer et le parc Dominion. À l'entendre, ces parcs, dans l'est du bas de la ville, avaient été des lieux de divertissement merveilleux. Maman confirmait qu'on y voyait des

numéros de cirque épatants. Elle avait insisté, tantôt, en
lui disant :

— Sors un peu de ton trou, Édouard ! Ce cirque va te
rappeler le temps de nos fréquentations !

Au coin de la rue Bélanger, notre père nous montra
une affiche sur un poteau de téléphone. On y lisait :
« Venez en foule ! Acrobates sensationnels ! Bouffons et
jongleurs inouïs ! Animaux sauvages dangereux ! » Cette
publicité nous excitait en diable. On avait hâte d'y être.
On tourna pourtant dans la rue Saint-Vallier, papa expli-
quant :

— Lucille et Marcelle, je veux vous montrer la maison
où vous êtes nées. C'est pas loin, au 7031 Saint-Vallier.

On grogna un peu, voulant vite voir les acrobates
sensationnels et les fauves dangereux. Devant le 7031,
mes sœurs n'eurent aucune attention spéciale pour leur
lieu de naissance. Marcelle donnait des coups de pied sur
la poussette de Raynald :

— Vite, allons voir le cirque !

Papa poussa la voiturette vers la rue Jean-Talon,
bifurqua vers l'est, jusqu'à Christophe-Colomb. Enfin,
nous approchions du cirque. À l'horizon, des banderoles
et des ballons, et une joyeuse musique se faisait entendre.
On souriait d'aise. Ce cirque était installé derrière une
haute clôture de broche, dans la cour de récréation de ce
qui nous semblait être une école. Un panneau indiquait :
« Orphelinat Saint-Arsène ».

— Un orphelinat ?

Mon père acheta les billets et nous invita à gagner
rapidement un des bancs des gradins.

— Eh oui, mes enfants, sachez qu'il y a des orphelins
dans le monde. Des petits enfants comme vous, mais qui
n'ont pas de parents !

Malgré la musique, les ballons, les drapeaux, ce fait
m'accabla. Comment pouvait-on vivre normalement sans

aucun parent? J'étais songeur. Comment pourrais-je
vivre sans lui, mon père? sans une mère? C'était incon-
cevable.

— Ici, dit papa, ces enfants orphelins sont habillés,
logés, nourris. Des religieux les hébergent et ils sont bien
traités. Une part de l'argent de nos billets ira à cette
œuvre.

Tout de même, ça me paraissait inimaginable d'être
au monde sans papa ni maman. Je n'en revenais pas. Sur
un des côtés de la cour, j'ai tout de suite remarqué une
longue estrade remplie de petits garçons vêtus sombrement, sages, les mains sur les genoux, attendant silen-
cieusement l'ouverture de la fête. Je les examinais attentivement de nos gradins d'en face. À ma gauche et à ma
droite, un monde coloré et grouillant de vie criait d'im-
patience.

Soudain, un roulement de tambours, puis une
marche militaire endiablée. C'était la parade rituelle
autour de la piste avec les acrobates et les bouffons. Nous
étions déjà ravis. Sur l'immense podium au centre de
cette cour de récréation, un longiligne bonimenteur, chapeau claque à la main, canne à pommeau d'or dans
l'autre, vêtu d'une redingote à queue-de-pie, faisait les
premières présentations. Aussitôt, sous les applaudissements, surgirent deux jeunes filles vêtues de juste-
au-corps roses. Elles grimpèrent dans une échelle de
corde sous un mât central. Des filins d'acier étaient reliés
à ce poteau métallique d'une hauteur impressionnante.
Une fois au faîte de l'échelle, elles se saisirent de trapèzes
et exécutèrent des numéros de haute voltige qui nous
arrachèrent des cris admiratifs. Dans les bras de papa, le
petit Raynald gigotait, montrant du doigt ces intrépides
filles-oiseaux.

Après ce numéro, des bouffons se livrèrent à des
cabrioles folles, des culbutes insensées, des tiraillages

comiques avec nombre de coups de pied au derrière, puis tentèrent de grimper, sans succès, dans les échelles des vrais acrobates. La foule riait. Ensuite, on approcha une cage roulante et deux lions rugissants nous figèrent tous. Un grassouillet dompteur aux allures de gitan entra dans la cage au péril de sa vie. Nous retenions notre souffle. Faisant claquer son fouet, ce dresseur intrépide fit faire des sauts prodigieux aux fauves obéissants, leur fit traverser des cerceaux enflammés, puis les fit promener, coiffés d'énormes chapeaux de paille, en rondes dociles au son d'une musique rythmée. Nous étions épatés. Lucille, Marcelle et Marielle tapaient des mains, trépignaient de joie. D'autres clowns désopilants firent leur entrée. Ils venaient vers nos gradins, nous dévisageaient effrontément, grimaçaient, nous lançaient des seaux remplis de confettis. Ils s'arrosaient de farine, se labouraient de coups de pied, le tout ponctué par les tambours de l'orchestre. On riait de plus belle. Des danseurs sur patins à roulettes, habillés comme des princes d'Arabie, apportaient maintenant un moment de calme. Des vendeurs en tablier jaune circulaient en offrant des friandises.

Devant moi, cette estrade d'orphelins sages me captiva de nouveau. Ils formaient une tache d'un sombre détonnant dans cet entourage multicolore. Je n'arrivais plus à détacher les yeux de ces centaines de petits garçons trop calmes, vêtus de noir. Avaient-ils la permission de rire franchement, de crier? Ils contrastaient tant avec le reste de l'auditoire. Leur estrade était une muraille de noirceur! Je leur trouvais un air malheureux et j'en étais gêné. Les ayant dans mon angle de vision, je les observais sans cesse; ils n'applaudissaient jamais très fort, me semblait-il. C'était comme si on leur avait désappris le rire. Était-ce mon imagination? Je les trouvais maigres et pâles. Je les plaignais sincèrement. Leur présence gâchait un peu mon plaisir. Je n'aurais tellement pas voulu être à leur place.

Il y en avait un, blond, assis au premier rang, qui semblait avoir mon âge et mes allures. Oui, cet orphelin me ressemblait. J'avais remarqué qu'il souriait à peine aux facéties des clowns. À un moment donné, cela m'avait frappé, il ne regardait même pas les voltigeurs qui se relayaient en plein ciel, lâchant audacieusement leurs trapèzes. Tête baissée, il grattait le sol de ses bottines lacées. Je m'identifiai à lui. Il aurait pu être assis à ma place, avec un papa, des sœurs, un frère. Et moi, à la sienne, seul au monde! Un éléphant et une demi-douzaine d'éléphanteaux déambulèrent autour de la piste, montés par des guides enturbannés. C'était un autre moment calme du spectacle et je vis mon sosie se lever, sortir de sa poche un yo-yo et aller marcher à côté de l'estrade réservée aux orphelins.

Je l'aperçus bientôt derrière nos bancs. J'eus un besoin pressant d'aller lui parler. Je dis à papa que j'avais besoin de me dégourdir les jambes. Il m'avertit:

— Ne t'éloigne pas trop, ça achève et tu pourrais te perdre.

Je m'approchai du garçon en noir et lui fis mon meilleur sourire. Lui aussi me sourit, faiblement. Je lui dis:

— J'ai un yo-yo exactement comme le tien, bleu avec une raie blanche.

Encore un sourire furtif et il se mit à le faire tournoyer habilement. J'enchaînai:

— Je sais pas faire aussi bien que toi.

Il se rapprocha:

— Je peux te montrer si tu veux. C'est pas difficile.

Il me passa son yo-yo. J'enroulai la corde et il m'expliqua:

— Le frère Léon, c'est un as, il m'a enseigné comment. Regarde bien. Tu laisses dérouler lentement et, juste avant qu'il arrive au bout de sa corde, tu donnes un coup rapide de la main, comme ça, et tu le fais pivoter. Vas-y.

Je m'efforçai de réussir ce tour et j'y parvins. Enfin, il eut un meilleur sourire, heureux pour moi. Il me dit :

— Je m'appelle Gaston. Toi ?

Je lui dis mon nom, je lui parlai de mes trois sœurs et de mon petit frère dans les bras de mon père en les lui montrant du doigt. Je lui dis que j'allais à une école pas bien loin, rue de Gaspé. Que je préférais jouer, et surtout aller en pique-nique avec ma mère au parc Jarry le samedi. Il m'interrompit :

— Ici, on n'a rien de ça, ni père ni mère, pas de frères, pas de sœurs. Pas de pique-nique, rien. On sort à peu près jamais de cette cour.

Je ne savais plus quoi dire. Gaston avait repris son yo-yo et son air triste. Il n'arrêtait pas de le faire tournoyer. Je ne parlais pas. Je méditais : Est-ce que maman accepterait Gaston à la maison ? Il me ferait un ami de toutes les heures, de tous les jours. Non, pensais-je, elle refuserait sûrement. Déjà, il y avait les cinq enfants et un nouveau bébé était prévu pour bientôt. Même que maman disait : « Si c'est une fille, nous l'appellerons Nicole. » Donner des parents à Gaston, c'était de la folie de seulement y penser. J'imaginais mon frère adopté avec du linge de couleur. Je le présenterais à Tit-Yves, à Tit-Gilles, à Roland. On lui montrerait à jouer au moineau, à sauter du garage des Laroche avec un parapluie et... Non, c'était inutile d'y songer, maman dirait non.

Au même moment, en guise de numéro de fermeture, défilait la fanfare de l'orphelinat. Clairons et tambours faisaient vibrer l'air tout autour. Je demandai à Gaston :

— Aimerais-tu ça jouer du tambour ?

Il regarda le défilé un instant, puis :

— Pas question, je suis toujours malade. J'ai pas de santé, je suis né faible. Et puis je suis pas intelligent. J'arrive toujours dernier dans mes bulletins.

Il m'avait débité tout ça sans me regarder, piochant le sol. Le spectacle était bel et bien terminé. Dans un brouhaha terrible, les gens se levaient, s'en allaient. Mon père me vit et s'approcha. Je lui dis :

— Papa, je te présente Gaston. On a le même âge. Et... peut-être que...

Papa me fixait, guettant la suite. Je dis :

— On pourrait peut-être venir le chercher pour l'amener faire un tour chez nous, un bon dimanche ? Ça dérangerait pas, hein ?

Mon père, Raynald dans les bras, se pencha vers le petit orphelin, lui passa une main dans les cheveux. Il finit par dire :

— Mais oui, bonne idée. Invite-le, donne-lui ton adresse. Attends, je vais te trouver un bout de papier.

Mon père se fouillait, mais l'orphelin recula de quelques pas et dit :

— Moi, aller chez vous ? Faut même pas que j'y pense. C'est comme une prison, l'orphelinat. On a jamais le droit d'aller nulle part.

Il s'éloigna lentement. Je l'ai regardé entrer dans un des rangs qui se formaient. Un religieux siffla trois petits coups et un long. Les enfants en noir nous tournèrent tous le dos, d'un seul mouvement. Je les vis entrer par une des portes de l'institution. Juste avant qu'il ne disparaisse, je vis Gaston, mon ami de cinq minutes, qui se retournait pour me faire une sorte de petit salut. Il avait l'air de me dire : « Je sais bien que je ne te reverrai jamais. » J'avais envie de pleurer. Mon père me dit :

— Claude, t'es assez fort maintenant, pousse le carrosse du petit. Vas-y, je te fais confiance.

J'étais comme enragé. Je me disais que Dieu était cruel et injuste parfois, je le prenais à témoin, je lui disais dans mon cœur : « Faites, mon Dieu, que Gaston se fasse adopter. Et par de bons parents qui l'aimeront. Faites qu'il vienne me voir un jour avec son yo-yo. Mon Dieu, faites que, bientôt, il n'y ait plus d'orphelins à quatre rues de chez moi. Ainsi soit-il. » En tournant le carrosse, mine de rien, j'ai esquissé un signe de croix. Pour être plus sûr d'être exaucé. J'étais malheureux, triste.

CHAPITRE 10

Les tantes

AVEC L'OUVERTURE du restaurant de papa, ma mère aussi avait perdu son compagnon de loisirs. Elle allait seule au cinéma et c'était rare. Le plus souvent, elle allait, seule encore, visiter ses sœurs, l'aînée Maria, ou Pauline, ou Lucienne, ou Alice. Parfois, elle décidait de nous amener avec elle. Nous n'aimions pas beaucoup la vieille tante Maria ; sans parler d'aversion, nous restions méfiants, si peu habitués, hélas, à être considérés comme des petits êtres qu'il fallait corriger au plus tôt. Au fond, cette tante d'aspect autoritaire était une pédagogue-née, mais nous la jugions trop sévère, trop grave. Elle avait le tort de nous prendre au sérieux, ce qui aurait dû nous être agréable. Mais non, nous détestions ses interroga-toires inquisiteurs. Elle s'informait toujours sur nos progrès à l'école, critiquant les façons « modernes » d'éle-ver les enfants. Notre père, toujours moqueur face à ces « étrangers » qu'était la famille de ma mère, disait : « Que voulez-vous, votre tante Maria Leclerc est née en 1885 ! » De la même façon, si, à l'occasion, il s'opposait à un diktat de maman, il en profitait pour souligner qu'il était plus jeune qu'elle de cinq ans, et ramenait sa scie ironique :

— Oubliez pas, mes enfants, que votre mère est née dans un autre siècle, en 1899 !

Tante Maria était veuve et n'avait eu qu'une fille, Madeleine. Comme nous l'aimions, cette grande cousine. Elle nous aimait aussi. Ma mère l'estimait énormément. Jeune fille, maman avait été sa gardienne, puis, devenue jeune mère de famille, c'est elle, Madeleine, que ma mère appelait pour nous garder quand la bonne était en congé. Ça faisait notre bonheur et on l'accueillait avec des cris de joie. Nous la trouvions belle, gentille, si douce. La perfection faite femme! Elle aimait les enfants. Nous jugions qu'elle ne ressemblait en rien à sa mère, cette tante Maria aux sourcils toujours froncés. La grande cousine était une experte nageuse. Plus tard, elle allait patiemment nous enseigner la natation à Saint-Placide, au bord du vieux quai, en face de l'église. Elle allait vite faire de moi un bon nageur, un audacieux plongeur.

Tante Maria habitait rue Everett en face d'un parc, hélas sans aucun appareil de jeux. Elle et sa fille allaient chaque été dans le Maine, aux États-Unis. Tout un mois au bord de la mer! À son retour, bronzée, plus radieuse que jamais, Madeleine nous faisait voir des photographies. La mer! J'en rêvais! Nous en rêvions tous autour de la table de la cuisine jonchée de ses photos. Nous nous extasiions sur l'immensité de l'océan Atlantique, sur ces paquebots au large, ces mouettes et ces goélands, boules de neige sur le sable, ces prises de poissons gigantesques, ces vagues écumantes, déferlantes, aux étonnants collets de dentelle. Sur elle-même aussi, en maillot de laine pâle, audacieuse, nageant le crawl au milieu de la houle. Quand nous l'implorions de nous conduire à la mer au moins une fois, ma mère disait:

— Mes pauvres enfants, pensez-y pas. C'est si loin, des heures et des heures de train ou d'autobus. Et les prix, là-bas, sont exorbitants. Leur chic hôtel d'Old Orchard, le *Normandy*, c'est au-dessus de nos petits moyens.

J'en avais fait mon deuil. C'était écrit, je ne verrais jamais la mer. Nous étions trop pauvres, les Jasmin.

Certains dimanches, nous allions aussi visiter tante Alice, nommée par ses sœurs La Goune, sans qu'on ait jamais su pourquoi. C'était celle qui ressemblait le plus à maman. Toute ronde, énergique, d'un caractère joyeux, pas plus haute que notre petite mère. Le mari de tante Alice, l'oncle Ernest, était aveugle, terrible séquelle d'une maladie mystérieuse. Avant son infirmité, l'oncle avait tenu une épicerie. Maintenant, il était embauché dans une entreprise où on rempaillait des chaises. Tante Alice, coquette, aimait les bijoux et les beaux vêtements. Elle était extrêmement bavarde, désennuyante pour maman toujours privée de son compagnon. Elle avait toujours une flopée de potins à raconter. Maman l'aimait beaucoup. Bien que de tempérament heureux, Alice avait la larme facile. Étonnés que nous étions par ses subites crises larmoyantes, maman nous disait : « Ma sœur est trop émotive ! » En effet, à la moindre anecdote triste, un Niagara éclatait. Chaque fois qu'elle ouvrait les vannes, tante Alice sortait le mouchoir brodé qu'elle cachait perpétuellement dans sa manche. Et ça coulait, ça coulait ! Nous allions nous cacher pour rire. Maman s'activait à la consoler, tentait, par toutes sortes d'arguments, de minimiser les choses, de relativiser l'événement déclencheur de son torrent de larmes. Son fils Jacques, à peine plus âgé que moi, ne restait pas en place. Il n'était jamais là quand nous allions rendre visite à « Alice la braillarde », rue Guizot. Elle avait deux filles, Marthe et Yvette, plus vieilles que mes sœurs. Elles étaient belles ! Elles avaient de la grâce, des manières d'une féminité toute naturelle. Elles étaient comme deux fées aux yeux du petit garçon que j'étais. Débrouillardes et généreuses, elles aidèrent leur famille en offrant une bonne partie de leurs gages dès leurs premiers emplois. Ma mère, édifiée, les citait sans cesse en exemple.

Après avoir bu les rafraîchissements offerts et mangé les succulents carrés aux dattes de cette habile cuisinière, j'aimais sortir, seul, dans cette rue Guizot. Je m'y sentais comme à l'étranger, dans une autre ville. Je furetais sans but, à l'aveuglette, dans le dédale des rues du quartier. Je tentais de découvrir des cachettes. J'examinais des magasins inconnus, je cherchais des endroits propices aux escapades de petits garçons fouineurs, essayant d'imaginer où pouvait rôder mon cousin Jacques, celui que tante Alice trouvait inquiétant et trop déluré pour son âge. Je marchais vers le sud, jusqu'à leur imposante église, Saint-Vincent-Ferrier, rue Jarry. Je revenais vite sur mes pas. Je craignais tant de m'égarer. On nous parlait si souvent d'enfants perdus qui avaient dû tourner en rond des heures durant, en larmes. J'aimais arpenter un territoire inconnu, j'aimais avoir peur. Un peu. Pas trop.

Quant aux autres tantes, Lucienne et Pauline, elles venaient souvent à la maison mais nous n'allions jamais chez elles. Mystère ! Lucienne, la fille du milieu de la tribu des Lefebvre, habitait un troisième étage rue Saint-Denis près de Villeray. Son mari, oncle Roch, était réputé pour être un peu anarchiste, beaucoup misanthrope. Il répétait, les rares fois que nous le voyions : « Les gens sont des poires, des exploités par leur propre faute. » Oncle Roch n'aimait pas le monde. Lucienne adorait sa fille unique, Gisèle, que mes sœurs appréciaient beaucoup parce que déjà, à seize ans, elle n'avait pas froid aux yeux. Forte en conseils, cette cousine Gisèle leur fournissait les trucs pour vieillir au plus vite, se vêtir à la dernière mode pour plaire aux garçons. Tante Lucienne, toute maigrichonne, avait été religieuse carmélite. Ce fait nous excitait énormément et nous ne cessions de l'interroger là-dessus. Mes sœurs surtout, qui tenaient à tout savoir sur les us et coutumes des «pisseuses», comme elles disaient quand ma mère avait le dos tourné.

Tante Lucienne, comme tante Alice, était forte en recommandations de toutes sortes sur des sujets légers ou graves. Elles étaient plus vieilles que maman qui était la benjamine du clan Lefebvre. Tante Lucienne, exploitant notre curiosité, racontait avec parcimonie les aléas de la vie cloîtrée. Nous étions suspendus à ses lèvres dans ces moments-là. Elle racontait les prières au beau milieu de la nuit, les coups de fouet symboliques, le bain hebdomadaire pris avec une jaquette — on criait d'étonnement —, la peur de la chair, de toute nudité, en ce milieu calfeutré. Nous riions, nous la taquinions :

— Pourquoi êtes-vous allée vous enfermer là, ma tante ?

Mon père, très sarcastique avec ses belles-sœurs, y allait de ses moqueries d'une ironie frisant parfois l'indécence :

— Quoi, quoi, les enfants ? Votre tante aimait davantage les beaux mâles comme son Roch, plutôt que Notre-Seigneur Jésus-Christ. Elle a préféré les caresses et les baisers plutôt que le rosaire et le prie-Dieu.

À notre grand étonnement, pour le plaisir d'une pique, d'une agacerie, mon père avait soudain quitté sa piété habituelle. Lucienne protestait mollement. Elle avait aussi deux grands gars, de beaux gaillards, Jacques et Paulo. Hélas pour mes deux grandes sœurs, ils ne leur prêtaient aucune attention. Lucille et Marcelle étaient bien trop jeunes à leurs yeux. Lucienne disait :

— Ah mes deux hommes ! C'est mes deux piliers, mes gardiens, mes bâtons de vieillesse pour plus tard.

Si maman disait :

— Il y a ton Roch, ton mari...

Aussitôt, tante Lucienne levait les yeux au plafond en soupirant :

— Lui ? c'est l'homme invisible de l'histoire !

Tante Pauline, mal mariée et heureusement sans enfant, était la préférée de maman, il me semblait. Elle habitait bien loin, « dans le Grand Nord ». C'était le bout du monde, les Laurentides ! Nous ne sommes jamais allés chez elle. Elle descendait à Montréal, le premier dimanche de chaque mois, pour voir sa chère Germaine. C'était la plus rieuse de nos tantes. Pourtant, nous avions appris, en surprenant les conversations de nos parents, que cette tante en arrachait, que l'oncle Oscar, son mari, était « un maquereau », qu'il lui en faisait baver à la journée longue à Saint-Donat. Il était propriétaire, avec hypothèque, de l'hôtel *Le Montagnard*. Tante Pauline se confiait :

— Oscar est en train de boire le bar ! On court à la faillite. Je suis découragée ! Je songe à le quitter, à venir travailler ici en ville.

C'est ce qu'avait marmonné une Pauline au bord des larmes ; nous avions l'oreille fine, nous, les enfants espiègles, les dimanches de visite. Ma mère la consolait chaque fois, l'encourageait, lui recommandait la patience, l'espoir. Mon père, lui, l'incitait à invoquer Marie-Reine-des-cœurs, sa sainte des causes désespérées.

Tante Pauline ne cessait d'épiloguer sur la misère d'être l'épouse d'un irresponsable, d'un coureur de jupons, d'une véritable éponge, gémissait-elle. À nos yeux, Saint-Donat, c'était le pôle Nord. La tante nous montrait des photos d'autoneige à la porte de l'auberge, vantait cette *snowmobile*, la fameuse invention de monsieur Bombardier, machine sur chenilles avec hélice à l'arrière. Ce véhicule insolite servait de navette pour transporter au *Montagnard* les clients du fameux petit train du Nord. Quand, l'hiver, cette tante arrivait à la maison, tout emmitouflée, soufflante, les joues encore rouges, on aurait dit quelqu'un qui revenait de l'Arctique ! La femme du père Noël !

Pauline amenait souvent avec elle son adjointe, Simone, une femme très maigre, à la voix d'homme, aux cheveux roux, aux yeux d'une mobilité qui nous étonnait. On l'appelait : « Simone l'écureuil guetteur ». Cette femme était tout pour tante Pauline. Elle était l'indispensable ange dévoué qui l'aidait pour les chambres, le ménage, les repas aux clients. Et aussi pour le bar, se transformant en videuse quand Oscar était trop paqueté pour s'en occuper. Simone était une vieille fille alerte. Son énergie faisait du bien à cette tante toujours débordée, toujours au bord d'une crise matrimoniale. Elles étaient les deux doigts d'une même main. Tante Pauline avait, malgré ses malheurs, de la verve ; elle nous excitait par toutes sortes de récits sur des « sauvages » de sa région, sur les accidents en sauts des concours de skieurs, sur ceux qui se perdaient en forêt, du côté du lac Labelle, de la rivière Rouge, de la Diable, de Mont-Tremblant, de Grey Rocks. Que de noms nouveaux pour nous ! Nous écoutions ces récits épiques comme nous écoutions les missionnaires en visite à l'école. Tante Pauline disait parfois :

— Je regarde tes beaux enfants, Mémaine, et ça me fait mal de ne pas en avoir.

Elle ajoutait aussitôt :

— Une chance que je n'en ai pas ! Vois-tu ça, prise comme je suis avec un sans-cœur, un fainéant, un ivrogne ? Ces enfants-là souffriraient le martyre.

Nous baissions le nez, gênés chaque fois d'être plongés malgré nous dans son désarroi. Nous découvrions qu'il y avait des couples qui ne fonctionnaient pas bien du tout.

Quand ma mère recevait au salon deux, trois, parfois quatre de ses sœurs, nous devenions les témoins enjoués de leur caquetage étourdissant. Elles parlaient toutes en même temps et ces pépiements nous amusaient. Réfugiés à la cuisine pour préparer la collation : les roulés aux fraises et les inévitables tartes au *mincemeat*, les pistaches, les bonbons satinés et les liqueurs douces, nous commentions en riant les dernières nouvelles tirées de leurs commérages. Ainsi, un cousin refusait la conscription et se cachait de la police militaire dans un bois de Saint-Donat, un oncle lointain avait une petite amie secrète, un voisin de la rue Guizot s'était suicidé au gaz dans son garage, la vendeuse d'une lingerie de la rue Villeray s'était sauvée avec la caisse ! Et bla-bla-bla !

Hélas ! avant le départ de ses sœurs, maman voulait toujours que Lucille et Marcelle fassent montre de leurs progrès en ballet, ou bien que Marielle récite une fable, un compliment appris chez les sœurs, ou que moi, je joue un nouveau morceau appris sur l'affreux clavier à l'ivoire jauni de madame Picote. Cette dame à l'haleine forte avait elle-même les dents plus jaunes encore que celles de son piano. Je disais à mes tantes, après avoir joué *La valse des patineurs* le plus mal possible :

— Moi, c'est la guitare qui m'intéresse, pas le piano !

Un jour, à ma grande surprise, papa, qui revenait de payer ses taxes rue Notre-Dame, me rapporta une guitare payée quinze piastres dans un *pawnshop*. Il m'avait promis de me faire suivre des cours chez Marazza, rue Saint-Hubert. Il n'a jamais tenu parole, prétextant qu'il n'avait pas assez d'argent. Alors, je piochais sur cette guitare, inventant des airs cacophoniques qui faisaient grincer des dents toute ma famille.

Notre tante la plus formidable n'en était pas une ! Nous appelions « tante Gertrude » cette célibataire haute comme trois pommes, enjouée, grande amie de ma mère du temps de son couvent chez les Dames de la Congrégation, rue Fullum. Gertrude apportait toujours quelques petits cadeaux, des colifichets qui nous faisaient grand plaisir. Partant de Verdun, — trois tramways —, elle venait nous garder souvent. Elle nous apprenait à construire des ménageries originales avec des cure-dents, des allumettes et plein de bonbons en gelée de toutes les formes. Dès son arrivée, l'hiver, elle courait dans la chambre de maman et, sans même nous saluer, enlevait ce qu'elle appelait ses « pelures » : trois paires de « culottes à grand'manches ». Elle était excessivement frileuse.

Quand nous étions petits, tout ce monde des tantes bavardes formait un chaud filet de tendresse, un journal parlé intarissable. Nous n'étions pas tout à fait des n'importe qui, nous avions de nombreuses tantes, des oncles, des cousines et des cousins et maman avait une grande amie, Gertrude Deslauriers.

CHAPITRE 11

Un mime

J<small>E L'AVAIS VU RÔDER</small>. C'était un grand maigre mystérieux. J'avais quoi, sept ans, huit ans? Dans ma cour,
il y avait toujours du monde. Ma mère poule insistant
pour que je m'amuse pas trop loin de son regard, elle
faisait en sorte que mes copains aient envie de jouer chez
moi. Maman y allait de biscuits, parfois de bonbons, de
liqueurs douces, de limonade. Elle semblait heureuse de
voir la bande grouillante de mes petits copains. Nos cris
ne semblaient pas du tout la déranger. Ce rôdeur qui
devait avoir au moins deux ans de plus que moi et mes
amis ne cessait de tourner autour de notre cour-terrain
de jeu. Un bon jour, il se décida et ouvrit la barrière,
étira son long cou :

— Je peux entrer, oui ?

Il y eut une certaine méfiance, cela allait de soi, puis
Tit-Yves lui dit :

— Je te connais. Tu habites pas loin de chez moi où
le hangar est tout rouillé, juste à côté du nôtre. C'est
bien ça ?

Il acquiesça en faisant de grands sourires. Il avait une
drôle de démarche. Les enfants remarquent tout. Il portait un pantalon long, même s'il ne devait avoir que dix
ou onze ans. Sur son chandail gris, il portait une veste de

laine d'un gris, plus sombre. Il avait une drôle de silhouette.

Nous avions interrompu un de nos jeux favoris, le jeu des marchands. Avec des herbages arrachés ici et là le long des clôtures, avec des roches, des bouts de bois, nous organisions une sorte de marché public. L'un disait qu'il vendait des clous, des outils, l'autre, des légumes, un autre, des fruits. Et nous nous promenions tout autour de nos établis improvisés en achetant de ceci et de cela. Nous payions avec des faux billets d'un jeu de monopoly. C'était un divertissement auquel nous invitions volontiers les filles, utiles pour jouer les acheteuses. Le grand efflanqué examina un peu nos étalages candides, fit quelques achats fictifs pour bien faire voir qu'il était apte à jouer avec nous. Il nous avait dit :

— Mon nom, c'est Émile. Émile Cinq-Mars.

Nous le trouvions comique, ce nom de famille : Cinq-Mars. Au moment d'une pause, maman nous offrit des tranches de pain beurrées saupoudrées d'une mince couche de sucre blanc. Un régal pour nous tous. À ce nouveau venu, elle dit, toujours un peu inspecteur de police :

— Et toi, mon grand, tu es nouveau dans le quartier ?

Cinq-Mars lui répondit, tout sourire :

— Oui, madame, on est arrivés il y a un mois seulement, le premier mai.

Maman semblait à peine contrariée de voir un plus vieux s'installer parmi nous. Je l'ai dit, ce qui comptait pour elle, c'était que le terrain de jeu choisi par nous soit situé chez elle. Cinq-Mars accepta, avec des mercis répétés, la beurrée et le jus d'orange.

Au moment de reprendre nos activités commerciales, il se leva de l'escalier et, soudainement, nous fit une série de pirouettes en chantonnant et en sifflant. Un oiseau rare ! Éberlués d'abord puis admiratifs car il giguait de façon étonnante, nous l'avions applaudi. Encouragé, il se mit à mimer. Il savait se défigurer, inventant des grimaces étonnantes, son visage se déformant comme du caoutchouc. En mimant un ivrogne, il sortait la langue, écarquillait les yeux démesurément, agitait les bras, virevoltait, s'enfargeait dans ses pas, s'écroulait, se relevait en titubant... un vrai numéro de cirque. Cinq-Mars était à nos yeux aussi habile que Charlot dans les films du soubassement de l'église le samedi après-midi. Nous étions épatés. Nous l'entourions, lui faisant mille compliments sur sa performance. Un acteur-né! Le nouveau venu était doué. Il nous fit signe de le suivre en nous incitant à l'imiter. S'ensuivit une amusante procession d'une demi-douzaine de Charlots défilant à la queue leu leu. Des voisines nous admiraient sur les balcons. Ma mère riait et applaudissait. D'où sortait donc cet olibrius, ce moniteur de récréation improvisé? Elle était enchantée. Peu à peu, je perdis ma place. C'était lui, Cinq-Mars, qui menait désormais le bal. Il nous fit faire mille pitreries. Nous étions des clowns, nous devenions grotesques, paillards, misérables, bandits de grands chemins, infirmes, mendiants, ivrognes cocasses...

Cinq-Mars était accepté. Il était indispensable. Avec un rien, un vieux tonneau, une chaise défoncée, deux cerceaux d'un baril abandonné, trois planches, il installait un tréteau. Avec quelques traîneries, trois guenilles, un bouchon de liège brûlé pour se grimer, il se métamorphosait. Sa souplesse nous jetait par terre. En fin d'après-midi, avant de nous quitter, il nous expliqua qu'il voulait devenir acteur un jour. Qu'il s'y préparait déjà depuis longtemps, qu'il suivait des cours de diction chez un vieil annonceur de radio retraité, dans la rue Saint-Zotique. Le chanceux! Devenir acteur, c'était un de mes rêves inavoués. Avant qu'il referme la barrière, je lui demandai :

— On te revoit demain ?

Quelques nouvelles grimaces et puis :

— Ah non, je pourrai pas. Je continue d'aller à mon ancienne école et je dois prendre deux tramways pour y aller. C'est à Tétreaultville. Et puis il y a ma mère. Je dois l'aider.

Cinq-Mars nous révéla alors qu'il était orphelin de père depuis l'âge de cinq ans. Que sa mère tenait un commerce pour faire vivre sa famille :

— C'est une binerie, une petite épicerie. J'ai un triporteur et je dois livrer les commandes.

On le plaignait. On était déçus. Notre si habile mime était un garçon pas libre du tout. Il ajouta :

— J'essaierai de venir faire mon tour. Il y a des jours de relâche parfois au magasin.

Il nous expliqua aussi que sa mère cherchait un local dans la paroisse pour réinstaller son commerce. Je courus en parler à ma mère, qui me dit :

— Oui, j'ai compris, je regarderai dans les alentours. Je m'informerai, tu lui diras.

Cinq-Mars m'avait initié à un nouveau jeu : celui des séances théâtrales. Dès le lendemain, après avoir obtenu la permission de ma mère, j'annonçai aux amis :

— Ma mère permet qu'on fouille dans sa grosse commode du hangar. Il y a là-dedans des vieilleries, des robes, des manteaux usagés, des ceintures, des chapeaux d'homme et de femme, toutes sortes de bébelles. On va installer un vrai théâtre, ici, dans la cour, entre le mur du voisin et le hangar.

Tit-Yves, assez bouffon de nature, et Tit-Gilles, capable aussi de mimer, de danser et de chanter, étaient ravis. On installa une vieille tenture sur un long goujon de bois. On fabriqua des rangées de bancs à l'aide de vieux madriers posés sur des bûches. Le rideau de scène pouvait glisser sur des anneaux. Il ne restait qu'à nous préparer. On avait cloué des annonces sur les clôtures de la ruelle : « Grande séance, à trois heures de l'après-midi. Entrée : une cenne ! » Déjà, les filles du voisinage s'excitaient et promettaient d'assister au spectacle.

Il y eut d'abord une réunion pour la création des sketchs. Les idées fusaient. Il y aurait trois pièces. L'une raconterait la pénible histoire d'un homme assassiné par un brigand dangereux. Au milieu, un numéro de bouffonnerie : on allait illustrer un accident dans un tramway avec des personnages qui sortaient d'un asile de fous. À la fin, ce serait, à notre sauce, l'illustration de nos vaillants martyrs des premiers temps de la colonie : un torturé, brûlé à petit feu ; trois Indiens barbares dansaient de joie autour du bûcher fatal. Le hangar se vida rapidement. Ma mère, rieuse, nous prêta de la poudre, du rouge à lèvres, du fard rouge. Les guenilles volaient en l'air. Puis, ce furent les répétitions à la bonne franquette.

À trois heures et demie, les spectateurs trépignaient, s'impatientaient en criant. Derrière la tenture, la troupe s'énervait. On était enfin... presque prêts. Le trac ! On frappa les treize coups rapides et les trois coups rituels comme on avait entendu faire au sous-sol de l'église, aux spectacles d'amateurs. En levant la tête, je découvris que les petits Bégin, à l'étage, étaient installés sur leur galerie et allaient regarder le tout de ce pigeonnier. Pas question. Avertissements et menaces : il fallait payer son écot. Justice pour tous ! Madame Bégin sortit de sa cuisine pour protester. Palabres, nouvelles menaces, la séance serait remise si ses garçonnets ne payaient pas.

— Qu'ils viennent s'asseoir dans la cour comme tout le monde. Il faut payer comme les autres, madame.

À regret, elle donna des sous à ses galopins, qui vinrent s'installer avec les autres entre le hangar et le long mur de briques du voisin, leur maison étant plus longue que la nôtre.

On frappa de nouveau sur la tôle du hangar et le silence se fit. C'était parti. Rires dès les premières apparitions : c'était pourtant un drame. Sous l'effet des rires, la pièce tragique tourna à la rigolade et, ma foi, ce fut mieux que prévu. Au contraire, la deuxième pièce, la comédie, fut reçue comme un drame ! On s'en fichait. On suivait le désir de notre petit public. À la fin, rigolade encore quand les affreux sauvages firent griller notre saint homme. Pas grave, nous eûmes droit à des applaudissements. Aussi à du chahut, bien entendu. Des interruptions malencontreuses. Une fillette, riant aux larmes, avertit Tit-Yves qu'il allait perdre ses culottes. Une autre tira sur Roland l'Indien parce qu'il menaçait d'éborgner sa petite sœur avec sa lance de Zoulou. Bref, ce fut une démonstration insolite. Des mères se tordaient de rire aux loges, sur les balcons des étages. J'aperçus mon père et ma mère, le cou étiré, qui observaient nos prouesses d'improvisateurs.

Un beau samedi matin ensoleillé, le cycle des séances — on en faisait une chaque samedi — fut brisé. Une invention nouvelle allait tuer nos pantomimes abracadabrantes. Le cinéma ! Pété Légaré s'amena donc dans la cour avec un projecteur et des bobines de Dick Tracy. Moi qui adorais monter des spectacles, je n'en revenais pas, mais il fallait faire face. On l'entourait, envieux, admiratifs. Quel cadeau ! Pété, de son vrai nom René — il avait un problème de boyaux et lâchait fréquemment des gaz sonores et empesteurs — Pété, donc, n'était pas peu fier. Il me dit :

— Chez nous, il y a pas de place. La cour est toute petite, le hangar est bondé à craquer. Si tu voulais, Tit-Claude...

J'acceptai tout de suite. On fit de l'espace dans mon hangar. Des tas de caisses contenant les objets importés de l'ancien commerce de papa furent stockées sous la galerie, recouvertes de vieilles bâches. On rentra nos bancs de théâtre, on installa le projecteur sur la haute commode et maman, vu mon insistance, prêta un grand drap blanc :

— Tu en es responsable. Si tu le déchires, fin de votre cinéma.

Le prix grimpa à deux cennes ! Il y eut des défections. Ça nous arrangeait puisque nous avions moins de places à vendre dans le hangar.

On éteignit la lumière et, porte fermée — des mères protestèrent là-dessus —, on donna une première représentation. Gros succès ! Hélas, Pété n'avait que cinq rouleaux de Dick Tracy. Ça faisait un bref *show* de vingt-cinq minutes. On les repassa plusieurs fois. On s'en lassa vite. Et comme le petit Légaré ne savait où se procurer de nouvelles bandes, le cinéma ne dura pas plus d'un mois. On les savait par cœur, les cinq aventures de Dick Tracy. Alors, ce fut le retour au vrai théâtre.

En septembre, Cinq-Mars vint nous annoncer que sa famille retournait vivre à Tétreaultville. Il nous fit des adieux formidables, nous livra ses dernières inventions en une séance mémorable. Pour toujours, j'allais garder de lui le souvenir d'un filiforme gringalet surdoué pour la pantomime. Je ne le revis plus jamais. De toute façon, il y avait maintenant une nouvelle vedette dans notre ruelle : Tit-Gilles, qui avait mémorisé plusieurs chansons de Maurice Chevalier et de Charles Trenet. Souvent, à une interruption de jeu, Tit-Gilles s'installait sur un banc et entonnait à voix de stentor une de ses chansons. On le trouvait génial. Il était le chanteur émérite de notre rue.

Les voisines, quand il chantait: «Ma pomme, c'est toa-a-a!», lui lançaient volontiers des sous. Il mettait une casquette à ses pieds chaque fois qu'il affichait ses talents. On a entendu cent fois ses cinq ou six chansons. Sa préférée — il la mimait, fort des enseignements de Cinq-Mars — était de Trenet: *Je chante*. Bientôt, connaissant par cœur les paroles de ses chansons, on entonna en une sorte de chœur discordant: «Je chante, soir et matin, je chante...» Tit-Gilles Morneau, dit Moéneau, s'améliorait de jour en jour. L'année suivante, à Sainte-Cécile, il gagnait le premier prix à l'émission pour enfants du «bon pain Excel». Une montre de prix. Il alla en finales et gagna le prix pour toute la ville de Montréal, une forte somme d'argent.

C'est avec Tit-Gilles que j'avais l'honneur de faire le derrière du cheval. Il possédait un cheval-catin étonnant, d'une fantaisie époustouflante et très appréciée par les badauds qui faisaient la queue pour les séances du cinéma *Château*. Ces files pouvaient s'étirer jusque devant chez moi. Dans sa cour, Tit-Gilles mettait sa tête de cheval et, m'accrochant à sa taille, plié en deux, je formais l'arrière-train, qui devait savoir bien gigoter. Revêtu d'une couverture imitant le cuir, une large besace ouverte sur un flanc, notre monture caracolait le long du cortège. Tit-Gilles poussait des hennissements formidables, je ruais des pattes de derrière, me tortillant le postérieur. On bouffonnait! Notre succès fantastique nous rapportait beaucoup de sous. Moéneau savait dresser l'échine, se cabrait comiquement, haussant les pattes d'en avant, secouant sa crinière touffue. Notre cheval était de sortie chaque fois que la radio de CKAC venait au *Château* pour la soirée intitulée *En chantant dans le vivoir*, animée par Bernard Goulet, une émission très courue à l'époque.

Un bon soir, notre cheval ne serait plus à l'affiche. Cause majeure! Tit-Gilles en personne faisait partie de l'affiche professionnelle de Goulet. Il chanta du Chevalier et du Trenet et remporta un prix important. Ça y était, nous avions un artiste véritable dans notre rue. On en était tous très fiers. Une des sœurs Theasdale, du salon du même nom, faisait de la radio, mais on ne savait jamais trop à quel « programme ». On se demandait même si c'était vrai. Un jour, j'osai interroger monsieur Provost, l'ami de cœur de la voisine, Laurette Denis. Il travaillait au journal *Radiomonde*, rue Casgrain. Il lâcha son cigare, fit beaucoup de fumée, leva les yeux au ciel :

— La vieille fille ? Disons que c'est une éternelle remplaçante. Elle a du talent mais pas de piston, aucun contact.

Termes byzantins pour moi ! J'avais compris qu'il n'y aurait qu'une vraie vedette dans la rue et que ce serait mon ami Tit-Gilles.

Il m'arrivait souvent de penser à Cinq-Mars, notre Charlot merveilleux, me demandant bien ce qu'il était devenu. Je me disais qu'il faisait peut-être de la tournée avec une troupe d'acteurs en province, ou bien qu'il était peut-être déjà apprenti annonceur dans une radio lointaine et qu'un beau matin je l'entendrais animer une émission de radio à CKAC ou à CHLP.

CHAPITRE 12

Un cadeau de Pâques

IL SE PASSAIT QUELQUE CHOSE en moi. Rien de précis, rien de clair. Je voyais les filles différemment. Avant, quand je jouais avec elles, c'étaient de simples camarades de jeu, rien de plus, rien de spécial. Elles portaient des robes et avaient les cheveux longs, c'est tout. Depuis novembre, j'avais huit ans et une autre perception... vague, difficile à cerner. Une sorte de prise de conscience qu'une fille c'était... c'était... Je ne savais pas trop comment expliquer. La fille, soudainement, m'apparaissait comme étant un être merveilleux, une personne dont il fallait prendre soin, en tout cas une personne pas du tout comme les garçons. C'était vraiment nouveau pour moi de subitement vouloir être différent en présence des filles. Être plus... plus quoi donc? Plus gentil? Oui, c'était cela, avec une fille, je devais désormais mieux me comporter.

Bref, les filles ne me laissaient plus indifférent. Comment savoir pourquoi j'avais cette nouvelle impression? Seul avec mes copains de la ruelle et des parcs, ça pouvait aller, j'avais le droit de rester un demi-voyou, un petit dur comme les autres, rôle que je m'étais volontiers assigné. Surtout ne pas paraître, le moins possible en tout cas, délicat, gentil. Non, avec les gars, c'était sans cesse une sorte de lutte pour rester un « toffe », un vrai garçon quoi. Grégaires, les garçons veulent ressembler au meilleur de la bande, au plus fort, au plus audacieux. Devenant un être double, je m'accommodais volontiers des deux rôles. En présence d'une fille, je me transformais aussitôt en agneau, en être aimable, attirant. C'était fou, bizarre.

Tout avait commencé à cause de Micheline. Elle était l'image de la douceur. J'aimais sa voix douce, une musique à mes oreilles, j'aimais son regard d'un bleu si clair, ses beaux cheveux blonds bouclés. J'aimais son corps, ses formes douces, son cou, sa taille, ses bras, ses mains, ses jambes. Tout chez Micheline m'apparaissait gracieux. Pendant toute l'année de mes huit ans, je fis volontiers une sorte de halte dans ma volonté de devenir un garçon totalement comme les autres garçons de la ruelle. Une belle parenthèse! Je cherchais à la voir sans cesse, à la regarder jouer, à l'observer même dans ses jeux de fille, à collaborer à ses besoins divers. Je me transformais en une sorte de serviteur tout dévoué. Elle disait: «J'ai soif» et j'allais vite chercher de la limonade, avec deux verres. Elle disait: «J'ai chaud» et je l'invitais à m'accompagner au frais, à l'ombre d'un arbre ou d'un hangar.

J'étais amoureux, ma foi. Je la suivais, je collais. «Elle aussi, me disais-je, vit quelque chose de neuf» puisqu'elle abandonnait volontiers ses petites amies pour me tenir compagnie. Nous formions un petit couple. Tout cela avait pris naissance à la patinoire. Ses chandails de laine avaient les plus belles couleurs du rond à patiner. Sa courte jupe en velours bleu, son bonnet à pompon étaient des plus ravissants. Elle patinait comme une championne. Tout fier, la tenant par la taille, je lui faisais tourner habilement les coins en freinant sur un patin. Elle riait? J'aimais son rire! J'étais aveuglé, Micheline était une fée, un ange, un être d'une espèce inconnue, supérieure. J'avais mis le hockey de trottoir de côté. Je n'avais d'yeux que pour elle. Si Micheline disparaissait quelques jours, je redevenais le turbulent, le faraud, le bouffon de la rue, le joueur de tours pendables. Aussitôt qu'elle revenait d'un séjour chez une tante, d'un voyage avec ses parents, je lâchais ma bande et redevenais aussitôt le valet dévoué, le compagnon fidèle. Cela dura tout l'hiver et tout le printemps.

En mars, à Pâques, avec l'argent gagné en servant la messe, j'avais décidé de lui offrir un cadeau. Du chocolat. J'avais payé le prix fort au Laura Secord du coin de la rue Bélanger. J'avais, en cachette, recouvert la boîte de chocolat d'un beau papier de soie rose. J'avais osé y glisser une carte avec des mots tendres : « À la plus belle des filles de toute la rue, de celui qui t'aime, Claude. » J'avais soigneusement caché mon cadeau de Pâques sous des boîtes dans le hangar en attendant le matin de la fête. La Semaine sainte s'amena. Le Jeudi saint, tradition, il fallait faire la visite des sept églises. C'était toujours une occasion de s'éloigner de la paroisse, de marcher dans le quartier, de faire d'amusantes rencontres parfois. Les filles de quinze ans s'excitaient beaucoup, rencontrant des garçons de leur âge ou même un peu plus vieux. Cette pratique mi-religieuse, mi-mondaine était facile à accomplir car il y avait tant d'églises catholiques tout autour. Dans Villeray, on en comptait certainement une douzaine !

Mes sœurs, comme moi, allaient d'abord vers Saint-Jean-de-la Croix, rue Saint-Laurent, ensuite vers Saint-Édouard, l'imposant temple néogothique de la rue Saint-Denis, puis, vers Saint-Ambroise, de style vaguement jésuite, rue Beaubien, ensuite vers Saint-Arsène, rues Bélanger et Christophe-Colomb, un simple soubassement dans ce temps-là. Rendus là, ça faisait déjà quatre églises dans le sac ! La piété n'était que de façade. L'entreprise était plutôt une joyeuse farandole, un pèlerinage qui nous permettait de voir du pays.

De Saint-Arsène, après une pause pour une orangeade dans un restaurant de coin de rue, nous nous rendions à Notre-Dame-du-Rosaire, rue Saint-Hubert, puis à Saint-Vincent-Ferrier, rue Jarry. Enfin, septième et dernière halte, Sainte-Cécile. Nous évitions Holy Family, l'église des *Blokes*, interdite par nos parents. On voyait des filles s'énerver, relever sans cesse leurs longs bas de coton, redresser un chapeau tout neuf, ajuster un jupon qui dépassait toujours. Quel plaisir pour elles d'exhiber ces chapeaux, ces gants de cuir, ces jolis sacs à main neufs. Elles se pavanaient. Moqueuses, elles rigolaient parfois en croisant de maladroits fleureteurs, ou bien devenaient très coquettes à l'occasion de rencontres souhaitées, se recoiffant ou se mirant dans leur «compact». On entendait des: «Y est-ti assez kioute à ton goût?», des: «C'est un marlou, un vrai *wolf*, prenons-y garde.» Les garçons, plus hypocrites, faisaient les vieux, les sages, les «Je me fiche des filles», mais on voyait bien qu'à quinze, seize ans, ils étaient déjà des observateurs attentifs de la gent féminine.

Cette année-là, j'avais suivi Micheline et deux de ses amies avec zèle. Tit-Yves, qui m'accompagnait, se posait des questions sur ce besoin que j'avais de ne pas la perdre de vue. Il était un de ces garçons qui, comme tant d'autres, n'avaient pas encore été piqués par les flèches de Cupidon. Je cachais bien mon jeu. Je ne révélais à personne l'amour qui me tenaillait. Je me disais que ce n'était pas normal, que j'étais précoce mais bien chanceux de pouvoir rêver chaque nuit à ma madone blonde. Chaque fois que je l'apercevais, entrant dans une des églises ou sur le parvis d'une autre, mon cœur battait fort. Elle aussi, pas moins cachottière, faisait l'innocente et ne m'adressait, à chaque halte, qu'un tout petit sourire d'une discrétion calculée. Ma mère, qui voyait tout, m'avait dit :

— La petite blonde, Micheline, elle rôde souvent proche d'ici, tu trouves pas ? C'est louche, mon petit garçon !

Et ma mère qui voyait tout m'attendait au boudoir, les poings sur les hanches, quand je revins de l'expédition du Jeudi saint cette année-là. Mon cadeau chocolaté, secret éventé, trônait sur la table à café ! Je fus apostrophé vertement :

— Qu'est-ce que j'ai trouvé dans le hangar ? Monsieur, à huit ans, dépense son argent pour des cadeaux aux filles ? T'as pas honte ?

Je n'avais pas honte mais j'étais écrasé, humilié, enragé de voir qu'il n'y avait jamais moyen d'avoir un seul secret :

— Quoi, quoi ? C'est mon argent. J'ai le droit de faire ce que je veux avec, non ?

Maman haussa le ton considérablement :

— Non ! Tu vas venir tout de suite avec moi. J'ai deux mots à dire à la vendeuse qui a osé laisser faire ça. Arrive !

Terrible humiliation ! Il a fallu que je la suive chez Laura Secord. Il a fallu que je l'entende dire à la vendeuse :

— Vous devriez avoir honte, vous ! Vendre une boîte de chocolats de luxe à un enfant. Remettez-lui son argent et plus vite que ça, s'il vous plaît.

J'aurais voulu entrer dans le plancher. Je devais être rose comme le papier d'emballage que la vendeuse déchirait.

Mon argent dans mes poches, j'entrai dans ma chambre et claquai la porte.

— Que je t'y reprenne plus jamais, mon garçon. Économise tes sous. Plus tard, tu en auras bien besoin. On est pas riches et tes études coûteront cher.

Et ma mère retourna à ses préparatifs culinaires des fêtes pascales.

Le lendemain, je servais aux cérémonies impressionnantes du Vendredi Saint. J'en aimais les rituels : prêtres multiples, chants tragiques sur la Passion, cagoules violettes sur les statues, énorme cierge aux quatre clous symboliques, orgues tonitruantes. Pendant que j'encensais abondamment les filles placées en avant, une nouvelle idée de cadeau m'était venue. Samedi midi, veille de Pâques, maman m'envoya chercher le gros jambon qu'elle avait réservé chez Bourdon, dont les vitrines étaient décorées de fleurs de papier multicolores. En passant devant la fleuriste, j'admirai les douzaines de poussins vivants qui chiaient partout. Revenu à toute vitesse, discrètement, j'étais allé dans le hangar me choisir le plus bel objet dans les caisses de chinoiseries qu'importait papa, du temps d'avant le restaurant. Il y avait des bibelots de toutes sortes, beaucoup de vaisselle chinoise, des tambours, des gongs, des statuettes de Bouddha, plein de colifichets exotiques. Mon choix tomba sur une statuette de danseuse sculptée dans du corail. Je fourrai ma trouvaille dans un sac de papier. Dans ma chambre, je dénichai une boîte de chaussures que je peignis à la gouache en jaune. J'enveloppai mon cadeau d'un papier de soie bleu. J'y mis une nouvelle carte avec mes mots d'amour, la première carte ayant été déchirée rageusement par ma mère. J'avais laissé mon frère Raynald assister à mon affaire de cœur. Nous partagions la même chambre, accolée au boudoir, et, de toute façon, il était trop jeune, à quatre ans, pour comprendre ce que je faisais. Ne sachant plus où camoufler mon présent, j'allai le cacher sous le balcon d'en avant après avoir creusé un passage dans la neige fondante.

Vaines précautions. Une mère a des yeux tout le tour de la tête! Je le constatai de nouveau. Ou bien, comme elle me l'avait fait croire plus jeune, c'était son fameux «petit doigt» qui avait parlé. Le soir, après le souper, le Jello aux cerises avalé, devant mes sœurs Marielle, Marcelle et Lucille, elle exhiba ma boîte de chinoiseries:

— Regardez ça, mes enfants! Votre frère s'est amouraché de la petite Carrière et il a volé un bibelot de votre père comme cadeau de Pâques!

On se moqua de moi copieusement. Marcelle surtout, la plus taquine. Et encore une fois je courus dans ma chambre pour rager loin des remarques caustiques. Maman criait, de la cuisine:

— L'innocent! C'est un objet de valeur! Tu auras affaire à ton père quand il va remonter du magasin. Tu vas voir ça!

C'était foutu. Micheline n'aurait rien de moi à Pâques!

J'étais dépité, malheureux. Le jour de Pâques, nous reçûmes les étrennes classiques, des vêtements neufs. Lucille, douze ans, des guêtres à la mode. Marcelle, dix ans, un manteau et un chapeau d'un beau vert tendre, Marielle, sept ans, de jolis gants d'un beau cuir beige. Moi, j'avais eu une paire de culottes *breeches* avec, aux genoux, deux rondes pièces protectrices en cuir. Avril s'acheva. Je devenais de plus en plus amoureux. Je rêvais de plus en plus à Micheline! Un matin, elle m'embrassa très fort sur la joue. Je venais de lui donner toutes mes billes. Le cœur me sautait dans la poitrine. J'étais certain qu'un jour nous allions former un couple comme les grands. Elle deviendrait, c'était évident, mon épouse. Nous aurions une belle grande maison sur le mont Royal.

Nous aurions un bateau, un aéroplane aussi, et je pourrais enfin lui acheter tout le chocolat que je voudrais.

Arriva le premier jour de mai. Je me levais tôt les jours de congé. Par ce samedi ensoleillé, la rue Saint-Denis brûlait de lumière intense. Il y avait toujours quelques déménagements ce premier jour de mai. Nous étions allés visiter la famille maternelle de papa, les Prud'homme de Laval-des-Rapides, de l'autre côté de la rivière des Prairies. J'aimais beaucoup ces expéditions. Le tramway *Bordeaux* nous menait près d'une toute petite gare du boulevard Gouin et, de là, avec papa, mes sœurs et mon frère Raynald, nous marchions vers un trottoir-passerelle accroché au pont des chemins de fer. J'aimais bien cette famille de cultivateurs. Les hommes de la grande maison patriarcale parlaient fort, riaient volontiers, taquinaient mon père, ce cousin devenu « un homme des villes ».

Leurs grands champs de choux, de carottes, de maïs s'étendaient à perte de vue jusqu'à Saint-Elzéar, village voisin. J'allais y courir avec mes cousins et cousines. On nous prêtait des bottes. Le cousin Maurice, la cousine Jeanne nous paraissaient des habitants délurés. On me faisait voir des geais bleus, des tourterelles tristes, un lièvre se sauvant, un siffleux, la nature quoi. J'aimais écouter les vieilles tantes et les vieux oncles, assis sur la large véranda dans leurs chaises berçantes. Ils racontaient le temps où il n'y avait ni automobile, ni tramway, ni téléphone, ni radio! Un temps de quêteux vagabonds colporteurs des nouvelles de tous les cantons avoisinants, un temps de chevaux attelés à la carriole, à un *buggy*, à une *sleigh*, un temps de lampes à pétrole. À les croire, un temps aussi de canots fantômes volant dans le ciel avec à leur bord des bûcherons ayant pactisé avec le Diable!

À l'heure du souper, nous étions revenus de cette ferme où papa avait grandi. Je voulais offrir à Micheline un chaton blanc que m'avait donné mon oncle Tit-Paul, un géant de six pieds et demi baptisé Tit-Paul parce que son père se nommait Paul lui aussi ! Devant chez Micheline, monsieur Turcotte, le directeur des salons mortuaires, balayait soigneusement son escalier. Levant les yeux, j'ai vu la porte du deuxième étage grande ouverte chez les Carrière ! Il n'y avait plus de rideaux aux fenêtres ! Flottait là-haut une atmosphère étrange, une sorte de silence. J'ai demandé à monsieur Turcotte :

— Qu'est-ce qui se passe au deuxième ? On dirait qu'il n'y a plus personne. Des voleurs sont passés ?

Il m'a répondu, sans même cesser son balayage méticuleux :

— T'es pas au courant ? Les Carrière sont déménagés ce matin !

Il me semble que j'ai poussé un cri. Ses paroles m'avaient poignardé jusqu'au fond du cœur. Micheline partie ? Sa famille déménagée ? J'ai failli m'écrouler. J'avais mal partout.

J'ai marché en zigzaguant vers chez moi avec mon petit chat. « Comment ça se fait ? me disais-je. Elle ne m'a rien dit ! Pourquoi ? Avait-elle trop de peine ? » Je suis revenu sur mes pas et j'ai demandé :

— Est-ce que vous savez où ils sont partis habiter ? Dans quelle rue ?

Monsieur Turcotte m'a dit :

— Non, mais j'aimerais le savoir. Ils sont partis sans me payer mon loyer du mois d'avril ! Partis comme des voleurs, mon petit bonhomme.

J'avais les larmes aux yeux. Je l'aimais tant. Je ne la reverrais donc plus jamais ? Ils étaient peut-être déménagés dans une autre ville. Je suis rentré avec mon cadeau inutile. Maman a dit :

— Tu vas te régaler, j'ai fait du pâté chinois comme tu l'aimes, plein de patates pilées avec beaucoup, beaucoup de blé d'Inde.

Je n'avais pas faim. J'ai dit :

— Je sais pas ce que j'ai, je dois couver une maladie. J'ai des crampes dans le ventre. Je mangerai pas. Je vais me coucher.

Je suis entré dans ma chambre après que maman m'eut dit :

— Le ventre, hein ? Au moins, c'est pas encore tes bronches faibles.

J'ai pris mon vieil album de *Cœurs vaillants* pour me cacher la figure si jamais quelqu'un entrait dans la chambre. Je ne voulais pas qu'on me voit pleurer. Quand j'étais malheureux, je ne voulais jamais que quelqu'un le sache.

CHAPITRE 13

La cabane

MON PÈRE A DIT : « Dérangeons-le pas, il s'amuse. »
J'ai entendu. Je suis pas sourd quand même ! Je ne
joue pas, je ne m'amuse pas ! C'est sérieux. Je me
construis une cabane, une maison. Une maison ? Plutôt
un abri. Un fort. Une forteresse. Un château si on veut.
Un château fort. J'ai besoin d'une maison bien à moi. Je
ne suis pas vraiment chez moi chez moi. Pas tout à fait
chez moi avec tous les autres, ma sainte famille. J'ai
ressenti le besoin d'une demeure à moi tout seul. J'ai eu
de la chance, mon père vient de faire démolir une des
galeries de la maison et il a demandé au menuisier de lui
conserver tout le vieux bois sous le hangar. Ça a fait un
gros tas de planches, de barreaux, de madriers et de
poutres. Beaucoup de bois pourri. Mon père avait dit :
« Ça va me servir pour chauffer ma fournaise l'hiver prochain, le charbon est si cher ! » Tout ce bois récupéré est
une invitation à me construire la plus belle cabane qu'on
ait jamais vue. Je suis allé chercher le marteau dans le
tiroir à outils de l'armoire de la cuisine, la boîte de clous
rouillés, crochus, du hangar. Regardez-moi aller. Tout un
travail. Non, je ne joue pas. Dans ma tête, le plan est fait :
ce sera une forteresse unique.
    — Pourquoi tant t'épuiser, t'éreinter comme ça ? As-
tu des choses à cacher ?

Il n'y a pas plus fouineuse que Lucille, la « deuxième mère ». Elle n'a pas besoin de tout savoir mais, oui, j'ai des choses à cacher bon. D'abord et avant tout, mon trésor enfoui sous la grosse commode dans le hangar, une boîte à chapeau bien pleine. Mon secret, menacé par la ribambelle familiale. Mon précieux coffre n'est pas du tout en sécurité. Sur la porte de mon futur château fort, je poserai ce vieux cadenas abîmé qui fonctionne encore. Je l'ai graissé. Je cacherai bien la clé. J'ai sorti mon trésor. Je l'ouvre souvent, cette boîte lourde, pour en admirer le contenu : des années de trouvailles chanceuses auxquelles je tiens comme à la prunelle de mes yeux. C'est à moi seulement, à personne d'autre. Cette boîte, c'est moi. C'est ce que je suis, complètement. Dedans, il y a un sifflet en métal marqué « Police », il y a mon plus beau revolver avec l'étui en cuir, où on peut mettre tout un rouleau de pétards. Il y a quatre gros boutons gravés dorés, très brillants, deux boutons d'uniforme militaire en argent étincelant. Il y a une plume-réservoir, trouvée, rue de Castelnau, en revenant de l'école. Il y a un vingt-cinq cents gravé « 1908 ». Il y a un gant de cow-boy en cuir ciré. De minuscules diamants brillent sur le dessus et on y lit : « *The Lone Ranger* ». Il y a un bracelet, une belle chaînette avec un fermoir à déclic. Il y a aussi une cheva-lière en nacre et un badge avec écrit dessus : « Shérif ». Il y a aussi une hélice d'un avion-jouet, une douzaine de clés anciennes de divers formats qui devaient ouvrir des portes aujourd'hui oubliées. Il y a trois petits éléphants d'albâtre, deux dés à jouer en ivoire, une clochette en cuivre sans grelot, des osselets en argent. On y voit un gobelet en plastique rouge qui se plie et se déplie, un gazou jaune, deux toupies rouges, une flûte mauve, des tas d'anneaux. Je suis riche, plus riche qu'on pense. Je ne compte pas les élastiques, les trombones, les gommes à effacer entamées, les crayons de toutes les couleurs, tous

aiguisés, les pinces à papier. Ce trésor, c'est mon secret,
c'est toute ma vie. Il me faut un fort imprenable, une
cachette inviolable.

Ce jour-là de fin mars, je suis donc allé chercher le
marteau et les clous pour lancer mon grand projet. J'ai le
droit d'être un général en culottes courtes aux cheveux
trop courts, coupés tout croche par papa qui répète :

— Pas besoin de ça les barbiers. Ça coûte trop cher !

Tout le monde a décidé de me déranger, on dirait.
D'abord Marielle, avec un petit bonhomme :

— Tit-Claude, peux-tu m'aider ? Regarde le tit-gars,
il s'est écarté. Je l'ai trouvé en larmes au coin du Chinois.
Il dit qu'il s'appelle Jacques Brault et qu'il habite près de
la rue « Cinq-Otique ». Il doit vouloir dire : « Saint-
Zotique ».

Je la repousse :

— Va voir maman. Moi, j'ai pas le temps. Tu le vois
pas ?

Ma sœur m'embête. Je reprends mon grand ouvrage
au plus vite. Je viens de trouver des paquets de corde de
toutes les sortes dans la cour des Lemire et même des
bouts de câble. Regardez-moi faire, je fais du triage. Je
récupère, je choisis, je nettoie, je redresse, je déplie, je
découpe. Je cloue et je scie avec l'égoïne mal aiguisée
prise dans la cave derrière le restaurant. Je frappe, je
soulève, je force, je plie, je couds, je déchire, je calfeutre,
je raccorde. J'expérimente. Je grimpe, je m'accroche, je
saute, je m'accroupis, je me hausse et je me hisse. Je
travaille assis, debout, à genoux, en petit bonhomme. Je
me grandis sur le bout des pieds. Je frappe du talon,
coups de genou. Je frappe du coude, coups de poing. Je
me recroqueville, je m'abaisse, je me déplie, je m'agran-
dis tant que je peux. Je n'arrête pas.

— C'est la dernière fois que je t'appelle ! Arrive, tu
vas manger froid !

Cris de ma mère exaspérée. J'y vais. Excédé. Je cours manger à toute vitesse. Il y a tant d'ouvrage qui m'attend.

— Faut te nourrir, mon p'tit gars. Y a pas que le jeu dans la vie !

Je répète que je ne joue pas. Pas du tout. Personne ne voit donc que je serai bientôt propriétaire d'une cabane unique au monde ?

En mangeant goulûment, je songe que mars a disparu sans que je m'en aperçoive, qu'avril s'est installé pour de bon. La neige a fondu vite cette année. Je veux terminer ma cabane avant l'été pour en profiter durant les vacances. Alors que j'avale mon dessert — pudding, éternel pudding ! —, on sonne à la porte d'en avant. Maman, qui est allée répondre, revient vite du portique en soupirant :

— Ça arrête pas de quêter. On n'est pas millionnaires ! C'était Simone, la fille du juge Monet, elle vend des billets pour une tombola dans Saint-Édouard.

Rentrant d'une course, ma sœur Marcelle se met à table :

— M'man, la famille Léger vient d'ouvrir un nouveau genre de restaurant, ça s'appelle le *Saint-Hubert Barbecue*. Paraît que c'est ben bon !

Ma mère :

— Laisse faire les restaurants. On en a un en bas, ça suffit ! Ces babillages ne m'intéressent pas une miette. Mâche avant d'avaler, le constructeur !

Une fois sorti, j'ai engagé un collaborateur, mon meilleur ami, Tit-Yves. Il a accepté volontiers de m'aider. À une seule condition, qu'il puisse, lui aussi, y cacher sa boîte aux trésors. Accepté. Laurette Denis, plumant sa poule du samedi, nous observe et rit :

— Ça cogne. La sueur dans les yeux, la langue pendante. C'est-ti beau de les voir jouer !

On ne joue pas! Qu'est-ce qu'elle a à rire, l'éplucheuse de poules? Est-ce qu'elle riait du menuisier qui a refait la galerie? Non!

Avant-hier, le jour de Pâques, mon père m'a réveillé à l'aube:

— Debout, monsieur l'architecte, debout!

Il m'a amené sous le pont Viau, au bord de la rivière des Prairies, pour y embouteiller de l'eau de Pâques. Au retour, dans le tramway Ahuntsic, nos pots bien bouchés sur les genoux, papa m'a dit:

— Avec l'eau bénite qu'on a déjà, cette eau de Pâques nous fera un supplément de munitions contre les maladies, le mauvais sort.

Mon père me semble un expert en religion catholique. Il me détaille les stigmates des mystiques allemandes, Catherine Emmerich, Thérèse Neumann. À l'imitation de Jésus en croix, elles voyaient s'ouvrir des plaies dans le creux de leurs mains chaque vendredi. Le long des champs de la rue Millen, dans ce tramway qui joue les gros chars, mon père m'a dit:

— J'ai été content quand ta mère m'a appris que Marcelle était allée deux fois à la cérémonie des gorges. Une fois à Sainte-Cécile, une autre à Saint-Vincent-Ferrier. Comme ça, elle a deux chances de guérir plutôt qu'une seule.

Récemment, à la cérémonie des cendres, j'ai remarqué la grande piété de papa:

— Mon p'tit gars, les Cendres, c'est pour nous rappeler qu'on n'est que ça, des cendres pis de la poussière. Rien de plusse!

C'est bien beau la religion et tout ça, mais moi j'ai plus une minute à perdre. Urgence cabane!

Cris de nouveau:

— Viens manger!

Encore? En trois coups de fourchette, vorace et pressé, j'ai englouti les légumes et les nouilles — nouilles, éternelles nouilles! — pour retourner continuer ma besogne. Les voisines des étages au-dessus de la cour font des commentaires:

— Il va se tuer, grimpé de même dans ses échafaudages branlants!

Je les laisse parler, ces commères. Elles ne se tairont donc jamais?

— Vous allez voir ça, ça va toute s'écrapoutir!

Faux, tout à fait faux, mon fort est appuyé sur une base solide, l'angle formé par nos deux clôtures, et de plus le poteau des cordes à linge sert d'axe central. J'en ai fait une sorte de phare, de mât de guet pour voir venir nos ennemis, les *Blokes*! Tiens, je vais conserver ce trou au milieu du toit pour pouvoir regarder le temps qu'il fait, le ciel, le soleil. La lune en hiver.

Je me dépêche car il va bientôt faire noir. Je grimpe, je redescends, je fouille dans les nouveaux détritus rassemblés. Je jauge, je choisis, je remonte sur le toit de l'étage de ma cabane. Elle s'élève petit à petit. Je recule au milieu de la cour pour juger de l'effet. Je suis content. Ce sera une cabane rare!

— Tit-cul Jasmin, tu veux te tuer?

Laisser parler le vieux bonhomme Venna. Qu'il s'occupe donc de mieux préparer son jardin de tomates, lui! Ne pas m'arrêter, je monte dans le poteau, j'attache une poulie car il y aura un monte-charge dans ma cabane.

— Si tu t'appliquais autant pour tes leçons et tes devoirs, ça te serait plus profitable.

Quelle engeance, ces grandes sœurs encombrantes. «Continuez donc à danser.» J'entends de nouveau la corde à danser qui frappe régulièrement le ciment de la ruelle. Elles chantent:

— Un, deux, trois, quatre. Ma petite vache a mal aux pattes. Tirons-la par la queue. Elle deviendra mieux. Dans un an ou deux!

Dansez, les filles, et la paix!

Coup de marteau sur un pouce! Mon cri de mort. Qu'il est lourd! Ma mère encore:

— Viens m'aider. Paraît qu'il y a déjà des marchands au marché Jean-Talon. Sors la voiture!

Pas question:

— Oh, m'man! Demande à Raynald. À cinq ans, il est déjà fort comme un bœuf.

Résignée, ma mère accepte. Elle voit bien que son plus vieux est pris par un travail colossal. Sa cabane sacrée! J'ai un ongle bleu! Une planche pourrie se rompt, je dégringole! Mal à une fesse. Je m'écorche la peau d'un poignet, le sang coule. La voisine, madame Lemire:

— Viens vite chez moi. Ça pourrait s'infecter.

J'accepte.

— Crie pas, je vais te mettre de la teinture d'iode. Ayoille! Petit pansement et je suis revenu aussitôt au boulot. Bon, une autre chute, genou éraflé, encore du sang.

— Arrive!

Un gros *plaster*, du mercurochrome.

— Crie pas!

Ayoille! Je reviens à mon chantier, pansé, boitillant un tantinet, mais rien pour m'arrêter, je suis vaillant. Monsieur Provost:

— Tu vas te ramasser sur un lit d'hôpital si tu continues!

Qu'il se mêle de ses affaires, le gros ventru!

— Si ça a du bon sens, un échafaudage de la sorte!

Madame Le Houiller n'a qu'à sortir ses vidanges et se taire, non? Ce sera long, il faudra des jours, des semaines peut-être. Ces temps-ci, à quatre heures, chaque fois que je reviens de l'école, au diable les devoirs, je m'engouffre dans mon architecture savante de raboudinage de cochonneries recyclées.

— Branlante ta bébelle, mon Claude !

Silence !

Mon sac d'école sur le dos, voilà des jours et des jours que je ramasse tout ce que je trouve. Ma cour est pleine de matériaux disparates. Je pourrais devenir constructeur de cabanes à l'année si je voulais. Voyons ce que j'ai : un vieux tapis de salle de bains bleu, le prélart fleuri jeté par les Mancuso, une vieille tenture de madame Bégin, les deux coussins de cuir usé du notaire Décarie trouvés dans les vidanges, hier. J'ai aussi deux chaises sans dossier, prises sous le hangar des Légaré, un grand plateau de formica à motifs de roses délavées, le petit banc rond en merisier jeté par les Diodati. J'ai le tapis à la trame usée jeté par les Matte, une annonce rouillée de Pepsi-Cola, une de Kik et une grande de Seven-up, dont s'est débarrassé Pitou Lafontaine. J'ai même la pièce de tôle ondulée toute neuve du professeur Laroche, quatre deux par deux du père Corbo et deux quatre par quatre du bonhomme Danna. J'ai deux caisses de bois des Kouri, le vendeur syrien d'olives de la rue Bélanger. J'ai enfin des grillages jetés par le boucher Shaeffer, un sac de rembourrage de crin de cheval de Foti, les vieilles poches trouées du charbonnier Thériault, les deux poulies rouillées des Lanthier. Plein aux as, l'as des bricoleurs, bibi !

Et puis, un matin de récolte des ordures, miracle ! En face de la clôture chez Frank Capra, une grosse poubelle remplie de tuiles à peine fracturées, avec des petites pièces de mosaïque imparfaites. De toutes les couleurs ! Le plancher de la cabane sera hors de l'ordinaire, c'est assuré. En changeant ces petits carreaux de faïence, de granit, je pourrai varier le dessin de ma fresque aussi souvent que je le voudrai. Tit-Yves s'amène en courant :

— J'ai vu un gars, mon vieux, il avait un de ces bicycles avec, tu sais, des gros « taillieurs-ballounes » !

Le chanceux s'appellerait Pierre.

— Perrault, son nom de famille. Y reste proche de Beaubien ! J'y ai parlé de notre cabane. Y m'a dit que son père avait un clos de bois à Rosemont. Ça fa que, hen, si on veut des restants...

Moi, le bâtisseur pressé, je m'en fiche des pneus-ballons, de Rosemont, des clos de bois.

— Au travail, au travail ! je commande.

Il le faut bien, sinon on ne la finira jamais notre forteresse imprenable. Tit-Yves, je le reconnais, est très habile sur la scie. Il en sue un coup, mais il scie vite et droit. Ça aide à la bonne finition de notre chef-d'œuvre.

Le premier juin, la supercabane est enfin terminée. Je suis tout content, fier, léger. Débarrassé aussi, faut que je le dise. Roland n'en revient pas. Tit-Gilles, qui a beaucoup aidé les derniers jours, demande s'il peut y cacher sa boîte de petites autos. Laurette Denis applaudit quand Roland escalade le poteau à cordes à linge pour y fixer le drapeau glorieux, un drapeau peut-être syrien trouvé dans une ruelle derrière la *Casa Italia*. J'examine tout. Je palpe le plancher surélevé du coin des armes : c'est là que se trouvent les carabines de bois, les sabres, les épées, les lances pointues. Je monte sur un mirador de fer-blanc :

— Les *Blokes* peuvent s'amener, les gars, la place est imprenable, je vous le garantis !

Sous une des tablettes, une petite armoire avec un cadenas. Dans cette armoire, toute ma vie : mon sifflet, mes toupies, ma bague magique et mon bracelet de matelot, mes éléphants porte-chance, mes dés, mes billes, mes boutons en or, mon badge de shérif, mon gazou jaune et ma flûte mauve. Tout ce qui compte pour un enfant tirailleur. Ma seule richesse.

Ce matin, avant de partir pour l'école, je suis retourné voir mon château fort. J'en suis immensément fier. Marielle me nargue, chante :

— J'ai un beau château, ma tanti, reli, relire, j'ai un beau château, ma tanti, reli, relo.

Je repartirai tantôt pour la prison des frères mais je sais déjà que je vais en rêver derrière mon pupitre, regardant par les fenêtres ouvertes le printemps qui s'installe, les jeunes feuilles des arbres de la rue de Gaspé, les moineaux énervés, les stores entrouverts poussés par le vent. Le vent de ma rêverie. Monsieur Papineau racontera les histoires de notre histoire. J'imaginerai encore une horde de bandits du Far-West, une attaque sauvage, et moi, grimpé au faîte du mât au drapeau, je crierai des ordres, je serai Dollard des Ormeaux au Long-Sault ou ce capitaine batailleur intrépide de la baie d'Hudson, Le Moyne d'Iberville, ou qui encore ? En tout cas, je gagnerai la bataille. Je serai devenu quelqu'un, enfin. Je ne serai plus n'importe qui, un enfant pauvre aux dents cariées, aux cheveux mal coupés par son père radin. J'ai mon fort à moi. Je me promets qu'au temps de la canicule de juillet j'irai même dormir dans ma formidable cabane. Je n'aurai plus peur de rien, ni des rôdeurs ni des voleurs. Pas même des terribles chiens de chasse du docteur Bédard.

Je me sens le roi de la ruelle depuis que s'y trouve cette forteresse aux murs garnis de photos de cow-boys, au plancher couvert de mosaïques, au plafond tapissé de bannières de vieux velours côtelé, où pendent aussi des oriflammes de guenilles peinturlurées et l'encensoir emprunté au petit autel de ma chambre — là où je ne dis plus de messes en kimono car je suis devenu un guerrier.

Non, je ne ferai pas un prêtre plus tard comme le souhaite tant mon père. Non, je voyagerai de par le vaste monde, je découvrirai des îles inconnues et je les baptiserai des noms de mes amis, qui s'inscriront sur une grande carte géographique inédite. Je reçois soudain un bout de craie de plâtre en pleine face. Monsieur Papineau gueule :

— Jasmin la lune! qui a combattu les Iroquois au fort de Verchères? Qui? Vite! Répondez?

Je descends du mât en vitesse, j'enjambe mon coffre aux trésors, je suis de retour derrière mon pupitre, je me redresse, je bombe le torse :

— Euh! Madeleine, monsieur! Je veux dire Madeleine de Verchères, m'sieur!

Le prof :

— Bien! Très bien! Mais, de grâce, restez avec nous s'il vous plaît!

CHAPITRE 14

La chatte en folie

J'ALLAIS AVOIR DIX ANS dans un mois et demi. C'était un beau soir du début d'octobre. Soucieuse, ma mère revenait de chez l'un de ses chers pharmaciens. Ma sœur Marcelle, douze ans, n'arrivait pas à se guérir d'une étrange maladie à la gorge.

— Paraîtrait que c'est à cause de ganglions infectés, répétait maman.

Elle en perdait quasiment la voix, pauvre Marcelle. Un drôle de mal qui revenait au printemps et à l'automne. Les gens pauvres de mon quartier, au lieu d'aller consulter un médecin, allaient plutôt interroger le pharmacien, espérant trouver une potion-miracle sans ordonnance. À chaque coin de la rue Saint-Denis, il y avait une pharmacie. Pour soulager Marcelle, maman faisait le tour des apothicaires. D'abord, elle avait consulté monsieur Doré, en face du cinéma *Rivoli*, un petit maigrichon fébrile à la voix de fausset, toujours disposé à prêter une oreille compatissante aux mères inquiètes. Il proposa un grand pot d'onguent gris.

— Ça vaut rien, l'onguent du pharmacien Doré! J'ai perdu mon temps avec lui! chialait ma mère en se rendant consulter le pharmacien du coin de la rue de Castelnau, monsieur Martineau.

Ce dernier, aux antipodes du père Doré, était une sorte de Goliath tranquille, rassurant. Il avait décrété :

— La gorge de votre fille est infestée de microbes bien connus.

Il avait concocté un rituel bizarre. Ma mère devait badigeonner tout le cou de Marcelle avec du méthylène, sorte de liquide bleuâtre, lui faire prendre aussi des comprimés trois fois par jour, plus une sorte de sirop épais. Marcelle avalait en grimaçant :

— Pouah ! ça a un goût de bouette pourrie !

La recette de Martineau n'avait pas eu plus de succès que celle de Doré. Alors, maman alla chez Besner, au coin de Jean-Talon. L'amène pharmacien, aux cheveux d'un blond presque blanc, lui suggéra une sorte de graisse magique qui avait « fait des merveilles en Belgique », prétendait-il. C'était une gelée violette qui devait réchauffer, pénétrer la peau du cou.

— Vous verrez ses effets prodigieux. Parlez-en à madame Éthier. Cet onguent attire les virus et les tue. Vous m'en donnerez des nouvelles, madame Jasmin !

Tous les soirs, ma mère beurrait un linge avec cette mixture. Une fois le cataplasme appliqué, elle enroulait et épinglait un foulard de laine autour du cou de Marcelle. Même manège le matin et Marcelle enrageait de devoir aller à l'école avec cet énorme pansement. C'était au printemps dernier. Ma sœur fit une neuvaine à sainte Anne pour qu'elle collabore. Elle acheta même quelques gros lampions à trente sous, au pied de l'autel de la Vierge, pour plus de sécurité. Mon père déclara soudain :

— Écoutez donc, on a la chance de connaître mademoiselle Curotte, une sainte fille qui parle avec la sainte Vierge. Pourquoi, samedi prochain, ne pas envoyer Marcelle à sa chapelle de Marie-Reine-des-Cœurs, à Chertsey ?

Ma mère, jamais trop à l'aise avec les dévotions pieuses, trancha :

— Plus tard peut-être. Faisons d'abord confiance au remède. Chertsey viendra après la Belgique, d'accord ?

Hélas, malgré la chaleur de cet automne étonnant, le mal tenace de Marcelle avait reparu. Buvant son cher *cream-soda* au restaurant, maman écoutait l'oncle Léo, cantinier du CPR :

— Mémaine, notre pharmacien, monsieur Fillion, au coin de Faillon, c'est un génie. Va donc le voir, tu le regretteras pas !

Il avait guéri ses enfants, Marthe et Jacques, de toutes sortes de maladies. Ma mère, très sceptique, décida le lendemain d'aller consulter l'apothicaire réputé de son beau-frère. Prenant l'air sur le balcon, papa allumait et rallumait sans cesse sa pipe toujours éteinte. Moi, assis à ses côtés, j'apprenais par cœur mes leçons d'histoire sainte. Revenant de chez ce pharmacien « génial », ma mère déclara :

— Je vous dis que ce monsieur Fillion ne complique pas les choses. Regardez-moi ça, une pinte d'eau, rien d'autre !

Il y avait, dans cette eau distillée, lui avait expliqué l'apothicaire, quelques gouttes d'un remède secret inventé par un célèbre médecin de Baltimore. Il suffisait d'avaler un petit verre de cette eau tous les soirs durant quinze jours et adieu bactéries du diable ! Marcelle but son verre d'eau miraculeuse et partit, rue Saint-Hubert, marchander une paire de souliers avec Lucille, qui, elle, se cherchait un sac à main.

Quand maman, maintenant remplie d'espoir, s'installa sur le balcon avec son courrier de Colette de *La Presse*, elle me poussa du coude, me fit signe d'observer

nos voisins, les Laramée. La cérémonie du départ du
mari se répétait ! Mes parents et certaines voisines rigolaient tout leur soûl de leur étrange rituel. Tous les mar-
dis, jeudis et samedis soir, le mari de madame Laramée,
mis sur son trente-six, sortait. Seul ! Nous ricanions
chaque fois du spectacle de cette épouse complaisante
qui faisait ses recommandations à son mari volage :

— Ne rentre pas trop tard ! Fais attention de ne pas
perdre ton portefeuille. Ne bois pas trop. Sois raison-
nable.

Les commères des alentours résumaient cela en deux
mots qui voulaient tout dire :

— Il sort ! Monsieur Laramée sort !

À force d'entendre les potinages, j'avais saisi que ce
mari libertin, avec la permission de l'épouse, avait le droit
d'aller folâtrer dans les cabarets trois soirs par semaine.
Ma mère en était révoltée :

— Est-ce que ça a du bon sens ! Quelle bonasse !

Ce soir-là, donc, ma mère me faisait signe d'observer
la scène. Madame Laramée, penchée sur son balcon,
criait presque :

— Passe une bonne soirée, mon chou ! Minute,
regarde-toi : ta cravate ! Elle est toute croche, mon pitou !
Attends, regarde-moi, mon ange. Peigne ta couette de
cheveux, de quoi t'as l'air ? Bon. Bien. *Bye bye*, mon
trésor !

Maman, une fois de plus, faisait les gros yeux, sou-
pirait, ne pouvant s'empêcher de marmonner :

— Sacrée niaiseuse d'innocente. Elle accepte ça,
l'idiote. Je lui en ferais, moi, des sorties en célibataire. Ce
serait la séparation, pis vite ! Non mais, a-t-on idée ?

Mon père ricanait :

— Ben, 'coute donc, Mémaine, si toutes les femmes
étaient moins jalouses, ça irait mieux dans les ménages !

Ma mère le frappa avec son journal replié et papa s'enfuit en riant. On faisait des gorges chaudes de l'étrange tolérance de notre voisine. Madame Denis la plaignait:

— Pauvre femme, prise avec un mari maquereau!

Madame Diodati la blâmait:

— La maudite folle! Moi, au retour, la porte serait barrée. Monsieur pourrait bambocher où il veut, mais fin du mariage!

Une autre voisine, madame Bégin, disait:

— Il y a des limites à pas dépasser. Cette femme est une gnochonne!

J'observais que, lorsqu'elles se retrouvaient, à l'épicerie ou ailleurs, face à madame Laramée, ces voisines jouaient les aimables. Un jour, rue de Castelnau, à la *Pâtisserie Canada*, j'entendis ma mère:

— Ah, bonjour, chère madame Laramée! Votre mari va toujours bien? Il a l'air en si bonne santé.

La pauvre femme trompée ne saisissait jamais les allusions et vantait la splendide forme physique de l'homme.

Entre deux clients, mon père aimait bien, lui, sortir de son trou et grimpait le petit escalier du logis pour prendre «un peu de fraîche», comme il disait. La soirée était vraiment belle, on aurait dit l'été revenu. En se couchant, le soleil colorait le ciel de bigarrures extravagantes jusqu'à la rue Villeray. Mon père tenta de rallumer sa pipe toujours éteinte et raconta:

— Mémaine? Tiens-toi bien, tu sais pas ce que mon cousin, le manchot Amédée, m'a sorti ce midi?

Sans quitter des yeux son journal, ma mère dit:

— Non, conte-moi ça. Est-ce qu'il va lâcher le socialisme? Il veut rentrer dans le rang des bons catholiques?

Papa enchaîna:

— Tu sais comment Amédée est fou de généalogie. Eh ben, il m'a sorti toute une affaire. Selon ses recherches en France, les Jasmin descendraient tous de Juifs immigrés en Espagne. Vois-tu ça?

Maman baissa vivement son journal.

— De Juifs? As-tu dit de Juifs?

Mon père s'enfonça dans les coussins du fauteuil d'osier qu'il aimait tant :

— Oui, ma vieille! De Juifs! À entendre Amédée, nos ancêtres seraient des Juifs de l'Algérie montés en Espagne et venus au Poitou avec les conquérants arabes ben avant l'an 1000! Vois-tu ça? Les Jasmin, des Juifs!

Mon père, qui ne pardonnait pas aux Juifs d'avoir fait crucifier le Christ, était aux abois :

— Quand Amédée m'a sorti ça, j'y suis pas allé par quatre chemins. J'y ai dit : « Vas-y, répands tes sornettes dans la famille pis tu vas te faire assommer! »

Ma mère, que ces discussions laissaient plutôt froide, osa lui dire :

— Écoute, sait-on jamais? Pis ça changerait quoi pour nous autres, ici? Rien! À part ça, il y a des bons et des mauvais chez les Juifs comme dans toutes les races, non?

Papa manqua de s'étouffer :

— T'as pas l'air de te rendre compte de l'énormité de son histoire. Si Amédée disait qu'on vient des Nègres ou des Pygmées, ça te laisserait de glace? Non, on n'a pas le droit de dire n'importe quoi dans la vie quand on a une tête sur les épaules!

Ma mère avait repris sa lecture et il s'enrageait :

— Veux-tu mon opinion? Son séjour en France lui a brûlé la cervelle. Il déraille. Un jour, il va se retrouver à l'asile avec mon autre cousin, Olivier.

Ma mère, calme, murmura presque :

— En tout cas, là-bas, à Paris, ses trois enfants ont reçu une belle éducation. Sa plus vieille, Judith, travaille à Radio-Canada. C'est quelque chose ça, non?

Mon père réfléchissait, ne disait plus rien. Il finit par rouvrir la bouche :

— Notre premier ministre Duplessis a bien dit, avant de perdre le pouvoir, qu'à Radio-Canada c'était infesté de rouges communistes ! Ah !

Monsieur Lorange, un client, s'amena et mon père, la mine renfrognée, bougonnant, le suivit dans l'escalier du sous-sol. Je songeais à ce que je venais d'entendre. Je viendrais d'un monde de romanichels, de Juifs errants ? J'aurais du sang juif et espagnol dans les veines ? J'en étais médusé. J'ai dit :

— Maman, cet oncle Amédée, qu'on voit presque jamais, est-ce que c'est un savant ou un détraqué ?

Ma mère laissa passer un tramway particulièrement bruyant et me dit :

— Il a fait des études classiques et puis de notaire. C'est pas un habitant, tu vois. Mais on dit qu'il est devenu communiste en France, et ça, c'est dangereux, très dangereux. Ton oncle Amédée est en train de perdre toute sa clientèle en prêchant ouvertement la révolution. Des idées qui viennent de Moscou et qui peuvent détruire notre monde ! Sa femme est obligée de faire des ménages chez les riches à cause de ça !

Garde Désautels passa. Elle était maigre et petite, avait la peau du visage grêlée. C'était la sage-femme officielle du quartier. Elle allait et venait dans nos rues avec sa petite valise de cuir noir. Je la trouvais laide, bien laide, et je n'aimais pas savoir que c'était elle qui m'avait mis au monde ici même, dans la chambre de mes parents. C'était comme une humiliation. J'aurais voulu être né grâce à l'aide d'une belle fée comme celles qui avaient entouré le berceau de la Belle au Bois dormant dans le conte de Perrault. Chaque fois qu'on la croisait, je n'aimais pas la voir s'arrêter, demander de mes nouvelles comme si elle était encore responsable de ma vie. Ce soir-là, elle s'arrêta encore avec son :

— Comment vont les enfants, madame Jasmin?

Ma mère raconta les bobos de Marielle et Raynald, les migraines de Lucille, ses propres nausées qui l'assaillaient trop souvent à son gré. Évidemment, maman parla de la gorge malade de Marcelle. La garde Désautels épiloguait, balançait, recommandait :

— Si ça ne fonctionne pas, l'eau américaine de monsieur Fillion, vous m'en reparlerez. J'ai un sirop qui ferait peut-être l'affaire.

Elle n'en finissait jamais de faire valoir sa science d'infirmière qui sait tout. Puis, elle baissa la voix pour parler de sa sœur Gabrielle, qu'elle couvait, qui n'était pas en bonne santé, qui, si je comprenais bien ses métaphores prudentes, ne pouvait prendre aucune initiative. Ma mère disait souvent — j'écoutais tout et je retenais tout — :

— Pauvre garde Désautels! Quelle croix, cette sœur fêlée du cerveau! Quelle responsabilité!

J'aimais bien veiller ainsi sur le balcon, épier le monde de ma rue. Constatant que j'avais toujours le nez hors de mes livres d'école, ma mère s'écria :

— Toi, va donc étudier dans ta chambre! Tu vas couler ton année si ça continue. Tes notes sont pas vargeuses, tu le sais.

Je répondis :

— Il fait si chaud. C'est l'été des Indiens. J'étouffe dans ma chambre. Il y a même pas une seule fenêtre.

Elle répliqua :

— Installe-toi à côté dans le boudoir. Ouvre grande la fenêtre. Tu seras plus concentré qu'ici à espionner tout ce qu'on dit, ton père et moi!

Soudain — je ne savais pas d'où elle sortait —, notre vieille chatte tigrée sauta en miaulant fortement sur le petit dôme d'amiante du restaurant, grimpa sur une balustrade, griffa les briques du mur. Je me levai d'un bond.

— Maman! Regarde la chatte! Elle devient folle, elle court partout. Elle a de l'écume au bec, regarde-la!

Ma mère eut peur autant que moi. La bête descendait et remontait l'escalier, filait à gauche, à droite, sifflait, le poil dressé, les yeux à l'envers, les crocs sortis.

— Mon Dieu, elle est tombée dans un mal!

Je dis:

— C'est quoi ça, tomber dans un mal?

Maman me dit:

— Va chercher ton père. Des fois, les chats avalent des cochonneries dans ruelle. Va vite!

Mon père, alerté, sortit rapidement du sous-sol avec monsieur Lorange, un mince menuisier à petite moustache, qui dit:

— Oui, ta mère a raison, est tombée dans un mal!

Que fallait-il faire? Ma mère était allée chercher le balai et tentait de chasser la chatte qui zigzaguait, allant et venant, crachotante, de notre balcon à celui des Cardinal, nos voisins de gauche. Mon père cria:

— Non, Germaine, approche pas! Fais attention, c'est dangereux. Elle pourrait te crever les yeux.

Monsieur Lorange s'en alla en marmonnant:

— J'aime autant pas voir ça! Il faut tuer un chat tombé dans un mal, et le plus tôt possible. Il a la rage, c'est certain.

Papa n'osait pas monter sur le balcon et nous commanda même d'en descendre au plus vite. La chatte, en crachant des jets de salive, tournait sur elle-même, poussant des cris d'hyène tourmentée. Je descendis le petit escalier, me servant de mes manuels comme d'un bouclier et tenant ma mère par la main. Du trottoir, j'aperçus André Thériault sur son balcon et lui criai:

— Appelle ton père. Vite! Notre chatte tombe dans un mal!

Je savais que le charbonnier Thériault, colosse vigoureux, ne craindrait nullement, lui, d'affronter cette bête qui sautait partout en poussant des miaulements de plus en plus effrayants, les yeux blancs, les dents et les griffes menaçantes.

Ce ne fut pas long que monsieur Thériault s'amena, tenant une poche à charbon vide :

— Regardez ben ça, mes amis. Vous allez voir comment on règle le problème.

Il était neuf heures du soir, les magasins de la rue Saint-Hubert venaient de fermer et Lucille et Marcelle revenaient de leurs emplettes. Arrivées devant notre logis, elles s'énervèrent sans bon sens et allèrent se réfugier en vitesse sur le balcon des Lemire, nos voisins de droite. Marielle et Raynald, en pyjamas, vinrent en courant nous rejoindre sur le trottoir. La benjamine, Nicole, dormait. Ma mère craignait que ce chahut ne l'éveille. Des badauds s'étaient rassemblés devant notre maison. Un tramway stoppa au milieu de la rue et tous les passagers s'agglutinèrent aux fenêtres pour voir le spectacle. Sur le balcon du deuxième, madame Laramée criait, encline aux crises d'hystérie :

— C'est effrayant ! Appelez la police. Faut le faire piquer. Appelez le vétérinaire Leclerc, à côté !

— Lâchez-moé les vétérinaires. On n'a pas une seconde à pardre ! décréta le charbonnier, qui monta prudemment les quatre marches du balcon, la poche grande ouverte entre ses deux larges mains.

La garde Désautels, revenue sur ses pas, inquiète comme nous tous, balbutia :

— C'est effrayant une bête en folie !

Papa, très énervé, dit :

— Soyez prudent, monsieur Thériault. On sait jamais, elle pourrait vous arracher les yeux !

Le père d'André, les jambes arquées, se plia sur ses genoux. On entendit sa voix rugueuse :

— Minou, minou ! Viens voir mon oncle, mon petit verrat !

Frouch ! d'un geste habile il empocha la chatte folle :

— Je l'ai eue ! Du premier coup !

Il redescendit avec sa poche refermée dans laquelle on voyait une forme qui s'agitait frénétiquement. Mon père dit :

— Qu'est-ce que vous allez en faire ? Le vétérinaire ?

Le charbonnier eut un petit rire sec :

— Regardez ben ça !

Il fit tournoyer la poche autour de sa tête et cria :

— Fais ta prière, la minoune ! Tu vas rejoindre le paradis des chats !

D'un geste définitif, il rabattit la poche sur le ciment du trottoir. Crounch ! On entendit un craquement et c'était terminé ! Plus rien ne bougeait dans le sac à charbon. J'ai regardé mon père, il avait encore les yeux fermés. Je le secouai. Je le trouvais pleutre :

— C'est fini, papa ! C'est terminé. La chatte est morte.

Ma mère dit :

— Et qu'est-ce que vous allez en faire ?

Monsieur Thériault mit la poche dans la main de mon père, qui fit un saut de côté et grimaça de dégoût. Il la tenait du bout des doigts, puis la tendit à ma mère qui cria :

— Ouash ! Va-t'en avec ça !

Je m'emparai du sac pour faire le brave. Monsieur Thériault me dit en souriant :

— À jeter aux vidanges. Bon pour la *dompe* !

Et il s'en alla. Papa le rappela :

— Un instant ! Est-ce qu'on vous doit un petit quelque chose ?

Il lui répondit :

— Oui. Que vous n'achetiez plus votre charbon chez Turgeon !

Il s'en retourna chez lui en tenant son André par le cou, fier de sa bravoure.

Je suis allé jeter la chatte dans la poubelle. J'ai refermé le couvercle avec précaution. Était-elle bien morte ? D'autres chats miaulaient dans des cours de la ruelle. Le coq des Mancuso, toujours désorienté, cocoricosa dans la noirceur ! J'entendis des bruits près du garage du professeur Laroche. Des voleurs ? J'avais peur. Les chiens du docteur Bédard se mirent à hurler. Hurlaient-ils à la lune ? Elle était là, toute ronde, indifférente aux voleurs, au coq fou, aux aboiements des chiens et aux pharmaciens. Lune indifférente aux chats qui tombent dans un mal, à monsieur Laramée qui dansait peut-être dans un club malfamé, à garde Désautels. Indifférente aux maux de gorge de ma sœur, indifférente au fait que nous descendions, ou non, de Juifs afro-espagnols. Elle régnait sur la nuit, superbe, seule et indépendante.

Une fois que je fus rentré, ma mère me dit :

— Va vite te coucher, toi ! L'école demain matin !

C'était toujours « l'école demain », la vie plate. Ce soir, heureusement, il y avait eu l'épisode dramatique de la vieille chatte écumante. Dans ma chambre, Raynald dormait en travers de notre lit. Il faudrait encore que je le repousse délicatement, sans le réveiller. Ma mère entrouvrit la porte pour me dire :

— Et oublie pas ta prière du soir, mon garçon. Prie pour Marcelle, pour sa gorge infectée !

Je fis mon signe de croix et je priai pour mon père :

— Mon Dieu, donnez plus de courage à mon père, faites qu'il soit moins pissou s'il vous plaît !

Raynald remua, se tassa de lui-même, marmonna :

— C'est pas un chat! Non! c'est un tigre du Bengale! Tu vois pas ça?

Mon frère rêvait! J'ai vite éteint la lampe sur mon petit pupitre.

CHAPITRE 15

Le martyr

Il s'était à peine montré le bout du nez que nous étions certains qu'il allait devenir notre souffre-douleur. Chaque premier jour du mois de mai s'amenaient des gens nouveaux et s'en allaient des habitués de la rue. C'était comme ça partout en ville le jour du grand déplacement, le jour officiel du déménagement. Grand dérangement donc pour des tas de gens, locataires de toutes les classes sociales. C'est ainsi qu'André Hébert, un premier de mai, s'installa dans son escalier, la casquette à carreaux sur le front, la mine renfrognée, le visage très pâle avec des tics aux yeux. Il reniflait l'air de son nouveau coin de rue. Il prenait les mesures de son nouveau quartier. Il se dégageait de son corps malingre un appel pathétique : « Qui veut de moi ? Qui veut devenir mon ami ? »

Déjà, dans la bande, régnait une sorte de hiérarchie : des rôles, des charges. L'un servait aux courses de tous, l'autre servait de sentinelle, de guetteur. Un autre encore jouait le médiateur, le négociateur dans des permissions diverses à quémander, par exemple celles de jouer dans la cour d'un voisin sans enfant, d'occuper un garage sans locataire, ou encore de bâtir une cabane dans un arbre hors de notre ruelle. Au bas de l'échelle, il y avait, comme dans toute bande, le souffre-douleur, qu'on baptisait « cacaille » ou encore « tit-coune ». Pour toute action revendicatrice, luttes, batailles, pour toutes les affaires nécessitant la force physique, Roland le matamore régnait en haut de la pyramide. Normal, il était le plus fort de la meute.

Il nous fallait donc un bouc émissaire, un abusé, une victime plus ou moins consentante. Si l'élu refusait ce rôle humiliant, il était expulsé du groupe. Il n'avait qu'à se convaincre, le pauvre, que ça n'allait durer qu'un temps. Voilà qu'une tête à claques se présentait, un cacaille à casquette. Ça allait être son tour et on allait laisser tranquille le petit Di Blasio, dit Babines. Avant lui, on s'en était pris à Pété Légaré, qui avait accepté son sort, joué son rôle patiemment et souffert en silence. Le temps passait et la tête de Turc finissait par se faire accepter. Pour y arriver, il fallait donner des gages, montrer de la bonne volonté dans les missions farfelues qu'on lui confiait. Pété avait accepté de coller de la gomme dans des sonnettes, de tirer des pois sur la femme du notaire, d'égarer le chien des Éthier, et quoi encore?

Un bon jour, cela avait pris fin, nous nous étions lassés du jeu niais d'abuser de la même bonne poire et Pété avait été délivré après avoir gagné ses épaulettes, devenant membre du gang sans plus subir de sévices. Vint le tour de Vincelette. Même manège: épreuves incessantes et, au bout du compte, lassitude des tortionnaires suivie de son intégration. Un beau matin, retentissait un: « Lâchons-le tranquille, les gars! » C'était le sésame, le mot de passe pour qu'on se trouve un nouveau tit-coune à exploiter. J'avais eu mon tour. Ça n'avait pas été facile à supporter. J'avais été torpillé de moqueries, de coups parfois. J'avais été mis à l'écart. Dès que je me montrais, commençaient les piques du harcèlement, les craques. Le bigleux, le barnicleux que j'étais, semblait tout désigné pour faire rire de lui. J'avais six ans à cette

époque du petit martyr du groupe. On avait fini, comme
pour Pété et les autres, par m'accepter. Ça n'avait pas été
trop long. J'avais plein d'astuces. J'avais utilisé mes dons :
faire le bouffon, rire du blanchisseur chinois dans son
dos, ou, à sa barbe, du fou à Rosaire l'harmonica.
M'avaient aussi aidé mes désopilants déguisements, ma
capacité d'organiser des séances, puis, gros atout pour
moi, la distribution généreuse de boîtes de gomme à
mâcher sorties tout droit du restaurant paternel.

Dur, très dur, de traverser ce passage. Nous arrivait
donc ce déménagé récent, ce André à la large casquette
que ses grandes oreilles retenaient. Le surnom de
« Grandes oreilles » était déjà pris par Colliza qui en avait
d'énormes. Pour ce nouveau venu au teint blême, on
n'avait rien trouvé de mieux que « Dédé le millionnaire ».
Pourquoi millionnaire ? C'est que le petit Hébert, dans
son hangar du deuxième, avait un lot impressionnant de
jouets formidables : un rutilant camion à deux places, une
locomotive à deux sièges aussi, un cheval berçant très
réaliste et un camion de pompiers avec deux marchepieds
sur lesquels on pouvait grimper.

Le hangar de Dédé était notre caverne des splendeurs.
Sa mère, une belle jeune femme aux cheveux d'un blond
éblouissant, toujours tirée à quatre épingles, bien
maquillée et bien coiffée, semblait une drôle de mère. Elle
n'avait rien en commun avec les nôtres. Elle était, même
la semaine, attifée de bijoux et sentait le parfum cher. Elle
nous accueillait chaleureusement. Son fils unique, lui,
était timide, un peu bègue, et ne nous regardait jamais
dans les yeux quand nous lui parlions. Rien pour nous
attirer. Un matin où nous jouions dans la ruelle, madame
Rita, ayant saisi qu'il fallait suppléer à la piteuse per-
sonnalité de son rejeton, avait fait un appel à tous :

— Les enfants ! Venez, montez ! J'ai des surprises
pour vous !

Elle nous invita dans son hangar à découvrir la panoplie de jouets géants de son fils. Dédé se tenait dans un recoin du hangar, mal à l'aise, clignotant des yeux comme jamais, ajustant sans cesse sa casquette à palette.

— Allez-y, les petits copains, choisissez-vous un de ces jouets. Tous les samedis, vous pourrez revenir les prendre, mais il faudra les rapporter sans les briser. Vous promettez à Rita ?

Roland avait sauté sur le camion, Tit-Gilles s'était emparé de la locomotive, Tit-Yves du camion de pompiers et moi, j'avais choisi le magnifique cheval en suède avec son bel attelage de cuir, ses guides, ses étriers de fer-blanc. Il ne restait plus rien pour le propriétaire de ces jouets rares !

— Pas grave, pas grave, les amis, mon André s'amuse de moins en moins avec tous ses jouets. Pas vrai, André ?

Sa mère semblait tout heureuse de nous voir dévaler l'escalier et installer ces prodigieux appareils à pédales dans ma cour. Elle avait spécifié :

— Faudra vous amuser dans une cour fermée, pas dans la ruelle. C'est trop dangereux avec tous ces livreurs qui circulent !

Une fois de plus, ma cour allait servir de terrain de jeu.

Maman écarquilla les yeux en nous voyant arriver avec des jouets de si grand prix :

— Mon doux Seigneur ! Dieu tout-puissant ! Avez-vous rencontré le père Noël en personne ?

Dédé le millionnaire bégaya :

— Non, madame. C'est mes jouets, je les prête. Ma mère tient à ce que je me fasse des amis dans ma nouvelle rue !

Abandonnant ses épingles à linge, sa lessive à faire sécher, maman avait voulu inspecter de plus près ces trésors :

— Ton papa, mon petit gars, qu'est-ce qu'il fait dans la vie ?

Elle s'attendait à ce qu'il réponde : « Banquier », ou bien : « Directeur à la Bourse de Montréal ». André lui dit la vérité :

— J'en ai pas, de père, moi, madame ! Non, j'ai juste une mère, mais elle a un ami très riche qui me gâte.

Le visage de ma mère s'était rembruni et elle était rentrée vivement dans la cuisine après nous avoir mis en garde :

— Amusez-vous bien et ne les cassez pas surtout. Ça coûte les yeux de la tête, faire réparer cette sorte de jouets.

Ainsi avaient débuté nos samedis de faux enfants riches ! La cour avait été divisée en sections. Il y avait moi, la police montée à cheval, dans mon manège militaire de carton. Il y avait le coin caserne de pompiers faite de bouts de prélart, pour Tit-Yves. Il y avait le coin gare des trains pour Tit-Gilles. Enfin, au fond de la cour, le grand magasin général, fait de vieilles planches, pour le camionneur Roland. À l'ombre de sa large casquette, assis dans le petit escalier des hangars, Dédé le millionnaire se contentait d'assumer le rôle qu'on lui avait dévolu, celui d'agent de la circulation. À pied ! Il semblait tout content de nous voir si heureux. Chaque samedi de congé, de bonne heure, on allait vite frapper à la porte de la belle madame Hébert :

— André est-ti là ?

Il arrivait qu'elle nous déverrouille la porte de la caverne d'Ali Baba et nous dise :

— Servez-vous, allez-y, les petits amis, mon André ira vous retrouver plus tard !

Il était malade, ou il n'était pas encore levé, ou il était parti faire des courses. Pas grave, madame Hébert était si contente de voir que son dadais avait désormais une bande d'amis. Quand Dédé finissait pas entrer dans la cour, il reprenait son poste d'agent de la circulation. À pied! Cela dura des mois.

Parfois, fatigués de pédaler dans ces engins, on allait jouer une partie de *soft-ball* dans le champ des Thériault. Dédé n'avait encore jamais tenu un bâton de *soft-ball* dans ses mains. Il devint automatiquement l'arbitre de service puisqu'il avait les mains pleines de pouces. On contestait sans cesse ses décisions. Il criait: «*Strike*!» et on lui sautait dessus. Il criait «*Ball*!» et on le querellait de plus belle. Il n'avait, selon nous, aucun jugement comme arbitre. Alors, pour faire cesser les querelles, on s'était passés d'arbitre et on l'avait envoyé à vache. Et il y était resté! Pauvre Dédé le millionnaire, il était devenu l'insignifiant de la bande, le tarla de service.

Quand les vacances d'été arrivèrent et que commencèrent les rencontres organisées au parc Boyer, à l'école de Lamennais ou au parc Jarry, il écopa du rôle de mascotte chargée de surveiller notre équipement. Dédé fut notre souffre-douleur idéal. On lui jouait des tours: on lui donnait des rendez-vous compliqués où on ne se rendait pas, on le forçait à aborder des piétons pour leur quêter des sous ou une cigarette, on l'envoyait vendre nos bouteilles vides et malheur s'il ne revenait pas avec la somme prévue par nous! Bref, il était le valet, le serviteur dévoué de nos caprices. La fois qu'il se fit équiper d'accessoires de pêche coûteux parce qu'on lui avait fait croire qu'il pouvait pêcher des truites à la carrière Villeray... Pris de remords, Tit-Yves et moi, après *caucus*, avions décidé l'arrêt des vexations. Roland avait riposté:

— Quoi, le lâcher tranquille? C'est un nono! Il va finir par se tanner et sacrer son camp. C'est aussi simple que ça!

Roland avait le cœur dur. Il n'était pas chef pour rien.

Un samedi d'octobre de cette année-là, ma mère, à ma grande surprise, m'avait empêché de sortir après le souper. Elle avait à me parler sérieusement :

— Écoute-moi bien, mon petit garçon. J'ai su que vous alliez jouer chez ce Hébert parfois, que sa mère vous laisse entrer chez elle. C'est vrai ça ?

Je dis :

— Mais oui, pis ? On fait rien de mal. Il a sa chambre à lui tout seul, le chanceux. Il a des jeux de toutes les sortes. Sa mère nous laisse tout le salon durant des heures. C'est pas une maniaque du salon qu'il faut laisser propre et où on a jamais le droit d'entrer !

Ma mère avait pris une voix toute douce :

— Tu vas m'écouter. J'aimerais mieux que vous cessiez de fréquenter ce petit bonhomme-là ! C'est bien compris ?

Je n'en revenais pas. Elle avait continué :

— On a parlé ensemble, la mère de Tit-Yves et celle de Tit-Gilles. Cette femme, c'est quelqu'un de louche. Je te défends d'y retourner, point final !

Voyant mon étonnement, elle avait ajouté :

— A-t-on déjà vu cette femme à la messe le dimanche ? Non. Jamais ! On n'aime pas ses façons, ses manières. Je n'ai pas à te donner d'autres explications. Ton père est d'accord. Il ne faut plus jouer avec le petit André. Ces Hébert ne sont pas de notre monde.

Je m'étais interrogé : « Pas de notre monde ? » Quelle sorte de monde étions-nous au juste ? Meilleur ? J'avais rétorqué :

— Mais maman, il y a tous ces jouets, tu le sais bien, nous, on a rien !

Elle avait froncé les sourcils, m'avait serré un bras :

— Écoute un peu. Vous vous amusiez avant le premier mai, non ? Continuez comme avant l'arrivée de ces gens.

J'avais essayé encore de la dissuader de vouloir nous priver d'un endroit où on pouvait tout se permettre. On mettait leur salon à l'envers sans jamais un reproche de madame Hébert et, si on s'excusait, piteux, avant de quitter la chambre désordonnée ou le salon chambardé, elle disait en souriant :

— Faites-vous-en pas, les petits copains, on m'envoie une femme de ménage tous les quatre jours.

Une femme de ménage ? Notre mère était la femme de ménage chez nous ! Elle devait être vraiment très riche, la mère de Dédé le millionnaire.

Un soir, j'avais entendu ma mère qui parlait avec papa :

— Oui, mon vieux, on a fini par tout savoir. Cette madame Hébert est une demoiselle Hébert ! Elle n'a pas de mari et elle n'est pas veuve. Ouvre les oreilles, Édouard. Elle a un amant.

Papa avait repris :

— Un amant ! Qu'est-ce que tu me sors là ? En êtes-vous certaines ?

Maman avait baissé la voix mais j'avais entendu le reste de la conversation :

— C'est la femme du notaire Décarie qui a tout su et qui nous l'a confirmé. Cette demoiselle Hébert garde à coucher, trois fois par semaine, un certain monsieur Laprade qui est un homme marié ! Oui, mon cher, mademoiselle Hébert a un amant marié !

Papa avait haussé la voix :

— Comment sait-elle ça, la mère Décarie ?

À son tour, ma mère avait haussé le ton :

— Un soir que ce Laprade rendait visite à cette... cette fille-mère, il a été aperçu par notre voisine la coiffeuse, qui est, tiens-toi bien, la cousine de l'épouse de ce maquereau. « Il est marié », a affirmé la coiffeuse à madame Décarie. Ce bon ami de Rita Hébert n'est donc pas libre! Le petit André est tout probablement, passe-moi le mot, un bâtard!

Mon père avait gardé le silence, puis :

— J'en reviens pas, Mémaine! Le monde est petit!

Hélas, maman avait baissé le ton de nouveau :

— La coiffeuse a téléphoné à sa cousine. Eh bien, elle est toujours mariée, la pauvre. Pas de séparation, pas de divorce en vue, elle est cocue!

Nouveau silence de mon père, et puis :

— En tous les cas, tu dois avertir de nouveau notre Claude. Lui et ses amis doivent couper les ponts avec ce André Hébert. Ils pourraient voir des choses pas catholiques.

Papa s'était levé bruyamment de sa chaise car la sonnerie le rappelait au magasin du sous-sol. Silence dans la cuisine, ma mère devait poursuivre la lecture de son courrier de Colette. Je repassais leurs propos dans ma tête. Un amant! Un homme marié, coureur de jupons! Une fille-mère! Une cocue! Des mots nouveaux. Que faire? Dédé le millionnaire n'était pas responsable de tout ça, après tout. S'il était « un bâtard », il était tout de même un enfant gâté, le chanceux! Est-ce que j'aurais aimé être un bâtard couvert d'étrennes?

Ce commérage s'était répandu dans toute notre rue. Traînée de poudre habituelle. Les mères ne saluaient plus la pécheresse qui n'allait pas à l'église. Et nous, obéissants et fragiles, nous n'allions plus dans son salon pour jouer avec les casse-tête, ni quêter les jouets de prix. Quand il insistait pour nous suivre, Dédé le millionnaire prenait chaque fois le risque de se faire martyriser par les innocents pervers que nous étions. Un jour, à notre demande, Pété, notre complice, l'avait convié au tambour de l'escalier en colimaçon qui menait aux hangars des étages. Il avait expliqué à Dédé que c'était une maison de la peur, comme au Parc Belmont. Une fois la porte du bas refermée, Pété, dans la noirceur totale, grimpa les marches pour nous rejoindre en ricanant. Cachés un peu partout, avec des voix de fantômes, nous avions ordonné à Dédé le millionnaire de monter jusqu'à la trappe du troisième. Avec des cris, des coups frappés partout, un tapage effrayant, nous avions alors déversé sur lui des seaux d'eau, de pleins sacs de poussière récupérés des aspirateurs de nos mères. On fit débouler, à mesure qu'il montait, des canettes, des poubelles de pelures, tout ce qu'on avait ramassé dans les vidanges des cours avoisinantes. Mouillé, sali, Dédé le millionnaire avait fini par redescendre, tout effarouché, implorant grâce en chialant. Notre vacarme prit fin.

En riant, on le rattrapa dans le tambour des hangars et on l'attacha solidement à la poutre centrale qui soutenait l'escalier. On le recouvrit de farine. Il en devint blanc comme un drap! On jouait les méchants Peaux-Rouges de notre manuel d'histoire du Canada martyrisant nos vaillants missionnaires! On tapait sur des tam-tams improvisés. Dédé le millionnaire était au bord de la crise de nerfs. On finit par lui faire croire qu'on allait le faire exploser! Tit-Gilles, avec cérémonie, ouvrit un sac de farine de sarrasin chipé à sa mère et annonça:

— De la dynamite!

On embobina le Dédé de bouts de ficelle reliés à des pétards. Diable frétillant, Roland frotta une allumette, mit le feu à une première ficelle. Dédé le millionnaire fondit en larmes! Quelques pétards éclatèrent près du visage de notre martyr du jour. Marqué de noir à une joue et au front, il trouva l'énergie, celle du désespoir, de se défaire de quelques liens. Terrorisé, il braillait à gros bouillons. Tit-Yves et moi achevâmes de le libérer complètement. Il sortit du tambour comme une flèche!

On avait peur. On était allés trop loin, c'était évident, mais il était tard pour reconnaître notre sadisme. On voulait l'empêcher de quitter la cour et on tentait gauchement de le consoler. Roland lui dit :

— On voulait juste te faire passer l'initiation finale. Maintenant, tu fais vraiment partie de la gang !

Dédé Hébert, encore blanc, nous regarda longuement, un par un. Il avait cessé net de chialer. Il marcha jusqu'au fond de la cour et ouvrit la barrière, s'arrêta, nous regarda encore très attentivement. Il avait fermé les poings. On gardait un silence gêné. Qu'allait-il faire ? Il poussa un gros caillou du bout du pied. Allait-il se venger ? Il se frotta la joue noircie, il grimaça et puis, enfin, surprise, nous fit un petit sourire :

— Je vas aller me laver pis je vas revenir. Vous allez me laisser jouer au batte, hein ? Je resterai pus à vache ?

Je me précipitai vers lui :

— C'est sûr, Dédé, c'est sûr ! Veux-tu mon dernier biscuit à mélasse ?

J'avais peur qu'il aille révéler ce qu'on lui avait fait à mes parents. Ma mère me tuerait. Il refusa le biscuit, mais je lui ouvris la bouche de force et le lui fourrai entre les dents. Il riait. Je lui refermai la mâchoire en riant moi aussi. Pendant que Dédé croquait à belles dents dans le biscuit, je me suis souvenu de ce qu'avait raconté ma mère. Je lui dis :

— Tu sais, Dédé, les affaires de ta mère, c'est pas si grave que ça. Pis ça nous regarde pas, les enfants, ces histoires-là, pas vrai ? Samedi, tu vas voir, on va aller emprunter tes jouets !

Dédé Hébert sourit encore puis il s'en alla en ajustant sa casquette sur ses grandes oreilles. Nous le regardions monter l'escalier vers sa caverne des splendeurs. Il nous fit un petit salut. Ensuite, pour la première fois de ma vie, j'entendis Roland dire :

— Cette fois, les gars, je pense qu'on y est allés trop fort ! Pas vrai ?

Tit-Gilles dit :

— Oui. Après tout, c'est-ti de sa faute si sa mère est une putain ?

Je dis :

— Une quoi, Tit-Gilles ?

— Une prostituée, si t'aimes mieux. C'est madame Décarie qui a dit ça à ma mère !

Encore des mots nouveaux !

Le printemps s'installa pour de bon, mais Dédé ne revenait plus rôder parmi nous. Il se passait quelque chose chez les Hébert, où les rideaux, les stores restaient baissés même le jour. On ne savait pas trop pourquoi. Un jour, la mère de Dédé, nous voyant dans son escalier pour les jouets, nous dit :

— Non ! Retournez chez vous. Tous les jouets vont rester dans les boîtes. C'est pas pour des petits voyous, tout ça !

Dédé le millionnaire avait-il mouchardé ? Quand vint le premier mai, le soleil brillait ce matin-là, tout le monde de la rue vit un énorme camion se stationner juste en face de chez les Hébert. La belle demoiselle Rita Hébert déménageait et on ne revit plus jamais Dédé le millionnaire !

Je repensai longtemps à notre odieuse séance de tortures dans la maison de la peur, à notre dynamitage de Dédé le millionnaire, et j'avais honte de ce que nous lui avions fait endurer. Chaque fois que j'y repensais, je me détestais. Je m'encourageais en me disant qu'un jour je ne me souviendrais plus de rien, mais ça ne voulait pas décoller de ma mémoire. J'avais beau essayer d'effacer et d'effacer, ma honte revenait toujours. Je n'étais pas fier de moi, pas du tout.

CHAPITRE 16

Les voltigeurs

L A VOLTIGE, c'était un jeu fou. Chaque fois que nous nous y adonnions, des voisins effarouchés protestaient, criaient, essayaient de nous arrêter. La femme du notaire Décarie, madame Lafleur, la coiffeuse Theasdale nous fustigeaient en chœur :

— Arrêtez ! Allez-vous-en ! Commencez pas vos acrobaties d'idiots ! Vous allez finir à la morgue !

Nous nous bouchions les oreilles. Nous nous moquions bien du danger à cet âge. Nous étions imbattables, increvables, immortels ! Nous voltigions, nous devenions *Zorro*, *Batman*, *Spiderman* et *Superman*. Parfois, nous portions même la fameuse cape, bouts de tenture extirpés des guenilles de nos mères. Nous poussions de longs cris sauvages. C'est que nous étions véritablement des hommes-singes, des Tarzan. Notre jungle à nous, c'étaient tous ces balcons aux étages de la rue Saint-Denis, de Jean-Talon à Bélanger, côté ouest. En mars ou en novembre, quand ce n'était ni l'été ni l'hiver, la voltige, entre les balcons au-dessus des escaliers en tire-bouchon, était un de nos jeux favoris.

Plutôt malingres, nous ne pesions pas lourd, nous pouvions voler presque. Alors, nous nous métamorphosions en chimpanzés, en gorilles virevoltants. Des King-Kong ! Les *comic-books* et le cinéma du soubasse-

ment de l'église étaient notre source de modèles. Si une
commère, nous voyant nous envoler entre les balcons,
criait :

— P'tits voyous, voulez-vous descendre de là ! P'tits
bandits, allez-vous cesser vos folleries !

nous répondions par des aboiements moqueurs et des
rugissements provocateurs. Une fois cette course enclen-
chée, rien ni personne ne pouvait plus nous arrêter. Nous
avions dix ans, nous étions légers, aériens, nous avions de
longs bras agiles, de maigres jambes d'une souplesse
inouïe.

Nous nous divisions en deux groupes, partie sud,
partie nord. J'étais du groupe nord avec Roland. Notre
voltige débutait toujours de sa maison, juste au coin de
Jean-Talon, le 7116. De ce point de départ, premier
exploit : sauter de son balcon, au deuxième étage, sur le
balcon voisin, celui du notaire Poirier, le 7110. Un pet !
On en riait, un bon *swing* et bang ! on y était à pieds
joints. Un cri de victoire, et vite au prochain balcon. La
règle ? Ne jamais passer par le plancher des vaches, en
bas. Côté sud, à l'autre bout de la rue, Tit-Gilles, habitant juste après le cinéma *Château*, s'élançait, avec sa
bande de son propre balcon, le 6978, vers le balcon juste
au-dessus du dentiste Dupras, le 6982. La course était
commencée ! Le vainqueur ? L'équipe qui arriverait la
première au beau milieu du pâté de maisons, soit chez
Dédé Thériault, au numéro 7054.

Tit-Gilles était avec Vincelette et Turcotte. Moi, avec
Tit-Yves et Roland. Trois contre trois. Tant pis pour le
risque, les blessures. Enlevez-vous tous ! Taisez-vous, les
mémères chialeuses ! On doit planer, on est des voltigeurs intrépides. Place ! Place ! Rendu chez le notaire, il
fallait que je saute chez Tit-Yves Dubé au 7104 et puis,
de là, je devais m'envoler avec une agilité qui ébahissait
les passants, bang ! au balcon du 7094. Le jeu n'interdi-

sait pas à l'occasion d'emprunter les escaliers. C'était simple, nous devions être toujours dans les airs. Un loustic criait :

— Qu'est-ce que vous essayez de faire, les tit-culs ?

On lui gueulait :

— On est Tarzan ! On est *Superman* ! C'est pourtant clair !

Regardez-nous aller, les vieux, les pissous, les chieux dans leurs culottes, on est des aigles. On est sans peur et sans reproches. Et, du nord comme du sud, s'envolaient les mousquetaires.

Le cœur battant, sueur dans les yeux, mains rougies, nous nous élancions au-dessus du vide, sans trop savoir laquelle des deux équipes se rapprochait le plus rapidement du but, le balcon des Thériault. J'imaginais Tit-Gilles et ses deux comparses, sautant du 6992 au 6994, puis, toujours de deuxième étage en deuxième étage, bang ! parvenant au 7004, juste au-dessus du docteur Danna, et, sans perdre un seul instant, de là, sautant, bang ! chez la garde Désautels au 7016. Nous voltigions à toute vitesse, à grande allure. C'est que, cette fois-là, il y avait une récompense à gagner pour les trois vainqueurs : une pleine boîte de fouets de réglisse rouge que mon père venait de sortir de sa vitrine. Certes, la réglisse avait pâli pas mal à cause des rayons du soleil mais, tout de même, ce serait mangeable.

Je sautais comme un *Jumping-Jack*, j'étais en avant, j'étais enfin le premier. C'était un bon jour pour moi. Oui, je sautais du 7094, bang ! chez madame Maher, au 7090. Elle s'agitait dans sa fenêtre, tordait ses rideaux, complètement paniquée. Pas le temps d'examiner la scène, il fallait poursuivre la course, toujours continuer, toujours plus vite. Du 7080, je m'élançai vers le balcon au-dessus de chez le notaire Décarie. Danger ! Décarie le malcommode ! Je l'entendais me crier :

— Descends de là, petit effronté de mal élevé !

Il perdait son temps. J'étais déjà ailleurs. Roland me talonnait, m'encourageait. Tit-Yves aussi.

Je saute, bang ! chez madame Denis, le 7072. Sa fille Laurette crie :

— Madame Jasmin, venez voir votre garçon. Il est tombé dans un mal !

Madame Laramée s'époumone aussi :

— Êtes-vous devenus tous fous ? Vous allez vous estropier ! Ça suffit !

Je n'écoute pas ces bonnes femmes timorées. Elles sont des empêcheuses de sauter en rond. Nous sommes des faucons invincibles. Il faut gagner. Je saute, bang ! juste au-dessus de notre logis, chez madame Bégin, au 7064. Le croque-mort descend l'escalier et rit. En voilà un qui comprend la jeunesse. À moins qu'il ne soit en train de nous imaginer en prochains clients à embaumer ! Chacun a son bout de câble à crochets de fer car, à trois ou quatre endroits, les balcons sont trop éloignés les uns des autres. Tantôt, il a fallu nous en servir pour dépasser le balcon des Maher, et encore pour voler de chez les Denis à chez nous. Ça marche. Ça va vite. Encore deux balcons et à nous trois la boîte de réglisse rouge déteinte !

L'équipe adverse, Vincelette, Turcotte et Tit-Gilles, se rapproche. Nous pouvons entendre leurs cris de mort. Ils doivent avoir traversé du balcon du directeur des salons funéraires au balcon d'étage du docteur Bédard. Il a fallu qu'ils utilisent le câble pour sauter, bang ! du 7020 à ce 7024, là où Monsieur le mortuaire a dû gueuler comme un putois. Son sacro-saint silence ! Pouah ! Me voilà, toujours en tête de mon groupe, bang ! sur le balcon du professeur Laroche. Son fils Pierre s'agite :

— Wow ! C'est une école ici, pas un cirque. Ch'naille, ch'naille, pis vite !

Vite ? Je suis déjà dans les airs. King-Kong vous salue bien, monsieur Pierre Laroche. Je saute, bang ! juste au-dessus de chez Pété Légaré qui m'encourage de ses cris de jaguar. Je vise maintenant le balcon final, chez Dédé Thériault.

— Je l'ai, je l'ai ! Nous allons gagner, mon Roland !

Je déploie mon câble à crampons, comme Tarzan dans les lianes, pour atteindre le but, dernier bang ! chez Dédé Thériault. Ça y est ! Tit-Gilles arrive après moi, dégoulinant de sueur, soufflant comme un bœuf de labour. Moi aussi, d'ailleurs ! Loyal, il me serre la pince, me tape dans le dos. C'est terminé.

Sur le trottoir, quelques excités protestent :

— Vous êtes des malades ! De dangereux *crackpots* ! On devrait vous faire enfermer !

On laisse parler. Quel bonheur de pouvoir ainsi voler de balcon en balcon ! Quel triomphe ! Il n'y a plus qu'à aller s'installer tranquillement chez moi pour dévorer les fouets de réglisse rouge, devenus roses hélas, oui, à cause du soleil dans la vitrine de papa. Les vaincus, Vincelette, Turcotte et Tit-Gilles, nous regardent, silencieux, nous régaler. Les singes de tantôt redeviennent humains et nous leur laissons trois fouets.

CHAPITRE 17

La vie et la mort

LA VIE

J'AI AVALÉ RAPIDEMENT mon repas du midi et je sors. Un congé rend toujours une journée exceptionnelle. Par ce beau lundi de printemps, je m'arrête un moment en haut de l'escalier. Petit moment de réflexion. Quoi faire de ce congé ? Je suis bien, je suis content. J'ai la liberté. Qu'en faire ? Pas d'école, donc pas de dompteurs aujourd'hui. Dès que je pose le pied dans mon terrain de jeu, la ruelle, je vois cent drapeaux de toutes les couleurs ! Le lundi, jour de lessive, en travers de la ruelle, au-dessus de toutes les cours, les cordes à linge sont pleines de linge à sécher. Le vent fait bouger les draps, les jupons, les serviettes, les chemises. Oriflammes modestes de toutes les couleurs qui s'agitent sous le ciel de ma ruelle comme pour une fête sans nom. Je suis heureux. Je sens que ma vie est protégée. Je suis chez moi ici. Tout autour, chaque chose m'est familière. C'est ma sécurité.

Hier, chez le quincaillier, le proprio m'a accueilli en me disant :

— Bonjour, monsieur Jasmin !

Oui, il a dit : « monsieur ». Monsieur Damecour, suisse d'origine, me respecte. J'ai dix ans et je suis un monsieur! Tout à l'heure, madame Denis m'a arrêté et, de son balcon, s'est informée :

— Est-ce que ta petite sœur Marielle a vraiment attrapé les oreillons comme ta mère le craignait ?

Non. Je l'ai rassurée. C'est ça, une sécurité partout. Je connais tout le monde et tout le monde me connaît. Je suis au chaud dans mon quartier. Les soirs de beau temps, je pars souvent en promenade et j'entends, sur tous les balcons de ma rue, les marmonnants papotages des voisins. Ils se parlent d'une maison à l'autre. Des liens se tissent continuellement. Ça jase ! comme on dit. Du jazz. Un *blues* ! Quand je me promène dans la brise du soir, j'écoute d'une oreille ce bavardage qui ne s'interrompt jamais. Je suis bien de cela aussi. Je sais tout, il me semble : la famille du dentiste Coutu quitte la rue de Castelnau pour la rue Saint-Hubert, les frères Léveillée, Claude et Jean, vont aller dans un camp de vacances, le père de Raymond Lanthier a été promu capitaine dans l'armée. La chanteuse Lucille Dumont se dirige vers le *Château* pour entendre chanter Luis Mariano ou André Dassary, madame Thériault est revenue de l'hôpital Notre-Dame, les Campeau de la rue Jules-Verne ont été mis en quarantaine, mademoiselle Désaulniers est entrée chez Bell Téléphone, la chatte angora des Theasdale est enceinte, le fils des Dupuis, Paul, est devenu acteur à Londres... Je sais tout, il me semble.

La vie

Sous ces drapeaux propres pendus partout, je marche vers mes amis rassemblés dans le champ de *soft-ball*. La vie continue, le jeu va reprendre. Les poulies des cordes à linge grincent un peu partout. Il fait beau soleil, ça sèche bien. Un bébé braille à tue-tête dans un berceau.

Les chiens de chasse du docteur Bédard jappent comme des enragés. Le coq fou des Mancuso a fini par se taire.

— *Playball*, torrieu! Toujours en retard, Tit-Claude le cabochon! Vite, au jeu, au jeu, va-t'en à vache! gueule Roland.

— Ah non! On s'était dit qu'on ferait une partie de moineau. On jouera plus tard à la balle molle. OK?

Tit-Yves proteste. Je suis un cabochon bien dans sa peau. J'ai des amis. On a nos jeux favoris et toute la journée en liberté.

La ruelle de ces lundis est donc pavoisée. À l'infini. Partout, ce linge à sécher multicolore invente un carnaval sans raison, une tombola sans but. Que j'aime le spectacle des couleurs des lessives étalées de bord en bord de la ruelle! Je joue, le cœur en fête. Je m'arrête parfois de jouer pour mieux voir, regarder bouger les feuilles des gros peupliers chez les Dubé, écouter la rumeur du vent dans les branches, regarder ce chien barbet qui gruge un os de jambon, observer le peintre qui pose de la chaux chez Tommassi, le menuisier qui répare une porte chez Macerolla, le vendeur de glace, le maraîcher venu de Sainte-Dorothée. Je m'arrête, moqueur, pour imiter la complainte du chiffonnier dans sa charrette brinquebalante.

— On joue, viarge! Sors de la lune, Tit-Claude!

Je me remets au jeu en riant. Puisque tout le monde me le dit, ça doit être vrai que je suis un saudit rêveur. Six gamins de dix ans crient comme des putois.

La mort

Un homme en colère sort de sa cour proprette aux clôtures fraîchement repeintes. C'est le directeur des salons funéraires, monsieur Turcotte. Il a attrapé Tit-Gilles par une manche, le secoue, le brasse durement. Solidaires, on accourt.

— Qu'est-ce qu'y a ? Qu'est-ce qu'y a faite ?

En agrippant un des nôtres, en lui serrant les ouïes, monsieur Turcotte obtient ce qu'il voulait. On l'entoure.

— Écoutez-moi bien, bande de petits vauriens !

Son fils, Claude, très mal à l'aise, tête basse, donne des coups de pied sur une borne en ciment.

— Pourquoi vous allez pas jouer au parc Jarry ?

Monsieur Turcotte ne comprend pas : ici, on fait ce qu'on veut, on est libres, on peut décider de cesser un jeu pour en adopter un autre. Dans la ruelle, il n'y a pas de moniteurs pour nous contrôler, nous dicter quoi faire.

— Vos cris de sauvages et tout, pensez-vous que c'est bon pour mes salons ? On vous entend jusqu'en avant. Ayez donc un peu de respect pour les morts !

Les morts ! En voilà toute une affaire. Les morts et nous, ce sont deux choses. Voilà bien cent ans que j'ai dix ans ! Quand j'ai eu neuf ans, cela a duré aussi cent ans ! On a une très longue vie devant nous. La mort est une affaire de vieux. Ça ne nous regarde pas, la mort.

La mort

On avait beau mourir plusieurs fois par jour quand on jouait aux cow-boys, le mot *mort* n'était pas pour nous une réalité.

— Veux-tu attraper ton coup de mort ? répétait ma mère.

Cette menace, je ne la prenais jamais au sérieux quand je sortais sans blouson, l'hiver. Allusion à la mort encore quand j'osais sauter d'un garage trop haut, quand je refusais obstinément d'avaler un médicament amer, comme cette écœurante huile de ricin. Quant à l'huile de foie de morue — mes sœurs ne me comprenaient pas là-dessus —, j'aimais ça. Autre menace de mort : se faire mettre en quarantaine. Sur dénonciation du médecin, placardage obligatoire d'une affichette barrée de rouge clouée sur une colonne de la galerie. Ça signifiait : « N'entrez pas là ! Danger de contagion ! » Ça voulait dire : « Mesdames et messieurs, tenez-vous loin de ces pestiférés ! » Ma famille en était humiliée chaque fois. Ces maladies infantiles maudites étaient fréquentes : varicelle, diphtérie, picote volante, petite vérole, coqueluche, scarlatine. On devait s'encabaner et prendre des potions curatives. On ripostait, on geignait pour s'évader et c'était le cri d'alarme :

— Voulez-vous mourir avant votre temps ?

Quoi donc ? Il y avait un temps pour mourir. Quand ça ? Qui fixait le moment fatal ? La mort, on s'en moquait. C'était bon pour les vieux et les vieilles du quartier. C'était une affaire lointaine. Nous, on avait toute la vie devant nous. Un très long parcours.

LA MORT DANS LA RUELLE

Ce lundi de congé, il y avait deux voitures de la morgue garées devant les garages de monsieur Turcotte et le directeur des salons funéraires avait une tête d'enterrement ! Il nous répétait :

— Vous voyez pas où vous êtes, ici ? Cet endroit est sacré. Débarrassez la place ou j'appelle la police !

Respecter des cadavres ! Un fou ! Des croque-morts s'affairaient à transporter les dépouilles dans les salons de l'onctueux monsieur Turcotte. Résignés en apparence, faussement polis et dociles, nous allâmes jouer du côté de la rue Jean-Talon. Roland rageait :

— Turcotte, quand est-ce que ton père va nous ficher la paix ? C'est pas à lui, la ruelle !

Le pauvre Turcotte fils ne répondit rien et nous reprîmes nos cris de bandits, nos sauts de sauvages, nos interpellations coutumières. Tit-Gilles lança :

— Maudits morts en marde !

On reprit. Le score était de six à six.

LA MORT

La mort, c'était ce qui était arrivé à mémère Lefebvre, la très vieille maman de maman, quelques années plus tôt. Elle avait « rendu l'âme » ! Cela nous amusait, toutes ces expressions, comme : « Elle est partie ! » ou bien : « Le disparu », ou encore : « Elle est partie comme un petit poulet ! » La grand-maman maternelle habitait loin, rue Hutchison, au nord de Van Horne. Je ne me souvenais pas d'être allé au salon funéraire ni à son église paroissiale pour la cérémonie finale. Je ne me souvenais pas de l'avoir vue plus de deux ou trois fois à notre demeure. Elle avait été très malade d'abord. Elle était si vieille, née en 1850. Son nom nous faisait rire : Zéphyre ! Zéphyre Cousineau avait épousé Zotique, mon grand-père maternel, en 1870. Ces chiffres, 1850, 1870, nous saisissaient. Être né dans un autre siècle ! On avait l'impression que tout ce vieux monde-là venait d'un temps préhistorique.

Avoir vu ma mère en larmes m'avait bouleversé. Je n'avais pas conscience que ma mère avait eu, elle aussi, une maman. Sa douleur, sa grande peine affichée me réveillèrent net. J'avais six ans et la cousine Madeleine nous gardait. Seule Lucille, dix ans, avait été amenée au salon mortuaire d'Outremont, puis à l'église Sainte-Madeleine, la paroisse où mes parents s'étaient épousés en 1925. Quand ma mère était revenue du cimetière de Côte-des-Neiges avec papa et Lucille, elle avait aussitôt remis son tablier et, les yeux rouges, nous avait dit :

— Vous verrez, mes enfants, quand je mourrai, ce sera un jour terrible. On perd celle qui nous a mis au monde !

Ma mère pouvait mourir ? Incroyable ! Ces paroles me troublaient. Je n'avais jamais songé à cela : ma mère avait été mise au monde comme n'importe quel enfant. Elle avait donc été une gamine, rue Ropery, à Pointe-Saint-Charles, puis une jeune fille de la rue Hutchison. On s'imaginait que nos parents étaient venus au monde adultes, prêts pour nous quoi, disposés de naissance à se mettre à notre service. Quel égocentrisme ! Maman nous apprit, ce même jour :

— Je vais voir plus souvent mon vieux papa, maintenant. Il va venir habiter à un coin de rue, chez votre tante Maria.

LA MORT

Zotique Lefebvre n'habita pas longtemps rue Saint-Denis, au sud de la rue Faillon. À peine deux ans après la mort de sa femme, c'était son tour de « disparaître », de « partir », de « rendre l'âme ». J'avais huit ans et demi quand je vis de nouveau ma mère fondre en larmes. Je n'aimais pas ce gros vieillard moustachu. Il venait souvent s'asseoir sur notre galerie, tiré à quatre épingles, chic panama sur le crâne, courbé par le grand âge, la bouche toujours ouverte, un mouchoir sous le nez, nous regardant, les enfants, comme si nous avions été des extraterrestres. Il avait vendu sa boucherie en 1910 et s'était établi à Outremont pour devenir agent d'immeubles.

Retraité depuis longtemps, il ne cessait d'évaluer les maisons de notre rue, fixant ses prix, discutant de l'état des immeubles. Il parlait tout seul le plus souvent. Chaque fois qu'on sortait en courant, il prenait un malin plaisir à nous enfarger avec sa belle canne à pommeau d'onyx. Cela l'amusait tant qu'il en hoquetait de plaisir. On le maudissait en secret. Papa disait :

— Coudon, sa mère, ton père là, c'est pas un jaseux, hein ?

Ma mère répliquait :

— Que veux-tu, il est comme la plupart des hommes de sa génération.

Assise à ses côtés, ma mère tentait vainement de lui rappeler le temps de sa boucherie achalandée, rue Centre. Il disait ne se souvenir de rien. Quand il faisait cette halte chez nous, maman se démenait pour lui tenir compagnie malgré ses charges de famille. Entre ses entrées et ses sorties, tout en vaquant à ses affaires, elle lui offrait de la limonade ou du thé, qu'il renversait toujours. Elle s'assoyait quelques minutes auprès de ce si vieux papa et... c'était le silence. Elle souriait, heureuse d'être aux côtés de son paternel tout ridé, aux yeux toujours mouillés, aux cheveux tout blancs.

Mon livre de classe sur les genoux, j'observais discrètement leurs étranges tête-à-tête. Il arrivait donc qu'un papa et sa fille n'aient plus rien à se dire ? Que quelques mots, parfois, d'une grande banalité : le temps qu'il avait fait la veille, le temps qu'on annonçait pour le lendemain. La santé de l'une ou de l'autre de mes tantes. Les saisons qui fuyaient trop rapidement. Une fois, ils avaient éclaté de rire ensemble à la vue d'une flopée de moineaux qui s'abattaient sur un tas de pommes de route au bord du trottoir. Bribes de conversation sans suite ! Bilan chétif de toute une existence. J'en étais étonné, moi qui étais le grand bavard de la bande :

— Une vraie pipelette, ricanait Roland.

Au bout d'une petite heure, Pépère Lefebvre bâillait, pointait sa canne devant lui, se levait du fauteuil d'osier du balcon, s'étirait comme un vieux raminagrobis endo-

lori et petit patapon repartait faire un somme chez tante
Maria, là où sa petite-fille, Madeleine, le gâtait beaucoup,
disait-on.

LA MORT

Un soir, nous partîmes tous voir celui que, en cachette,
nous appelions « Zozo la canne ». Il était couché dans
son cercueil, dans le salon de tante Maria, vêtu de son
plus beau costume. Sa belle canne pas loin. Son tour était
venu de « disparaître ». Un sinistre crêpe pendu sur la
porte d'entrée signifiait aux passants : « Pas trop de bruit.
Ici, quelqu'un s'est endormi pour l'éternité ! » Maman, il
me semblait, pleurait moins qu'à la mort de sa mère.
Nous récitions chapelet sur chapelet. C'était ennuyeux !
Mes tantes, le regard humide, répétaient :
— La vie est trop courte ! On ne voit pas le temps
passer !
Je ne comprenais pas.
Deux jours plus tard, concert subit de pleurs. Grand
moment tragique, il fallait fermer le couvercle du cercueil. Des petits cris, des sanglots. Mes tantes, ma mère,
changées en enfants ! Elles s'épongeaient les yeux, s'ac-
crochaient les unes aux autres. Je m'interrogeais : Pourquoi mes yeux étaient-ils si secs ? Je n'éprouvais donc
aucune peine ? Je me le reprochais. C'est que je le connaissais si peu. Je me demandais pourquoi maman nous
avait si peu parlé de ses parents. Était-ce parce que ma
mère était la benjamine d'une très grosse famille et que,
de ce fait, elle avait été élevée par la ribambelle des
grandes sœurs ? Mon père semblait avoir entretenu une
sorte de mépris ironique pour les Lefebvre. Pourquoi ? Se
croyait-il au-dessus des autres ? Enfant, on se pose des
questions de cet ordre. Donc, crise de larmes quand

Rémy Allard, le directeur des funérailles, surgit, escorté de quatre porteurs vêtus de noir. Il fit claquer ses doigts. Les pleurs augmentèrent aussitôt. Mes sœurs et moi étions gênés d'être les témoins d'une douleur qui ne nous concernait pas. Pourtant, à un certain moment, Lucille se mit à chialer, faisant chorus. Lucille, l'ultrasensible ! Les bonshommes en noir s'emparèrent du cercueil, le soulevèrent et, à pas cadencés, lentement, installèrent la dépouille de pépère dans le corbillard. Monsieur Allard en tête de cortège, le défilé solennel s'ébranla vers l'église Sainte-Cécile. Mon premier cortège mortuaire ! Encore cette fierté niaise d'être autorisé à marcher en pleine rue, de bloquer la circulation de la rue Saint-Denis.

Revenus à la maison, papa servit le repas. Du steak haché, des patates préparées d'avance. Maman revint après la mise en terre, les yeux plus rougis que jamais, la bouche tordue. Nous, on ne disait rien. Elle s'enferma dans sa chambre. En silence, nous repartîmes pour l'école. La cloche, comme toujours, allait sonner à une heure et dix pile. Papa nous avait signé un billet d'absence. C'était déjà beau d'avoir pu manquer l'école tout un avant-midi. Le lendemain matin, quand j'ai vu ma mère, les cheveux en toque, en robe de coton, séparant le linge à laver en petits tas selon les couleurs, je me suis dit :

— Ainsi, quoi qu'il arrive, la vie ordinaire continue toujours.

Maman disait qu'elle était maintenant orpheline. Ça ne voulait rien dire pour moi. Les orphelins, c'étaient ces petits garçons prisonniers de l'orphelinat de la rue Christophe-Colomb. Pas maman.

La mort

La mort pouvait être occasion de farces aussi. Un des locataires du troisième, monsieur Cloutier, était embaumeur de son métier. Un joyeux drille. Sa profession peu commune ne semblait pas lui interdire la rigolade. On le voyait partir ou revenir de son travail avec son chapeau melon, son imperméable bleu marine et cette terrifiante mallette dans laquelle, imaginait-on, il devait y avoir d'étranges outils. Qu'est-ce qu'il pouvait bien faire au juste dans son atelier de la rue Iberville ? Mystère. On le regardait descendre l'escalier avec une certaine frayeur. Cet homme se livrait à des rituels pas catholiques sur des cadavres !

D'instinct, on ne l'aimait pas. C'était bête et il devait en souffrir. Il fallait bien quelqu'un pour arranger les morts, pour nous les présenter maquillés, embellis. Souffrant sans doute de la froideur environnante, pour nous apprivoiser il se montrait guilleret, gouailleur. Quand l'embaumeur descendait au restaurant — grand amateur de langues de porc et d'œufs dans le vinaigre —, papa lui faisait la façon courte. N'ignorant pas que mon père avait peur des morts, monsieur Cloutier ne cessait de raconter ses anecdotes terrifiantes : un mort avait cligné plusieurs fois des yeux, et pas plus tard que ce midi ! Un autre — « Hier à soir, m'sieur Jasmin, hier à soir ! » — avait émis plusieurs suites de sons renversants ! Mon père grimaçait, lui ordonnait vainement de changer de sujet. L'embaumeur riait. Un autre mort, pas moins mort que les autres, lui avait administré une gifle retentissante !

— En pleine face ! Paf ! Une vra claque s'a yeule, m'sieur Jasmin !

Un muscle s'était relâché, expliquait le *joker* mortuaire. J'écoutais parfois ses indiscrétions fantomatiques et les protestations véhémentes de papa m'amusaient.

L'énergumène du troisième raconta encore qu'un soir un mort s'était redressé sur son grabat, les yeux grands ouverts ! On ne savait jamais s'il exagérait. Ainsi, la mort avait aussi un visage amusant pour moi, celui de ce drôle de petit monsieur en noir.

La mort

Un peu plus tard, on vit la mort de plus près. Mémère Jasmin, sa santé s'étant momentanément améliorée, avait décidé de quitter la famille de l'oncle Léo pour venir habiter dans un des logements au-dessus de chez nous. Papa avait fait installer une sonnerie électrique entre l'appartement de sa mère et sa chambre : « Au cas où... Ma mère a le cœur si fragile ! » Cela le rassurait. Sa vieille maman, c'était le bon Dieu en personne. Parfois, grand-maman Albina sonnait pour que j'aille lui faire une commission. Elle m'aimait bien, me disait qu'elle avait une très grande confiance en moi. Je venais de débuter comme enfant de chœur et, quand je lui ai montré ma soutane et mon surplis de fine dentelle, elle déclara solennellement :

— Germaine, ton petit Claude ne fera pas seulement un prêtre comme mon plus vieux en Chine. Non, il deviendra le premier pape canadien-français, oui, oui, le premier pape canadien-français.

J'écoutais sa prédiction, très intrigué, car je ne me voyais pas du tout en pape, à Rome, en Italie ! Jamais ! Aux murs de sa chambre et de son salon, il y avait plein d'images pieuses dans de beaux cadres à moulures dorées. Sur les meubles, des objets religieux importés d'Italie, statuettes diverses sous des globes de verre qu'elle faisait reluire sans cesse. Elle me disait :

— Mon petit garçon, c'est ce que j'ai de plus précieux !

J'admirais surtout une piéta étonnante, sculptée dans de la cire aux coloris subtils. Son globe contenait une ampoule électrique qui pouvait clignoter. Tout cela formait un petit musée excentrique.

LA MORT

Un jour de mai, mémère sonna un long coup. Averti par ma mère, papa grimpa rapidement à l'étage. Trop tard ! Il trouva sa mère affaissée dans son fauteuil, une aiguille à repriser à la main, un verre de jus d'orange renversé par terre. Elle était morte ! Crise cardiaque. Mon père en fut atterré. Démonté, il courut comme un fou au 7453 rue Saint-Denis avertir son frère Léo. Quand il revint avec mon oncle, il se mit à pleurer comme un enfant. Nous en étions absolument bouleversés. Je n'avais jamais vu mon père pleurer. La veuve Albina Prud'homme-Jasmin s'était « envolée au ciel ». Ma mère, qui aimait bien sa généreuse belle-mère, eut elle aussi beaucoup de chagrin.

Albina fut exposée dans notre salon. Y défilèrent des tas de parents, des connus et des moins connus. Le clan de Laval-des-Rapides au grand complet vint prier à son chevet. C'était un monde de cultivateurs, d'habitants comme on disait. Ils parlaient fort, portaient de rudes vêtements mal ajustés. Ces maraîchers avaient des cous rougis, des visages brunis, de grosses mains. Ils fumaient du tabac très fort. Certains montraient des dents en or ! Ils crachaient sans cesse dans les crachoirs de cuivre du boudoir.

Le matin des funérailles, comme monsieur Allard chez tante Maria, monsieur Turcotte arriva soudainement. Il fit signe à ses hommes d'emporter le cercueil jusqu'à son luxueux corbillard. Encore, comme chez tante Maria, éclata un concert de sanglots. Les larmes coulèrent de tous les yeux. C'était ma deuxième procession funèbre en pleine rue. Tit-Yves et Tit-Gilles, qui m'avaient aperçu, cessèrent aussitôt de jouer avec leurs toupies, enlevèrent leurs casquettes, arrêtèrent net de mâcher leur gomme baloune ! La maison s'était enfin vidée de cette multitude de visiteurs encombrants. Ma mère était épuisée. Elle avait eu la corvée de préparer les collations de toutes sortes.

La mort

La mort, c'était aussi une question de testament, d'héritage, deux mots vagues pour nous qui allaient transformer nos existences. Mon père parla d'abord de louer un chalet pour l'été qui venait. Merveilleuse décision. Nous étions tous très excités. Puis, un jour de juin, papa me dit :

— Demain, je te signerai un billet, tu n'iras pas à l'école. On va prendre le train et on va aller marchander pour un camp d'été.

Mon premier voyage en train ! Nous avions visité des chalets rustiques à Vaudreuil puis à l'Île Perrot.

— Non ! Que des galets et pas de plage de sable. Nous irons voir du côté de Contrecœur.

Cette fois, ce fut mon premier voyage en autobus. Mais mon père n'était jamais satisfait. Il craignait tout, surtout l'eau profonde du fleuve. Ce qui était certain, c'est que, avec l'argent hérité de sa mère, désormais nous n'allions plus jamais passer nos étés en ville. Mon père dénicha, seul, un chalet à Saint-Placide. Mes sœurs étaient énervées. Elles voulaient avoir des costumes de bain à la mode, des souliers et des mantes de bain, des lunettes de soleil, des bouées gonflables, de la crème à bronzer. Ma mère, souriante, comme rajeunie, ne disait plus non ! Un samedi matin, au restaurant, j'entendis mon père qui parlait au téléphone :

— On se comprend bien ? C'est une chaloupe de type Verchère que je veux, les moins versantes. Vous faites la livraison, j'espère ? Oui ? Je vous donne l'adresse à Saint-Placide.

Voilà que nous n'avions plus de mémères ni de pépères, mais que nous avions un camp d'été et plus souvent de viande aux repas. Fini le temps des galettes de sarrasin, des bines et des nouilles. Fini le temps des privations. Un jour que papa lui avait acheté un voilier miniature, Raynald demanda :

— M'man, est-ce qu'on est riches maintenant ?

Nous l'avions tous regardée intensément. Ma mère caressa ses belles boucles blondes :

— Non Raynald, pas riches, mais disons qu'on a plus de moyens qu'avant !

Ça voulait dire « avant la mort ».

La mort

La mort, c'était tout cela, les farces macabres de l'embaumeur Cloutier, le silence imposé du directeur Turcotte. La mort, c'était la disparition de nos grands-parents. La mort, c'étaient aussi deux petites maisons héritées par notre père, l'une à deux étages, rue Henri-Julien et l'autre, rue Filiatreault à Ville Saint-Laurent, d'où venaient tous les Jasmin. La mort, je l'espérais, ce serait un vélo à deux roues !

— Je vas y penser. C'est dangereux, ces machines-là !

Le soir, à la prière familiale, après le : « Mon Dieu, je vous donne mon cœur, prenez-le s'il vous plaît », maman avait ajouté une nouvelle invocation : « Prions pour que mémère Jasmin veille sur nous du haut du ciel ! » On la priait comme si ça avait été une canonisée récente ! Ma mère disait :

— Oui, mes enfants. Votre grand-mère Jasmin, c'était vraiment une sainte !

On la croyait.

CHAPITRE 18

La folle

LA FOLIE

— Viens voir ça ! Viens la voir ! Viens vite ! C'est du monde qui vient de s'installer. Il y a une folle !

Tit-Yves m'entraînait vers une maison voisine de la sienne. En arrivant sous le balcon de « la folle », je fus sidéré. J'entendais parler de la folie parfois mais ce n'était qu'un mot, une idée. Une insulte facile. Une abstraction. Maintenant, j'avais sous les yeux l'incarnation de la folie : cette madame Cordier. Je pouvais donc voir la folie en chair et en os. Tout un spectacle. J'en fus tout de suite mal à mon aise, très gêné. Avais-je seulement le droit de la regarder, de l'écouter ? Sur un petit balcon en demi-cercle, au deuxième étage, quelqu'un parlait à un monde invisible. À son monde à elle. La Cordier parlait à tout le monde et à personne ! Je regardais gesticuler, crier parfois, une femme qui avait perdu la raison et j'en étais fasciné. L'observer était embarrassant et captivant à la fois.

D'où venait donc cette femme aux cheveux gris, déraisonnable mais énergique dans son comportement et son éloquence impénétrables ? Elle s'adressait, à tue-tête le plus souvent, à des démons invisibles, à des ennemis fictifs d'un drame indéchiffrable. J'étais médusé. Tit-Yves et Tit-Gilles aussi. Roland, toujours faraud, se moquait d'elle. Je n'osais pas. Je me sentais en présence d'une possédée du démon, d'un phénomène inexplicable et peut-être dangereux. J'étais prudent, silencieux, très attentif devant cette femme en transe. Je la mangeais des yeux. Ce soir-là, quand la Cordier avait fini par quitter son perchoir, j'étais rentré chez moi en me posant un tas de questions. Comment devient-on fou ? Moi, pourrais-je devenir fou ? Cette échouerie commençait comment au juste ? Madame Cordier était-elle folle depuis sa naissance ? Comment arrivait-elle à vivre, à survivre dans sa démence ?

C'est Tit-Yves, le plus souvent, qui venait nous avertir :

— La Cordier est sortie ! On va la regarder !

J'y retournais chaque fois avec appréhension. Il me semblait que cela allait finir mal. Elle pourrait bien se jeter, un bon, un mauvais soir, tête première en bas de son haut balcon. Je me répétais que, tôt ou tard, on allait venir la chercher et qu'on l'internerait dans un asile de fous. J'étais tout divisé. Peur et plaisir. Plaisir car je ressentais une sorte de bonheur honteux à l'entendre se démener, exhorter des guerriers, appeler à son secours des cavaliers d'apocalypse, blâmer des soldats imaginaires, provoquer des dieux inconnus. Ses monologues étaient charabia, galimatias, embrouillamini, coquecigrues inattendues, calembredaines d'une fantaisie inédite.

Oui, peur et plaisir. J'étais certain que nous étions privilégiés, rue Saint-Denis, d'avoir une spectaculaire idiote capable d'engueuler un monde imaginaire. J'aurais voulu que ce camarade disparu trop tôt, le grand Cinq-Mars, si sensible au jeu des mimiques, soit encore des nôtres pour apprécier cette actrice hors du commun. Comme les autres, j'abandonnais volontiers une partie de hockey ou de baseball pour aller à son spectacle. Devenus

des familiers de sa folie, nous étions son unique auditoire. Un théâtre surréel pour un jeune public hilare.
Cruauté des enfants. Au début, les admonestations
furibondes, les simagrées incompréhensibles de l'agitée
du balcon nous étaient une merveilleuse source de
divertissement gratuit. On rigolait ferme.

Soudain, au beau milieu de l'un de ses sermons, elle
se taisait. On en faisait autant, comme pour l'encourager
à trouver de nouveaux motifs d'enragement. Ah oui, un
spectacle inusité que cette folle sur son balcon! Quand
j'en parlais à mes parents, ils haussaient les épaules, ne
m'interrogeaient nullement sur elle. Cela m'intriguait.
Quoi, à quelques maisons de la nôtre, une femme se
noyait certains soirs, était perdue dans des songes creux,
et les adultes ne s'en souciaient pas? Il arrivait à cette
démontée d'atteindre des paroxysmes. Dès lors, elle
s'époumonait, la voix fêlée, le torse hors de la balustrade
du balcon, faisant des gestes nerveux d'une extravagance
renversante. Nous éclations en applaudissements et en
cris de ferveur après chacune de ses envolées lyriques.

À un moment, elle pleurait de rage. Pourquoi au
juste? On l'ignorait. À un autre moment, elle semblait de
meilleure humeur, elle riait, ricanait, exultait, secouée de
spasmes. Elle brodait parfois sur des incidents cocasses
qui s'étaient déroulés dans notre patelin. Elle semblait
redevenue normale, échappant à son délire habituel. Elle
nous fixait alors, semblait nous découvrir sur le trottoir.
Il lui arrivait même de nous jeter des friandises, des fruits,
des biscuits. On l'encourageait avec enthousiasme.
Cruels gamins de Villeray! Parfois, revenant de son travail, son époux, un gardien de pénitencier costumé en
militaire, surgissait à l'heure du souper. Monsieur
Cordier ne nous regardait même pas. Impassible, il grimpait à toute vitesse l'escalier de sa demeure et, humilié
sans doute, il forçait son épouse ahurie à rentrer au plus

vite. La scène vide, nous allions reprendre nos jeux interrompus. *Finita la comedia!*

J'avais dix ans et mauvaise conscience de nos rires, de nos applaudissements pour l'encourager à poursuivre son déraillement. Pour la première fois, je me posais la question : Étais-je quelqu'un de bon ou de méchant ? Après quelques séances démonstratives de la Cordier, voulant justifier mon voyeurisme, je m'efforçai, sérieux, de comprendre des bribes de ses discours, d'y trouver des liens, un certain sens, des explications. C'était impossible tant elle emmêlait les menaces ou les encouragements, la frayeur ou la tranquille possession de vérités bien à elle. Un soir, elle était persécutée, tremblante d'angoisse, au bord d'un assassinat imminent. Un autre soir, elle allait, triomphante, faire flamber la planète entière ! On peut imaginer mon état : je ne parvenais plus à savoir si celle qui se proclamait une amazone, une guerrière antique, une reine déchue, une esclave torturée, et quoi encore, était une vraie femme ou une automate décervelée, un robot déréglé.

Vêtue de lourdes jaquettes à frisons, les cheveux défaits, maquillée à outrance, la Cordier était-elle un être humain ? Les enfants veulent tant être logiques, intelligents, remplis de bon sens. Et voilà que nous faisions face au délire, à la déraison, à l'inexplicable. Chacune des sorties de la Cordier était pour moi une lourde énigme. Un soir — quel diable l'avait poussé — Roland, notre fier-à-bras, décida de l'interpeller directement. L'interrompant, il lui cria :

— Eille, la bonne femme en haut, vous êtes une folle, une maboule !

Elle sembla enfin le voir. Son silence soudain ! Nous gardions aussi un silence prudent. Elle ne dit rien. Roland enchaîna :

— Vous savez pas ce que vous dites ! Vous êtes une *crack-pot*!

Silence au balcon et sur le trottoir. Roland, plus audacieux que jamais, grimpa alors l'escalier avec un bouquet de fleurs de papier trouvé plus tôt dans une poubelle. Rendu là-haut, il les lança sur le balcon et redescendit à toute vitesse en criant :

— De la part de votre dragon aux langues fourchues, madame !

De nouveau, en haut et en bas, grand silence !

La Cordier se pencha pour ramasser le bouquet. Elle se redressa et, soudainement, nous crûmes qu'elle vivait enfin un moment de lucidité puisqu'elle nous lança :

— Que voulez-vous de moi, gentils petits cavaliers ?

Tit-Yves cria :

— Vous comprendre, madame ! Vous dites n'importe quoi !

S'installant le fessier sur le bord de sa balustrade, respirant les fausses fleurs, elle dit :

— Mon mari risque sa vie tous les jours parmi des assassins !

Tit-Yves lui dit :

— Impossible ! Votre gardien de mari est armé d'un revolver !

Elle se redressa, agitée de tics nerveux :

— Un coup de poignard est vite donné, vous savez pas ça ?

Tit-Gilles rétorqua aussitôt :

— Pas vrai, ça ! Les prisonniers de Saint-Vincent-de-Paul sont désarmés et vous le savez !

La Cordier leva son visage raviné vers le ciel :

— On a crucifié l'Immaculée Conception dans la cour. On a fait brûler la Madone dans un tonneau !

C'était reparti, elle recommençait à délirer. Nous avions souhaité vainement son retour au bon sens. Nous nous remîmes à rire et à l'applaudir.

J'avais déjà douté de ma bonté. Cette question me hantait. J'avais peur d'être méchant, mauvais, mais en fait, je souhaitais avant tout être comme les autres, ni mieux ni pire. L'instinct grégaire des enfants exige cela. La ruelle était une école terrible et malheur à celui qui ne se conformait pas aux usages du clan. Il était rapidement exclu du groupe, comme le timide Romain Audet, comme les sages petits frères Lebœuf. Je me rassurais : après tout, certains adultes ne se gênaient pas pour apostropher eux aussi notre cinglée. L'un avait crié un soir : « Vieille folle ! Rentre dans ta cache ! » Un autre encore : « Si tu farmes pas ta yeule, on va appeler la police ! » Et encore : « Ta place est à l'asile avec les têtes fêlées ! » Il est vrai que j'avais aussi entendu le professeur Laroche lui dire, les mains en porte-voix : « Allons, allons, ma brave dame, rentrez chez vous maintenant. Allez vous reposer. » Un bon larron, après avoir voulu nous chasser, avait conseillé : « Faut vous faire soigner, madame. Allez vite voir un docteur. »

Un bon soir, ma mère, revenant de son Marché Bourdon, me surprit en train de rigoler avec les autres :

— T'as pas honte ? Marche à maison, p'tit vaurien ! Plus vite que ça !

Bonne paire de taloches, puis elle m'avait tiré par une oreille jusqu'à chez moi après avoir averti mes copains :

— Vos parents vont apprendre quelle sorte de voyous vous êtes. Oser rire d'une malade, si ça a du bon sens !

Ma mère ne pouvait comprendre que les litanies d'invectives confuses de la dame me fascinaient. Évidemment, le spectacle répétitif de la Cordier finit par émousser votre plaisir. On se lassa de l'entendre vociférer son apocalypse. Ses jérémiades comme ses menaces nous laissèrent indifférents à la longue. Un soir, Tit-Yves sonne à ma porte pour m'avertir, comme de coutume :

— Viens vite, la Cordier est sur son balcon !

Mais un autre copain t'appelle dans la ruelle. Tu sors. Tu vas jouer à la balle. Tu ne penses plus à rien. C'est la vie ordinaire qui gagne.

L'INFIRME

Il y eut une autre attraction rare dans notre rue, à peu près à la même époque. Nous découvrîmes un jour, de biais avec le cinéma *Château*, un petit garçon avec une tête énorme. Il tournait en rond sur son grand balcon à un troisième étage. Mon père, vite interrogé sur ce petit monstre, me dit :

— Oui, je sais. C'est un enfant mongol. Une catastrophe pour les Marcotte. Ce garçon a une tête d'eau !

« Quoi ? me disais-je. Comment cela, une tête d'eau ? » À cet âge on veut tout comprendre. Cette citrouille vivante avec une bouche, un nez et deux yeux, ce gros melon que le bambin collait contre la balustrade était rempli d'eau ? Après la Cordier, ce fut un nouveau sujet de questionnement. Chaque fois que je passais devant la maison des Marcotte, j'essayais de m'empêcher de lever la tête. Peine perdue, c'était plus fort que moi, je finissais par vouloir observer ce petit infirme qui cognait doucement, sans cesse, sa tête difforme contre les balustres de bois.

Je me convainquis que ce bambin devait avoir une envie furieuse de descendre jouer comme les autres enfants. J'en étais sincèrement malheureux. J'avais, chaque fois que je l'apercevais, un pincement au cœur. Aucune envie de rire comme sous le balcon de la Cordier. Oh non ! Un enfant ! Quand j'évoquais l'enfant mongol, maman me disait :

— Consolons-nous, ces infirmes ne vivent jamais bien longtemps ! Dans sa bonté divine, Dieu les ramène vite à lui !

Vincelette, un samedi matin, sonne chez moi :

— Viens vite voir ça, le mongol est déchaîné, il jette tous ses jouets dans la rue, il gueule, il trépigne !

Mais, au même moment, un gars t'appelle dans la ruelle. Tu sors en courant. Tu vas jouer à la balle. Tu ne penses plus à rien. La vie ordinaire gagne.

Un jour, les Marcotte déménagèrent et j'en fus soulagé. Le petit infirme aux yeux d'halluciné ne dérangerait plus mon bonheur égoïste. Je ne verrais plus ses petits bras tendus, ses mains tendues entre les balustres de son balcon, sa bouche grande ouverte qui semblait toujours crier : « Au secours ! Au secours, quelqu'un ! » Il n'en restait pas moins que je me posais des questions : Pourquoi ces injustices ? Pourquoi la folie de la Cordier ? Pourquoi un enfant à « tête d'eau ? » Je me disais : « Et moi ? Si je devenais fou subitement ? Pourquoi pas moi ? » L'enfant a besoin de justice pour tous. Y avait-il un bon Dieu, méchant à l'occasion, qui disait, les yeux fermés : « Toi, en bas ! Attrape ! » Et hop, un mauvais sortilège ! « Tu deviendras fou. Ou infirme. » Des questions surgissaient, alimentées par la religiosité ambiante : Qu'avaient pu faire de mal les parents de l'enfant mongolien ? Qu'avait pu faire la Cordier pour mériter un tel sort ? Quel péché mortel avait-elle commis ? Ou bien, avait-elle été sacrifiée pour expier les fautes des autres ? Le catéchisme catholicard me servait de repère niais, de raisonnement tordu.

La folie

La vie semblait se compliquer. Des mystères épais m'assaillaient. Pourquoi ce Coco la guerre, vagabond fou et infirme ? À quoi servait l'existence de Bombarde l'harmonica dans le champ de piquants ? Pourquoi ce Juju la folle? À quoi servait-il ce Julien qui, les dimanches après-midi, sortait de chez lui en trombe, déguisé en guidoune? Il habitait dans un des appartements attenants au *Château* et, dans ses sorties intempestives, il portait toujours des souliers rouges à très hauts talons aiguilles. Il en chancelait. Il se trémoussait dans son costume tailleur rouge avec son chapeau à voilette rouge. Grimaçant, rieur, Juju courait comme un fou aux quatre coins du carrefour. Il s'arrêtait longuement à chacun des coins de rue. Il tenait fermement, sur sa poitrine plate, sa grande sacoche rouge et saluait frénétiquement des amis invisibles de l'autre côté. Juju la folle devenait aussitôt la victime des quolibets sarcastiques, des farces de tous les flâneurs, des insultes grossières des *zoots*.

Un dimanche, enhardi, Juju s'amena, travesti, au caboulot de mon père. Je lavais la vaisselle. Mon père ne se laissa pas démonter par l'énervement hystérique du Juju maquillé et ses cris d'orfraie. Il tenta de le calmer, de le raisonner. Je l'écoutais lui dire doucement :

— Juju, vous allez m'écouter calmement. Pourquoi ces déguisements? Qu'est-ce que ça vous donne au fond? Vous êtres jeune, en bonne santé, trouvez-vous donc une petite amie et vous irez ensemble au cinéma. Tout rentrera dans l'ordre.

J'admirais mon père de ne pas se cabrer, de vouloir transformer ce drôle de pistolet en amoureux ordinaire. Juju se calma et je l'entendis dire :

— Vous avez raison, monsieur Jasmin. Je vais aller me démaquiller. Allez-vous me présenter une de vos clientes si je reviens en homme? J'ai de l'argent pour lui payer votre plus beau *sundae*.

Et Juju s'en alla, calmé, plus stable sur ses talons hauts, on aurait dit.

Pour cet autre olibrius du quartier, Damien Doré, dit « Dada la bouteille », c'était trop tard. Il avait les cheveux blancs, un nez comme une grappe de raisins violets. Dada avait ses quartiers généraux rue Jean-Talon, à la *Casa* ou chez *Délico*, le restaurant du coin nord-ouest. Dada était un clown rouge toujours en état d'ivresse avancée. Les poches de son grand imperméable beige contenaient des fiasques de skotch. Il ne cessait d'enlever son chapeau de feutre noir pour le frotter contre sa manche. Quand on le rencontrait, c'était la fête. Il riait avec nous de ses caracolages, tombait à genoux parfois, s'accrochait à tout. Une épave. Quand il était moins bourré, il aimait entretenir les jeunes du boxeur Jack Dempsey et de son idole, Jœ Louis. Il les avait bien connus, prétendait-il. Ou bien il vantait les prouesses, au Stadium de la rue Delorimier, du joueur vedette du club Royal, le seul Noir des grandes ligues, Jacky Robinson.

Un jour, Dada nous parla, les larmes aux yeux, de son job perdu, de sa femme partie, de son enfant accidenté, mais, la plupart du temps, il chantonnait, rigolait pour tout et pour rien. Je ne pouvais comprendre l'hilarité d'un tel épouvantail. C'était, comme pour la Cordier, un autre mystère. L'oncle Léo disait que Dada avait été un détective brillant à la police municipale, jadis. Un as. Qu'il avait sombré dans l'ivrognerie à cause d'un enfant brûlé vif alors qu'il en avait la garde.

Roland, un jour, vint me prévenir :

— Amène-toi vite ! Tout un *show* chez *Délico*. La police arrive pas à embarquer Dada dans le panier à salade !

Mais Tit-Gilles m'appelait dans la ruelle. Il avait trouvé un arc à flèches. Alors, tu sors en vitesse. Tu vas jouer avec lui. Tu ne penses plus à rien. La vie ordinaire, toujours, nous mène.

LA FOLIE

Et mon père, lui, était-il vraiment bon? Ou méchant? Il y avait son cousin Olivier. Un tabou familial. J'avais entendu ma mère parler de lui avec sa sœur Pauline, mais à voix basse. Cet oncle inconnu était-il en prison? Un bandit peut-être? Quand j'interrogeai mon paternel sur son cousin secret, il me dit:

— Olivier? Il a fallu le faire enfermer. Il était devenu fou. Fou dangereux.

Il y avait des fous dangereux? Le cousin de papa avait été mis au rancart de la société à dix-neuf ans, l'âge même où mon père prenait épouse. Quand maman se querellait fort avec papa, à bout d'arguments, elle lui lançait parfois:

— Laisse-moi tranquille. On sait que ta famille est pleine de fous!

Mon père en restait muet un long moment et disparaissait, humilié chaque fois. Je trouvais ma mère cruelle. Mon père me faisait pitié. J'ai fini par vouloir en avoir le cœur net.

— Hélas, oui, c'est vrai, m'avait dit papa. Il y a eu aussi la sœur d'Olivier, Berthe.

Ça m'effrayait: deux fous dans ma famille!

— Que veux-tu, Olivier, un matin de Noël, a voulu tuer sa mère avec une hache. Il a bien fallu que ma tante Délima agisse. Un peu plus tard, ça a été le tour de sa fille Berthe. Elle lui courait après, la nuit, avec un couteau à viande.

Cette tante Délima venait très rarement à la maison. Elle vendait des polices d'assurance. Elle était toujours vêtue de noir. Le deuil de ses deux enfants aliénés? On ne l'aimait pas, on se cachait d'elle. Elle paraissait si rébarbative avec son grand châle sombre, son voile noir sur le visage, son air exténué, toujours abattu. « Et moi?

me répétais-je, s'il fallait que je sombre soudainement dans la folie!» Mon père m'avait confié:

— Il aurait fallu empêcher un mariage entre parents trop rapprochés.

Je l'avais échappé belle, moi qui aimais tant ma si jolie cousine, Yvette Bouchard, à huit ans! Dorénavant, je prenais garde d'être trop gentil, de faire de trop belles façons à mes cousines de près ou de loin. «Un homme averti en vaut deux», me disais-je. Il n'y avait, à mes yeux, rien de plus effroyable que de virer fou.

Un certain soir d'hiver, je me suis donc posé des questions sur la présumée bonté de mon père. Je tétais une *root-beer* au restaurant de papa. Lui et son frère, oubliant ma présence, parlaient d'Olivier. Ils se racontaient, se tordant de rire, tous les mauvais coups faits au cousin, au temps de leur jeunesse. J'en fus secoué. Quelle cruauté! Ils rigolaient ferme en se remémorant ces tours pendables exécutés sur le dos du candide cousin. Je les écoutais, scandalisé, décliner leurs méchancetés. Mon père disait:

— Léo! Non mais, on a-ti ri à notre goût la fois que, après l'avoir ligoté et enfermé, on l'avait abandonné dans un hangar du quai de Sorel? Tu t'en souviens?

L'oncle renchérissait:

— Et cette autre fois où on l'avait laissé dans le portique d'un bordel, rue Sanguinet, avec un petit trente sous, lui répétant d'exiger la plus belle fille?

Ils riaient à gorge déployée. Ce papa si dévot! Oser abuser de celui qu'il disait pas fin fin...

Un voile se fendait, celui de l'innocence puérile. Une toile se déchirait, celle de la candeur enfantine. J'écoutais la narration de leurs tours infâmes joués à un simple d'esprit, leur cousin, et je me disais: «Ils sont peut-être responsables d'avoir déclenché la folie de leur cousin!» Ils racontaient comment ils l'avaient dupé souvent, forgeant des fables abracadabrantes capables de l'égarer à jamais. Papa avalait des pointes de pizze tomatée, buvait du *Ginger Ale* et manquait de s'étouffer de rire. Lui? Lui, un si bon chrétien? J'étais tout à fait décontenancé. Ce père bigot qui affichait sur les murs de sa gargote des images du Sacré-Cœur avec ses exhortations imprimées en lettres de sang: «Pourquoi me blasphèmes-tu?»

J'avais démasqué un respectable membre du Tiers-Ordre. Cependant, je l'avoue, ses aveux faisaient mon affaire. Oui, j'en étais content d'un certain côté. «Maintenant, me disais-je, si je commets une incartade grave, je saurai quoi lui dire.» Ses histoires avec l'aliéné cousin allaient me servir de munitions. Lui aussi avait donc été un jeune dévoyé, inconscient du mal causé. L'enfant est malin. Je le tenais. Je l'attendais, à ma prochaine frasque. Chantage de petit voyou!

Plus tard, j'allai au collège classique, et un sulpicien musclé — il y en avait —, en parlant du poète Émile Nelligan, nous avait lancé:

— L'asile de fous, voilà où peut mener la poésie!

Ce prêtre enseignait la physique et la chimie. Il haïssait les rêveurs, les amateurs de théâtre dans mon genre. Un autre enseignant, Roland Piquette, un laïc, admirait, lui, énormément Nelligan. Il nous apprit qu'à l'asile de la Longue-Pointe le génie devenu fou recevait des visiteurs et qu'il lui arrivait, certains jours de lucidité, de leur réciter son célèbre *Vaisseau d'or*. Dès lors, je souhaitai rencontrer le grand poète et, un jour, je dis à mon père:

— Si on allait tous les deux faire une petite visite à ton cousin Olivier à l'asile?

Il me répondit froidement:

— Non, ça ne servirait à rien. Olivier ne me reconnaîtrait même pas. Sa mère m'a dit qu'on le nourrissait comme un petit bébé, à la cuillère.

J'aurais tant voulu rencontrer Nelligan et l'entendre réciter son poème. Si la folie s'emparait de moi, un jour, il n'y aurait donc plus personne pour me visiter? Jeune, on aime avoir peur, imaginer le pire parfois. Je frissonnais.

Et puis, dehors, un ami t'appelle. Il a reçu une balle toute neuve. Tu ramasses ta mitaine de cuir. Tu sors en courant. Tu ne penses plus à rien. C'est la vie qui gagne toujours.

La vie est forte, elle triomphe sans cesse. C'en fut bientôt terminé des questions moroses. J'allais patiner au *Shamrock* avec la belle Jacqueline ou la jolie Ginette. J'oubliais l'Olivier abandonné à l'asile. La Cordier avait subitement disparu du quartier. Son mari l'avait-il fait enfermer à l'asile avec Nelligan? Juju s'était fait frapper, un dimanche, tout costumé de rouge. Le tramway filait à toute vitesse vers son terminus, au coin de la rue Bellechasse. Même Coco-la-guerre disparaîtrait un jour, lui aussi. «Un fieffé menteur, ce Coco», avait déclaré le professeur Laroche. Il n'était jamais allé à la guerre de 14-18, ni n'avait connu les gaz moutarde. Ses médailles? «Achetées dans un *pawn shop* de la rue Craig», avait-il affirmé. «C'était un fumiste!»

Dada le poivrot, lui, se fit écraser par un camion de vidangeurs dans la ruelle derrière le *Délico*, une nuit de grande ébriété. Il nous restait Bombarde au champ de piquants. À propos de Juju, un jour, Vincelette lui avait passé un costume de *Batman* qu'il avait endossé avec plaisir et, virevoltant, il avait fait sa virée des quatre coins. Yvon Vincelette lui avait promis d'autres déguisements car il y avait un costumier chez la fameuse madame Audet où il étudiait la diction. Juju exécutait sa pantomime de *Batman*, les soirs d'affluence des cinémas du coin, quêtant parmi les badauds. Il avait beaucoup nui à notre succès, celui de notre cheval à deux corps. Tit-

Gilles et moi, on engueulait Vincelette pour cette concurrence déloyale. Un soir, lors de la radiodiffusion du spectacle *En chantant dans le vivoir*, Juju *Batman* avait amassé dix dollars en petite monnaie, et nous avec notre cheval piaffant deux pauvres petites piastres! Nous songions à aller quêter au cinéma *Plaza*, rue Saint-Hubert. Une fois, on parla même de descendre en tramway avec notre monture pour parader devant les chics cinémas *Palace*, *Princess* et *Lœw's*, rien de moins. On n'a pas protesté longtemps. Vint un tramway nommé la mort! Tit-Yves était accouru chez moi en criant :

— Arrive, viens voir ça! Juju vient de se faire frapper!

Mais, encore une fois, Roland, en arrière de la maison, avait trouvé un ballon de rugby presque neuf. Tu sors en courant. Tu vas jouer avec lui. Tu ne penses plus à rien. C'est comme ça la vie.

CHAPITRE 19

La trouille

CE JOUR-LÀ, en novembre, je venais d'avoir onze ans et je n'étais pas fier de moi. J'avais abandonné mes amis. Lâchement. Je devais m'ouvrir les yeux. Je n'étais qu'un petit peureux. Je ne voulais pourtant pas ressembler à mon père qui avait peur de tout. Je me disais : « Pas ma faute, c'est l'hérédité. » En tout cas, ce samedi-là, je n'en fauchais pas large, je fuyais. Je m'éloignais toujours plus d'un certain champ de bataille, errant au marché de plein air voisin. Aucun marchand en novembre. Il me semblait que si les maraîchers avaient été là, ils m'auraient pointé du doigt et que j'aurais entendu des « Hou, hou, le lâche ! Le petit pleutre ! » Je ne savais plus trop où aller me terrer. Où aller cacher mon déshonneur. La trouille !

Mes amis étaient partis guerroyer, pas moi. J'avais menti, prétextant avoir un lot de commissions urgentes à faire pour mon père : je devais aller lui acheter des clous, des vitres et du mastic, ensuite je devais aller chercher de la viande hachée pour ma mère. Je leur avais montré les tickets de rationnement. C'était temps de guerre. En écoutant mes menteries, mes amis avaient-ils vu le rouge au front de l'imposteur ? J'étais donc un trouillard ? une mauviette ?

J'avais le pénible sentiment d'être un lâcheur. Eux, ils étaient partis se battre vaillamment, dans Holy Family, chez les maudits *Blokes* arrogants de cette paroisse. Ces derniers temps, les Irlandais ne cessaient de marauder dans notre ruelle, parfois tard le soir. Ils avaient même démoli à deux reprises notre cache dans le peuplier géant chez Dubé, volant nos munitions, défaisant nos lianes de Tarzan dans le gros chêne des Capra, plus tard cassant les carreaux de notre refuge dans le garage des Bédard. Le vase avait débordé quand, samedi dernier, ils avaient tué le petit chien de Pété Légaré et avaient osé insulter la mère infirme de Babines en répandant ses paniers de provisions partout dans la ruelle.

Leur chef aux dents de loup, Johnny, était un vrai démon. Il fallait que ça cesse, qu'ils restent dans leur secteur. Il fallait une revanche à tant d'humiliations. Des bagarres avaient été perdues parce que nous étions mal préparés, mais aujourd'hui, l'ultime et impitoyable rencontre allait se dérouler chez nos ennemis, rue Lajeunesse. Nous avions étudié leur secteur pendant qu'ils étaient partis batailler ailleurs. Nous connaissions tous leurs recoins, leurs pistes de retraite, donc, leurs moyens de s'évader en cas de capitulation. Nous allions les humilier enfin, les surprendre. « Les écraser par surprise », avait dit un Roland très sûr d'une victoire totale. En grand secret, il y avait eu réunion sur réunion. Nous allions apporter des tas de cordes pour les ficeler comme des saucissons et mettre le feu partout. Tit-Gilles avait un briquet antivent, le fameux Zippo.

Oui, ce jour-là, je me sentais renégat. J'avais mal. Mal d'avoir constaté que mes amis n'avaient même pas été désappointés quand je leur avais débité mes mensonges. On aurait dit qu'ils avaient deviné que je ne me joindrais pas à la guérilla. J'avais perçu de l'indifférence à mon égard. Ça sentait le : « On se passera de toi comme d'habitude ! » C'était pire que tout. Roland, le chef de cette expédition punitive, m'avait dit :

— Oui, oui, on comprend ça, Tit-Claude. Va faire tes commissions, on comprend ça !

J'y avais vu le signe que Roland et les autres n'avaient pas très confiance en mon soutien. C'était la réalité, j'étais un garçon qui n'aimait pas la bataille. Chaque fois que les *Blokes* maraudeurs surgissaient dans notre ruelle, je me donnais aussitôt le rôle du tire-au-flanc, de celui qui protège ses arrières. Du malin qui allait couvrir, soi-disant, une éventuelle retraite. Je n'avais pas une grande force et je n'avais pas une âme de guerrier. Et, oui, j'avais peur de recevoir des coups, de me faire blesser. Je ne l'avouais pas, mais j'avais une sainte horreur des bagarres à coups de manche à balai.

Aux yeux de l'intrépide Roland, j'étais certainement un faible. Un mou. Mais était-ce vraiment ma faute ? Roland avait des gants de boxe et il s'entraînait chez Lanthier le musclé, plus vieux que nous, obsédé par la bonne forme physique. Roland s'était fait des haltères avec du ciment et deux seaux qui lui avaient servi de moules. Deux poids de cinquante livres. Lanthier, plus musclé que Roland, aimait nous faire tâter ses biceps, ses « mossels », comme il disait.

Je me demandais souvent comment acquérir l'agressivité, l'énergie du chef, son formidable courage quand il affrontait un adversaire. Lui seul osait engueuler notre brigadier de rue, le grand Pageau, un gars de neuvième année. Lui seul osait rétorquer en peine classe à un professeur injuste, et il se retrouvait devant le petit père David, le sadique préfet de discipline. Il recevait alors sa volée de coups de strappe. « Il mangeait la banane », comme on disait. Et il ne pleurait jamais, l'œil sec, le visage impassible quand il revenait en classe, les paumes des mains toutes rouges.

Ah oui, Roland était un *roffe and toffe* ! Je l'avais vu souvent se battre dans le champ vacant, au coin des taxis, rue Jean-Talon, seul contre deux, parfois trois adversaires. Il s'entêtait et, s'il abandonnait, c'est qu'il était à bout de souffle, qu'il saignait de partout, qu'il était crevé par tous les coups reçus. Roland nous racontait alors sa défaite en rageant, jurant chaque fois qu'il aurait sa revanche bientôt. Je l'admirais, mais, au fond de moi, quelque chose me répugnait dans toute cette violence. Un je-ne-sais-quoi m'avertissait que je ne devais pas imiter un tel matamore. De toute façon, je ne pourrais jamais en faire autant. Oui, j'étais nul pour les bagarres et je m'éloignais précautionneusement quand je devais croiser un voyou, un vrai *bum*.

Je me trouvais des excuses. Il y avait mon louchage de l'œil gauche et ces lunettes, objet détesté, que je ne devais pas briser car : « Ça coûte des bidoux et on n'est pas riches ! » répétait ma mère. Donc, il me fallait protéger ces maudites barnicles que je devais porter le plus souvent possible depuis deux ans. Quand j'allais jouer, je les fourrais sous mon oreiller, bien débarrassé de cette béquille. Il y avait aussi ma santé précaire l'hiver, mes bronches malades. Il y avait surtout, je devais l'avouer, ma couardise. Je me détestais, et alors, par des pitreries, je tentais de donner le change, d'avoir l'air d'un gars effronté, me moquant de certains passants, cassant des carreaux au hasard. Personne, surtout pas Roland, n'était dupe de mes frasques de compensation.

Tout en marchant rue Mozart, rue Dante, je m'excusais de ma dérobade. Je n'étais pas du tout constitué physiquement pour participer à cette *vendetta*. Je maudissais mon sort. Pourquoi étais-je né si fragile ? Je tournais en rond. Le ciel était couvert de nuages sombres. Novembre n'en finissait pas avec sa froidure, sa lumière triste, la boue partout, les feuilles mortes en tas rabougris. Derrière le magasin du fruitier Diblasio, rue Drolet, un chat marcoux coursait pour attraper un écureuil affolé. C'était moi, cette bestiole effarouchée, moi qui fuyais le combat du siècle, ruelle Lajeunesse. J'eus soudain envie d'aller à la bibliothèque publique, rue Saint-Dominique. Non! Je fis demi-tour. Je ne devais pas me réfugier dans les livres, fuir encore dans la lecture. Ma honte s'amplifierait. Lire tranquillement pendant que mes amis se faisaient casser la gueule dans une ruelle ennemie? Non. Je me répétais: «Vas-y, va donc les retrouver, il est pas trop tard, va vite les rejoindre!» J'hésitais. Devais-je accourir en renfort, me joindre à cette grande bataille qui devait être finale? «Il n'est jamais trop tard pour bien faire», me soufflait une voix intérieure.

Pendant des jours, nous nous étions préparés au carnage chez les *Blokes*. J'avais collaboré volontiers à la confection de nos boucliers de carton fort, à l'aiguisage des manches de moppes et de balais renforcés de tôle ou de corde à moine. Nous aurions aussi des épées, des sabres accrochés à nos ceintures. Nous avions des provisions de cailloux de diverses grosseurs dans deux vieux sacs d'école déglingués. Roland, notre commandant, avait dessiné un plan de bataille et nous l'avions étudié soigneusement, tel Napoléon à Austerlitz. Tit-Yves, le stratège du groupe, nous avait expliqué:

— D'abord, on enverra en avant-garde les deux plus petits de la bande, Pété Légaré et Babines Diblasio, pour attirer et tromper l'ennemi.

Il s'agissait de faire sortir nos ennemis de leur repaire, une remise à demi écroulée, angle Faillon et Lajeunesse.

Notre dernier repérage avait eu lieu alors que les *Blokes* étaient au petit *Boiler*, un cinéma où on laissait passer les enfants. Il était situé rue Saint-Laurent, angle Beaubien, loin de leur ghetto. Nous en avions profité. Nous les avions épiés souvent ces derniers jours. Nous

savions tout sur leurs allées et venues. Nous savions que
le lieutenant du chef, Gordon, était grippé et traînait des
mouchoirs, qu'il en bavait, morve au nez. Nous l'avions
observé, toussant, reniflant, crachant comme un épou-
moné. Fallait en profiter. Nous avions vu aussi que le
petit enragé, Scully, boitait énormément, blessé nous
n'avions su comment. Les dés roulaient en notre faveur :
leur Roland à eux, Collin le fendant, portait un plâtre à
son bras gauche ; nous espérions qu'il était gaucher. Bref,
je ratais une expédition mémorable, sans doute victorieuse, et j'en avais l'âme en peine.

Je me souvins tout à coup, en revenant vers mon coin
de rue, d'une rencontre de boxe ratée. Un jour d'octobre, après l'école, à quatre heures, nous marchions en
rang, rue Jean-Talon, avec le grand Pageau, notre sévère
brigadier, qui arborait fièrement son brassard blanc.
Roland se colla sur moi :

— Écoute ben. Écoute comme faut, Tit-Claude : il
t'en veut, il te guette, il veut se battre avec toi. J'y ai dit
que tu vas y faire face. Je ferai l'arbitre et, si ça tourne
mal, j'y pète la yeule. Ça marche ?

J'étais abasourdi. Quoi ? Qui ? Un combat ? Qui m'en
voulait ?

— Labonté, me dit Roland.

Quoi ! me disais-je, Roland avait arrangé une rencontre de coups de poing entre moi et ce Labonté qui ne
portait pas du tout son nom ? C'était le pire délinquant
de la classe de cinquième année !

— Roland ! T'es malade ! Tu connais Labonté ? Il va
me mettre en bouillie.

Roland ricanait :

— Fais pas le fifi. T'es capable. Je t'ai entraîné souvent. Sa faiblesse, à Labonté, c'est ses sparages de fou. Je
l'ai déjà vu se battre. Chie pas dans tes culottes, il sait pas

se protéger. Tu fonces dessus et tu cognes vite. Tu vas le massacrer. Tu frappes le premier et à toute vitesse. Fais confiance à bibi !

Je n'en revenais pas :

— Mais, Roland, qu'est-ce que je lui ai fait à Labonté ? Je le regarde même pas dans cour de récréation. C'est un enragé.

Nous étions arrivés au coin de Jean-Talon, et Pageau, sérieux comme un pape, ordonnait la dernière traversée de rue avant que l'on se disperse.

— Fais pas l'innocent. Il m'a dit que tu lui avais volé au moins deux soupes en trichant. Il veut ravoir ses billes.

C'était faux. J'avais honnêtement gagné les deux parties. « J'aurais dû refuser de jouer avec ce démonté », me disais-je. C'était un mauvais perdant. Si je l'avais battu, c'est que j'avais mis la main sur deux gros cabochons, deux *smokes* noirs géants que j'avais obtenus contre deux paquets de cartes d'avion.

— Viens-t'en, il nous attend dans le petit couloir en arrière du *Château*. Oublie pas, tu frappes le premier.

J'avais les jambes molles. J'avais toujours réussi à éviter ces combats de voyous en face à face.

— Roland, tu vas aller le trouver, je vais te donner mon sac de marbres, pis on n'en parle plus.

Roland, sans répliquer, grimpait déjà chez moi :

— Fais pas le chieux. On jette nos sacs d'école dans ton portique pis on fonce. Tu vas pas me faire honte ?

Plus moyen de reculer. Roland était à cran. Je le voyais rager d'avance, serrer les poings. Il haïssait Labonté autant que moi.

J'avalais de travers en me rendant dans la ruelle. Labonté y était, l'air d'un loup, les mâchoires déjà contractées, les poings fermés. Roland l'apostropha :

— Salut, Michel Labonté! Je vas être l'arbitre. Pas de coups en bas de la ceinture. Pas de coups de pied. On s'entend là-dessus?

Le gaillard était plus petit que moi mais musclé, les épaules rentrées, prêt à me massacrer. Il allait me mettre en charpie en moins de deux minutes et j'arriverais chez moi le visage en sang. Je me disais: «Il n'y a qu'à me laisser faire puisque je ne suis pas de taille.» Je me laisserais cogner une minute. Je crierais: «Pouce!» Ça ne serait pas un combat à dix *rounds*. Une fois le sang versé, le mien, Labonté serait satisfait et me laisserait tranquille.

— Osti, pas de temps à pardre avec un cave! Approche, tricheur, qu'on en finisse.

Il dansait sur place, reniflant, tendu, les yeux mauvais; Jœ Louis en personne! Il frappait l'air avec violence, voulant me démontrer son jeu de *jabs*. Je levai les poings malgré moi. Roland se trompait, Labonté savait très bien se protéger la figure et il m'administra tout de suite une série de coups de poing au front, à la mâchoire et, à répétition, sur le nez. Je titubais. Mon nez saignait déjà au troisième coup. J'étais terrorisé. Nos cris résonnaient au fond de ce petit couloir sombre. J'aurais voulu être transporté, par miracle, n'importe où, loin de cet effrayant boxeur. Je fermais les yeux, déjà en sueur. Je souhaitais m'évanouir. Ne plus être là. Quelqu'un n'allait-il pas surgir et faire cesser ce combat inégal? Non, personne, que nous trois: un fou enragé, mon *coach* furieux, et moi, tremblant, braillant, au bord de perdre connaissance.

Je maudissais Roland de m'avoir entraîné dans ce guêpier affreux. Michel Labonté frappait sans cesse, sautillant, jurant, bavant, décidé à me tuer, me semblait-il. Je tentais vainement de le cogner, mais il savait s'esquiver à chacune de mes pauvres tentatives et c'est moi qui recevais un autre coup. Du sang coulait dans ma bouche, goût amer! Je criais que je voulais en finir, que c'était assez, mais Roland me poussait dans le dos pour me stimuler, me donnait des coups de pied au cul, m'implorait de mieux me défendre. Je n'étais pas fait du tout pour ces batailles féroces, je m'en rendais compte une fois de plus. Roland me vit avec stupeur suffoquer, me plier, me mettre, comme on disait, en petit bonhomme. J'abandonnais.

Roland cria à Labonté:

— À mon tour, chien sale!

Il n'était plus l'arbitre! Il leva les poings et se mit à cogner sur lui. Il voulait que nous le démolissions à deux. Impossible. J'étais tout essoufflé et je sortis mon mouchoir pour m'éponger la figure. Labonté frappait Roland avec une férocité décuplée. Il ne s'occupait plus de moi, misérable gringalet qui se mouchait, rotait, râlait, bavait d'impuissance. Ce ne fut pas bien long qu'il fit saigner Roland à son tour, lui appliqua une jambette. Roland s'écrasa, se recroquevilla et mit les mains autour de sa tête. Labonté le tabassait d'une pluie de coups de pied. Un monstre! Étourdi, Roland finit par se redresser en criant:

— C'est assez! C'est pas moi le tricheur, le voleur de soupes!

Labonté baissa enfin les bras. Il me jeta un regard haineux. Allait-il recommencer à me cogner? Je voulus fuir. Roland me retenait, s'accrochait à moi, respirait en sifflant, se tenant le cœur. Michel l'imbattable se pencha pour ramasser son sac d'école et s'en alla en sifflotant.

— C'est fini, mon vieux. Regarde, il s'en va.

Roland était humilié. Il grogna:

— Fallait m'aider mieux que ça, maudite marde! À deux, on aurait fini par l'avoir. Tu m'as laissé tomber, salaud! T'es rien qu'un maudit lâche. Je te parle plus. C'est fini nous deux!

Roland s'en alla à son tour, boitillant, grommelant d'autres insultes, le mouchoir sous le nez.

Par la suite, Roland, jamais rancunier, s'était réconcilié avec moi. Je me décidai enfin. Il fallait cette fois que j'aille l'aider, que j'arrive à effacer ma lâcheté de derrière le *Château*. Il fallait que j'aille dans Holy Family participer à la mise à sac du repaire du gang à Collin. Je saignerais encore s'il le fallait. Je devais réparer, remonter dans l'estime de celui qui avait tenté de me défendre contre Labonté. C'était décidé. Je courus vers la rue Lajeunesse. On allait voir ce qu'on allait voir. Je voulais tant ressembler aux fabuleux héros de nos *comic books*. Être *Superman*, *Flash Gordon*, *Spiderman*. Je me rendis à toute vitesse dans Holy Family, coupant à travers les terrains d'autos usagées mises en vente sous des banderoles, des cordées de fanions multicolores, des rangées de lumières, le long de la rue Lajeunesse.

J'espérais arriver là-bas à un moment crucial. Je rêvais. Je me voyais surgir juste au bon moment, ce moment où l'arrivée inespérée d'un renfort semble providentielle. On allait m'accueillir avec des hourras de soulagement. Mais non! Personne, ruelle Lajeunesse. Pas un chat! Si, un gros matou blanc qui jouait avec un rat mort. Sur une corde à linge, une demi-douzaine de corneilles observaient le chat et le rat, rapaces guettant la charogne. J'ai crié les noms de mes amis. Silence partout. Où étaient-ils tous? Dans leur cachette? Non. Personne et aucune trace d'un combat quelconque. Comment cela s'était-il donc terminé? Étaient-ils tous à l'hôpital? La police, alertée par un voisin, avait-elle amené tout le monde au poste? Avaient-ils tous fui après un combat nul? une bataille sans vainqueurs? Pour une fois que je m'étais trouvé du courage. J'étais horriblement dépité. J'ai donné des coups de pied sur des poubelles, au coin de la rue Faillon. J'ai arraché une affiche rue Berri. J'ai renversé une boîte à déchets proche de la *Casa Italia*. Je fulminais. M'être décidé au combat pour rien...

Voulant rentrer chez moi en passant par notre ruelle, qu'est-ce que je vois ? Toute ma bande ! Divisée en deux groupes de quatre, bataillant avec les lances, les épées de bois, les boucliers. Je cours les rejoindre. Tit-Yves riait, recevant des cailloux de partout. Il me dit :

— Salut, Tit-Claude ! Viens nous aider, tu seras pas de trop. On est en train de se faire avoir. Tiens, prends ma fronde, il me reste des roches dans mon sac.

Je lui dis :

— Mais Collin ? Gordon ? Les *Blokes* ?

Tit-Yves me fait :

— Il y avait personne. Ils sont tous allés jouer à la crosse contre les Grecs, dans une école du Mile End.

Alors, pour le défoulement général, Roland avait décidé qu'ils allaient tous faire une sorte d'exercice, « une pratique » comme on disait. En prévision, plus tard peut-être, d'une vraie bataille dans Holy Family.

Notre combat fictif ne dura pas longtemps. Il était midi passé et nos mères, celle de Tit-Yves, celle de Roland, la mienne aussi, criaient de partout :

— Rentrez ! Rentrez vite, les batailleurs ! Le repas est servi !

On avait faim et on est rentrés, chacun de son côté. Le ventre des vaillants guerriers menait le bal. En marchant vers les cris de ma mère, je me suis dit : « Faut que je m'entraîne. J'irai lever des haltères. Je ferai de la boxe. Il faut absolument que je me fasse des muscles. » Arrivé sur la galerie, maman, sortant son ketchup vert de la dépense froide, me dit :

— Vous avez pas honte de vous tirailler comme des voyous ? On devait vous entendre crier jusqu'en bas de la ville. De quoi vous avez l'air, hein? Des petits sauvages!

Elle me suivit dans les toilettes :

— Je t'avais demandé de réparer la voiture de ton petit frère. Tu fais jamais rien!

En me lavant les mains, vantard et menteur, j'ai dit :

— Pas ma faute, fallait aller régler le cas des *Blokes*!

Je me suis mis à table. Maman nous a encore forcés à réciter le bénédicité. Dans son gros chaudron, la soupe aux légumes sentait bon. J'observais mon père. À son habitude, à toute vitesse, il engloutissait sa soupe et le pain. Maman répéta :

— Édouard! Moins vite, tu donnes pas l'exemple aux enfants!

C'est que mon père craignait toujours d'être interrompu par la cloche annonçant un client au sous-sol. J'ai mis beaucoup, beaucoup de beurre sur ma tranche de pain. J'ai soulevé ma cuillère et, avant d'avaler, j'ai demandé :

— P'pa? Si tu me passais de ton ciment... Je voudrais me faire des haltères, comme Lanthier, comme Devault.

Il posa sa cuillère :

— Ah non! Pas question! Pour me gaspiller deux chaudières en guise de moules? Non, pas d'haltères de ciment, c'est dangereux. T'échappes ça, pis tu te casses un pied.

J'avalai ma soupe. Je lui volerais de son ciment et il n'en saurait rien. J'avais un père froussard et devais arriver à ne pas lui ressembler. Le *buzzer* du restaurant grésilla. Papa se leva aussitôt, la bouche pleine, me jeta un regard sévère, marmonna :

— T'as compris? Pas question de toucher à mon ciment!

— OK! Je vas rester un *loozer*, un bon à rien!

Papa n'y comprit rien et disparut dans l'escalier de la cave. Ma mère brassait son ragoût de boulettes :

— Toi, un bon à rien ? Dis pas ça, mon Claude. T'as eu de bonnes notes dans ton bulletin du mois dernier.

Elle ne savait pas ce que je venais de vivre. Ça resterait mon secret.

CHAPITRE 20

La honte

UN JOUR, je pris conscience que j'avais honte de mon père. J'étais malheureux de cette honte. J'avais quoi, onze ans peut-être. je rentrais d'une séance de cinéma avec Tit-Yves et Tit-Gilles. Nous avions marché de la rue Saint-Gérard, angle Liège, jusqu'à notre rue. Une très longue marche, huit coins de rue! La salle *Saint-Gérard*, où l'on présentait tous les samedis des films de cow-boys du Lone Ranger ou de Gene Autry, était un bel auditorium avec fauteuils capitonnés. C'était, pour les enfants, comme aller dans un vrai cinéma. Au soubassement de Sainte-Cécile, notre paroisse, les bancs étaient durs, l'écran moins grand, et puis c'était le lieu où on allait à la messe le dimanche avec toute l'école. Saint-Gérard accueillait des gens de théâtre. Dans le quartier, Jean-Paul Leclerc, le fils du vétérinaire, avait formé une troupe et utilisait ce théâtre véritable. Leclerc, sur les affiches des poteaux de téléphone, se nommait Guy Dugas et posait avec foulard, chapeau, se donnant l'allure d'un comédien de Paris.

Nous marchions donc vers nos foyers quand j'aperçus mon père en train de redécorer un des placards à la devanture de son magasin, pinceau dans une main, assiette de tôle contenant ses couleurs dans l'autre. De sa poche pendait un gros chiffon taché de peinture. Il avait l'air d'un Charlot en goguette, gesticulant, s'avançant, reculant pour inspecter son ouvrage de peintre. Tit-Gilles me dit :

— Regarde ton père ! Regarde ton père ! Encore à peinturlurer ses annonces ! Maudit qu'il nous fait rire !

Ce n'était pas la première fois que je découvrais que mon père faisait rire de lui et cela me faisait honte. Je n'aimais pas ça du tout, cette honte du père.

J'avais déjà surpris des ricanements chez certains passants. La fois qu'il tentait de peinturer les balustrades du deuxième étage avec un gros pinceau dégoulinant qu'il avait attaché à deux longs bâtons de bois. Sa frousse terrible des échelles ! Il me semblait ridicule avec son pinceau-échassier ! Un instrument improvisé cocasse. Les passants s'arrêtaient pour le voir faire et pouffaient de rire. J'en étais très gêné. On riait de mon père et cela m'attristait. Pourquoi aussi utilisait-il des façons de faire si excentriques ? Une fois, il décida d'enrubanner complètement toutes les colonnes du balcon, à l'aide de longues banderoles jaunes et blanches — couleurs de son cher Vatican —, à l'occasion d'une Saint-Jean-Baptiste. C'était voyant, très voyant ! Encore là, j'avais entendu des rires. Une autre fois, il avait installé sur son trottoir de restaurant des petits carreaux multicolores, restes bon marché de chez Capra, tuiles et mosaïques. Un pavoisage de carnaval !

Il y avait aussi sa manie de balayer à fond, plusieurs fois par jour, l'entrée pavée et le trottoir. Et même la rue ! Là encore, j'avais entendu des moqueries. Autre chose, en marchand trop amène qu'il était, mon père avait la manie de saluer tous les passants, clients ou non. Ses petits saluts à répétition ressemblaient à des tics nerveux et m'humiliaient. Bref, il n'était pas un père ordinaire, il n'était pas comme les autres pères. Les enfants n'aiment pas cela du tout. Il se signalait trop. Il s'agitait trop. Un soir, des *zoot-suits* rigolaient et je pus entendre l'un d'eux dire :

— Regarde le barbouilleur chinois ! C'est le bonhomme Jasmin, un drôle de pistolet !

Il y avait encore plus lourd à supporter, sa façon subite de s'immiscer parmi mes amis, de nous interrompre dans nos jeux pour poser des questions à l'un ou l'autre. Pire, de se faire prédicateur avec des :

— J'ai entendu un juron. Pourquoi blasphémer ? Avez-vous pensé à la peine faite à Jésus ?

Je ne savais plus où me mettre dans ces moments-là. Il semblait une sorte d'inquisiteur. Oui, j'avais honte de lui. La honte !

Les pères de mes amis ne faisaient pas cela. Pourquoi le mien cherchait-il toujours à s'informer sans cesse sur des bagatelles du genre : « Ton père va-t-il mieux ? » ou encore : « Ta maman est-elle revenue des Cantons-de-l'Est ? » Ne pouvait-il donc pas se mêler de ses affaires ? J'enviais Roland. Son père allait à ses affaires d'inspecteur des cinémas sans nous voir. Il ne saluait même pas son fils, c'était comme s'il ne le connaissait pas, et si je disais : « Roland ? Regarde ton père qui s'en vient », Roland n'en faisait aucun cas, rétorquant plutôt : « Pis ? On joue, on joue ! » Je trouvais Roland chanceux d'avoir un père capable de passer devant nous sur le trottoir sans un seul regard pour son fils. Moi, j'avais honte d'avoir un père écornifleur. Quand je le voyais sortir de son caboulot avec son assiette de peinture, son balai ou son long pinceau, j'entraînais vite les copains à l'écart, m'arrangeant pour que notre jeu du moment se déroule loin de lui. Je le fuyais afin que mes amis puissent échapper à ses interrogatoires. Et puis, je me rendis compte que Tit-Yves, lui aussi, détestait croiser son vieux papa, petit, courbé, au visage plissé de rides, le cheveu rare, renfrogné, allant d'un pas excessivement pressé vers sa destination. Pour Tit-Gilles, c'était pire encore. Il avait un père d'allure hautaine, au visage ultra-sévère qui nous intimidait. Quand il apercevait son fils, il avait toujours la même recommandation à faire :

— Assez joué, marche à maison ! Va étudier un peu !

Ou bien, inévitablement :

— Suffit, le traînage de rue ! Ta mère a une commission pour toi !

J'en étais arrivé à penser que nous avions tous un peu honte de nos pères. Dans le cas du mien, c'était plus grave, étant donné son omniprésence puisqu'il travaillait sous notre logis, dans sa grotte décorée, sa caverne surchargée de peintures. Son restaurant était aussi source de gêne. J'aurais tant voulu un restaurant comme le *Château Sweets* ou le *Rivoli Sweets* où il y avait des loges de cuir, un bar-fontaine chic, des miroirs partout, des luminaires modernes. C'étaient de vrais restaurants. À la sortie des salles, tard le soir, quand il n'y avait plus de places à ces beaux restaurants grecs, certains se contentaient alors de fréquenter le nôtre, « l'antre du Chinois ! » Étant donné l'aspect moins *fancy* du resto de papa, il avait une clientèle particulière, des gueulards, des sacreurs, des *zoots* et aussi quelques bohémiens qui aimaient l'allure cave d'existentialiste du lieu. Durant le jour, il y avait les élèves en récréation du collège voisin.

Papa, qui jadis avait suivi toute une année les cours du soir des Beaux-Arts, avait peint tous les murs de fresques bizarres, de paysages ingénus. Même le plafond était couvert de nuages peints, paquets d'ouate blancs sur fond turquoise d'un art naïf. Les tables et les bancs, dans un ressaut de son magasin, étaient décorés de fioritures d'un art vaguement musulman ! Feuilles, tiges, entrelacs touffus aux fleurs inventées, abstractions d'un naturalisme primitif époustouflant. Pas un recoin de son caboulot n'échappait à sa démangeaison de peindre. Et tout cela était un ouvrage en perpétuelle transformation puisque, souvent, il appliquait de nouveaux motifs sur les anciens, pris d'une fringale de décorateur jamais satisfait.

Son restaurant était un sujet de plaisanteries. J'avais entendu parfois des :

— Viens, mon *chum*, on va descendre examiner ça ! Le Chinois a encore inventé des nouveaux fions.

Un enfant, être grégaire, n'aime pas du tout constater qu'on ridiculise son père. Un enfant est susceptible pour la moindre incartade. Son père doit ressembler aux pères des alentours. Hélas, le mien passait pour un hurluberlu. Une curiosité. Avant d'avoir l'âge de raison, avant d'aller à l'école, mon père avait été mon héros. Je l'aimais tant. Il était formidable. Il m'avait enseigné à lire et à écrire avant les autres. Il m'avait laissé prendre des photos avec cet appareil merveilleux qui se dépliait en accordéon et je n'avais que cinq ans.

À quatre ans, il m'avait acheté une petite pipe. Cadeau inoubliable. Même si je n'avais pas le droit de l'allumer, il la bourrait de vrai tabac, le sien, du *Picobac*. Sur une photo, on me voyait, pipe au bec comme papa, heureux, serein petit fumeur de pipe. Où qu'il m'amenât, au chalet du mont Royal pour apercevoir tout le bas de la ville et le Saint-Laurent au loin, dans le Vieux-Montréal pour payer ses taxes municipales ou aller chez Cassidy's pour des achats divers, à l'oratoire Saint-Joseph pour ses dévotions au thaumaturge, j'étais fier de l'accompagner. J'aimais sa grosse poigne sur ma petite main. Il m'achetait chaque fois ou des frites, ou un hot dog, ou une glace à deux boules. En ce temps-là, mon papa était un guide formidable, le plus beau et le plus fort des pères. Pourtant, souvenir traumatisant, à cinq ans il m'avait conduit à la chapelle des Franciscains, dans l'ouest de la rue Dorchester. Dès notre arrivée, papa m'avait abandonné dans la nef et m'avait recommandé de ne pas bouger jusqu'à ce qu'il revienne. Quelques minutes s'étaient écoulées et je l'avais vu réapparaître dans le chœur! Papa était vêtu d'une soutane de bure brune avec capuchon, cilice mortificateur et énorme chapelet à la ceinture! Mon père était-il secrètement prêtre, moine? Je n'en étais pas revenu. Membre du Tiers-Ordre, papa allait ainsi, le dimanche, jouer au disciple de saint François d'Assise jusqu'à ce qu'il transforme sa boutique de café, thé et importations chinoises en restaurant.

À mesure que je grandissais, avait grossi cette impression détestable et qui me mortifiait : mon père passait pour un olibrius. J'en étais arrivé à me cacher de lui chaque fois que c'était possible. À souhaiter qu'il devienne, comme ma mère le réclamait tant, un de ces travailleurs ordinaires qui quittent le foyer tôt le matin pour y revenir juste avant le souper. Mes griefs à son endroit se faisaient de plus en plus nombreux. J'acceptais de moins en moins ses conventions particulières, sa piété de zélote. Par exemple, qu'il nous interdise, fin décembre, d'installer un arbre de Noël comme chez tous mes amis. Nous n'avions droit qu'à la crèche avec sa panoplie de plâtres colorés : Vierge adoratrice, Joseph soumis, moutons, bergers, Rois mages, ange annonciateur et petit Jésus. De cire, lui!

De Noël en Noël, cette crèche prenait de l'expansion. Ses rochers de papier débordaient du salon, empêchant les portes vitrées, gravées de joncs et de hérons, de se refermer. Et surtout pas de ces lumières colorées qui font la joie des enfants. Oh non : « Dangereux! Cause d'incendie. » Quoi encore? Sa prudence maniaque le faisait nous interdire patins à roulettes, bicyclettes, ou toute autre machine, pourtant permis à tous mes copains. Ses peurs perpétuelles me faisaient honte. Maman, notre complice, défaisait parfois en cachette les interdits de ce paternel froussard. Autres exemples :

— N'allez donc plus au bain public! Microbes virulents, germes de maladie! Ne grimpez donc pas à ces poteaux! Ne jouez pas dans cette mare! Ne sautez pas du toit de ce garage! Ne criez pas tant; les voisins! Cessez de fabriquer ces avions, colle nocive, un poison! Pas de tire-pois, pas de lance-pierres, pas de fusils à pétards!

Bref :

— Ne sortez pas de la cour!

Pour papa, le monde, alentour, n'était qu'occasions de s'estropier et risques d'hospitalisation. À l'entendre, en lui désobéissant, nous deviendrions borgnes, manchots et culs-de-jatte!

À trop lui obéir, je serais resté un poupon arriéré, un demeuré niais accroché au pantalon de son père. Chaque initiative de ma part était un geste de désobéissance. Un effort contre sa volonté. Il le fallait bien si je voulais grandir. J'y arrivais mal et, le plus souvent, trop influencé par ses rodomontades sinistres, je passais aux yeux de mes petits camarades pour un trouillard, un fieffé peureux. J'étais souvent le dernier à sauter en parachute-parapluie, à courir au fond du parc Jarry, à creuser un labyrinthe dans une colline de neige. S'il m'y surprenait, c'était :

— Seigneur! Sors de là, vite! Ça pourrait s'écrouler et tu mourrais étouffé!

Je jouais avec les autres dans un fort de neige et de glace au bord du trottoir — on n'enlevait pas la neige rapidement à l'époque — et c'était :

— Non mais, es-tu fou? Le chasse-neige — la souffleuse Sicard — pourrait te déchiqueter en mille morceaux!

Plus vieux, par réaction, il m'arrivait pourtant de jouer les cassse-cou et mes amis, étonnés, ne comprenaient pas que telle prouesse était accomplie pour me purger des interdictions d'un père poule insupportable. Alors, on applaudissait mon intrépidité, mais moi, je cherchais des yeux pour voir si mon père n'était pas aux aguets, pas loin. Papa était un homme doux qui ne nous avait jamais battus, pas même une seule gifle, mais ses sermons étaient redoutables parce qu'ils ne finissaient plus. J'avais honte d'avoir honte de lui.

J'en étais malade d'avoir tant honte de lui, de devoir toujours me sauver de lui. Si l'un d'entre nous, à la maison, critiquait ou blâmait ce père poltron, maman aussitôt le défendait avec vigueur. Était-ce pour nous consoler? Elle disait:

— Comptez-vous chanceux. Il y a des pères qui battent leurs enfants!

Un de mes amis, G., recevait des coups de courroie de rasoir pour la moindre peccadille, pour la plus petite désobéissance à sa mère. G. m'avait montré ses mains rougies plusieurs fois. Cela m'horrifiait. Comment un père pouvait-il dire qu'il aimait son enfant et que c'était pour mieux l'éduquer qu'il le frappait? Je ne comprenais pas ça du tout.

Un soir, G. était venu pleurer chez nous. Il avait peur de son paternel. Il tremblait d'appréhension. Il venait de briser un vase de cristal et sa mère l'avait prévenu qu'il allait, dès le retour de son père fouettard, attraper une bonne volée. Ma mère, gênée, affolée face à la totale détresse de G., lui avait servi un potage chaud. Debout dans le portique, lapant bruyamment sa soupe, G. pleura de plus belle. Il en avait assez. Il parlait de se sauver loin, qu'on ne pourrait plus jamais le retrouver. Ma mère tentait en vain de le calmer. G. parla d'aller se réfugier chez une tante dans le Vermont, aux États-Unis. Elle l'aimait et le cacherait. Ma mère protesta:

— Le Vermont? Y penses-tu? C'est au bout du monde, mon petit bonhomme!

G. lui demanda alors de le garder, de le protéger. Quel dilemme pour ma mère! Elle finit par lui promettre de négocier avec son père à la leste courroie. Je n'en revenais pas. Comment allait-on accueillir ma mère? En fin de compte, maman descendit au restaurant, où il y avait le téléphone, mit un cinq sous et composa le numéro chez mon ami terrorisé. Évidemment, mon père avait tenté en vain de la dissuader de faire ce geste de commisération:

— Germaine! on n'a pas à se mêler des méthodes des voisins. Ne fais pas ça!

Maman le repoussa et, avec des paroles gentilles, des mots d'une douceur rare, elle plaida:

— Écoutez-moi, monsieur, votre petit garçon n'est pas méchant. C'est un accident, une simple maladresse. Il faut passer l'éponge. Ici, dans la cour, votre fils est le plus gentil, le plus poli. Je l'aime beaucoup.

Je n'en revenais pas. Ma mère avait du cœur, un cœur énorme. Je l'admirais. Sa négociation eut du succès. Elle raccrocha et dit à mon copain:

— C'est arrangé. Tu peux rentrer maintenant. Ton père m'a promis qu'il ne te fouettera pas. Il te donne une chance.

Ce méchant papa servit d'exemple à maman, qui nous répétait:

— Oui, comptez-vous chanceux d'avoir un papa qui n'a jamais levé la main sur aucun d'entre vous.

Ma mère, même en notre présence, ne se gênait pourtant pas pour engueuler notre père. Elle lui faisait des tas de reproches, lui répétait:

— Tu n'es qu'un fils d'habitant. Tu ne sais pas t'arranger convenablement. Tu ne te laves pas assez souvent. Tu devrais mieux soigner ton langage. Quand vas-tu lâcher tes « moé » et tes « toé » ? Comment veux-tu que je corrige le langage des petits ?

Le plus souvent, elle usait de sa scie :

— Ça marche pas le diable en bas. Veux-tu me fermer ça au plus vite, ce restaurant de misère. Il y a de bons emplois dans les usines de munitions. Quand vas-tu te décider ? Il va falloir vendre le chalet de la Pointe et sans doute la maison ici.

Ces propos m'effrayaient. Étions-nous au bord de la banqueroute ? Allions-nous nous retrouver un jour quêteux à la Saint-Vincent-de-Paul comme les Bourgie de la rue Drolet qui habitaient une masure de papier-briques ? Encouragé par les critiques acerbes de ma mère, je tentais parfois de me joindre à son chœur de jérémiades. Alors, aussitôt, volte-face de maman ! Je ne comprenais plus. Papa devenait subitement un type bien, un modèle, un père parfait, un homme exemplaire. J'ai fini par admettre cet étrange principe : maman avait, elle, le droit de l'abîmer d'injures, mais nous, les enfants, non. Ça devait être cela un couple, que je me disais.

Arriva le moment où je me posai aussi des questions sur ma mère. Est-ce que j'en avais honte ? Je ne savais pas trop. On l'aimait tant et toutes nos voisines semblaient tant l'apprécier. Elles la consultaient sur tout et sur rien et ma mère se répandait volontiers en conseils divers. De tous les balcons de la cour fusaient les demandes d'aide et ma mère, rieuse, encourageante, ne cessait d'administrer sa débonnaire sagesse. J'aimais aussi sa bonne humeur presque perpétuelle, son énergie étonnante face aux corvées multiples de la famille, lavage, repassage, reprisage... Et tous ces repas à préparer chaque jour. Le ménage général. Elle était sans cesse occupée aux mille soins de la maisonnée, allant faire des courses un peu partout, pour les repas mais aussi pour notre habillement, pour des visites chez le pharmacien, chez la modiste, devant toujours recycler les vêtements des plus vieilles pour les adapter aux plus jeunes, pour me faire tailler un pantalon dans un pardessus de drap abandonné par mon père. Et quoi encore?

Le soir venu, maman lisait son journal sur le balcon dans son fauteuil d'osier usé, et après avoir lu d'abord son cher courrier du cœur de Colette, nous donnait des nouvelles du monde qui pouvaient nous intéresser. Ou bien, elle faisait du repassage en faisant claquer, avec une régularité de métronome, son fer dans une assiette de fer-blanc et, pour nous endormir, elle chantait, de sa cuisine, le répertoire de l'abbé Gadouas. Un soir, de ma chambre, je l'ai entendue dire à Lucille, l'aînée :

— Un jour, tu vas te marier, ma vieille. Alors, pour-quoi continuer ton école? Tu as de la grosse misère à monter de classe chaque année et nous, on n'a plus les moyens d'engager une servante. Si tu veux, en juin, je te donnerai cinq piastres par semaine et tu vas m'aider.

Lucille, la plus douce, la plus gentille de mes sœurs, ne serait plus une écolière? Elle serait notre servante? Ça me faisait drôle, cette proposition. Je n'ai pas pu entendre la réponse de ma sœur. Je me disais qu'un jour je deviendrais riche, que j'apporterais beaucoup d'argent à maman et qu'elle allait pouvoir se reposer. Un jour, je deviendrais quelqu'un d'important, je réussirais, j'aurais un très gros salaire. Je le voulais. Et je m'étais endormi, rêvant d'un grand bureau dans la rue Saint-Jacques, là où mon père m'avait dit :

— Ici, mon p'tit gars, c'est le quartier des gros bras-seurs d'affaires riches. Tous des Anglais!

J'apprendrais l'anglais.

Pour me consoler quand je me plaignais d'un père peureux et pas comme les autres qui faisait rire de lui, ma

mère me parlait chaque fois du père des jeunes Thérien.
C'était un vendeur d'assurances chauve et bedonnant qui
aimait s'enivrer une fois par jour ou presque. On voyait
souvent monsieur Thérien sortir du tramway, revenant
du travail et aussi de sa taverne du bas de la ville. Quand
il apparaissait dans la rue, ses trois fillettes cessaient net
de faire tourner leur corde à danser et couraient se
réfugier sur un balcon voisin. Caracolant, tournant sur
lui-même, s'accrochant à tout, poteau, lampadaire,
borne-fontaine, monsieur Thérien, la cravate sortie, la
chemise hors du pantalon, son veston à la main, le chapeau cabossé, tentait de retrouver sa porte d'entrée.
C'était la honte totale de Maryse, de Claudine et de la
plus petite, Marie-Paule. Leurs petites copines se sau-
vaient pour ne pas qu'elles soient humiliées davantage.

Un jour que Tit-Yves et moi dessinions des bonshommes sur le trottoir avec nos morceaux de plâtre,
monsieur Thérien s'expulsa du tramway en titubant. Il
trimbalait, d'un pas chaloupant, un grand panier rempli
de tomates. Il devait avoir marchandé une *bargain* au
marché Bonsecours, rue Notre-Dame. De notre côté de
la rue, on riait, innocents cruels, devant ce film de
Charlie Chaplin inédit. Il finit par reconnaître l'escalier
de sa demeure et se mit à le grimper, accroché à ses
tomates plutôt qu'à la rampe. Patatras, à la cinquième
marche, il fit une pirouette et tout dégringola! Ses trois
fillettes, rouges comme les tomates, se mirent à courir
partout pour récupérer les fruits qui se dispersaient sur le
trottoir. Maryse se mit à pleurer en criant et nous avons
cessé de rire net. Maman avait raison, il y avait plus
gênant qu'un père scrupuleux et timoré.

Devenu collégien, je me suis souvenu de certains
moments de honte bête au sujet de ma mère. C'était du
temps de la petite école. Quand un orage éclatait avant
l'heure du lunch et que nous étions partis par beau temps

le matin, maman jugeait qu'elle devait vite venir nous secourir. Dans la grande salle de récréation, alors que nous étions tous en rangs, prêts à partir avec nos briga-diers, elle nous apparaissait, essoufflée, échevelée, ruis-selante de pluie, les deux bras lourdement chargés de nos claques, chapeaux de pluie et imperméables de caout-chouc. Elle en était grossie démesurément. De voir ainsi, devant tous mes compagnons, notre mère ainsi affublée m'accablait de honte. Je me cachais. Je ne connaissais pas cette grosse femme énervée! Elle me cherchait des yeux, criait mon nom. Je rougissais et finissais par me montrer. Elle était survoltée chaque fois, se dépêchant de nous remettre, à Raynald et à moi, nos effets, car elle avait à traverser à l'école de mes sœurs pour terminer sa mission de secours. Les regards moqueurs des autres garçons me crucifiaient. Eux avaient la chance de ne pas avoir une mère poule si couveuse! Oui, nous avions honte bête-ment, par peur stupide de paraître des fifis surprotégés. Maman, ne devinant rien de notre sentiment imbécile, s'en allait, très pressée, avec le reste de son énorme charge, vers l'école des filles.

Un jour, fin de la classe, il était donc quatre heures de l'après-midi. La pluie encore! Averses terribles, orage non prévu, ma mère s'amène de nouveau, chargée comme baudet, me cherchant des yeux. Encore une fois, ma gêne stupide. Remise des vêtements de pluie et, aussitôt, sa course vers l'école des filles. Je reprends mon rang. Tit-Yves est à mes côtés. Il va se faire tremper, lui. Aussitôt rendus dans la rue de Gaspé, c'est l'arrosage copieux. Frissonnant déjà, mon ami met son sac d'écolier sur sa tête pour se protéger. Je lui dis:

— Non mais, as-tu déjà vu ça, une mère couveuse de même?

Il me serre le bras et me répond:

— Ma mère est trop vieille et trop malade pour m'apporter mon imperméable. Râle pas! Fais pas le frais chié! T'es rien qu'un maudit chanceux, pis tu le sais pas!

Bien enveloppé, à l'abri de la pluie, je me suis mis à marcher fièrement derrière le brigadier, le cœur plus léger, ma niaise honte jetée aux orties.

Plus tard, je devais avoir quinze ans et, comme à l'accoutumée, des élèves du collège Laroche descendirent avaler un gâteau au chocolat et une bière d'épinette au restaurant paternel. Le grand Arcand, fils du leader fasciste emprisonné, Adrien, me lance:

— Comment va le futur maître plaideur?

Je lui avais dit que je ferais mon droit un jour. Je lui répondis:

— C'est pas des études, c'est du bourrage de crâne. Faut tout mémoriser!

Arcand rigola et fila dans la caverne de mon Chinois de père. Je tentais d'apprendre par cœur de longs paragraphes du *Cid* de Corneille, assis dans le fauteuil d'osier usé du balcon. Il faisait beau soleil. C'était le début de juin. Les examens de fin d'année s'en venaient et je n'étais pas certain de monter de classe. Le nouveau minou de papa, utile pour les souris de la cave, se léchait les pattes. Trois hommes s'approchèrent et s'arrêtèrent devant chez nous. Allaient-ils descendre chez le Chinois? L'un des hommes me fit un petit signe et lança:

— C'est ton père qui tient ce restaurant?

Je fis:

— Oui, oui. C'est mon père.

Le type, qui s'apprêtait à descendre avec ses deux compagnons, ajouta:

— Mes jeunes amis que voici, le poète Giguère et le peintre Bellefleur, m'ont dit que ton père est un artiste de la trempe du célèbre douanier Rousseau. Je viens voir ça. Je suis le peintre Pellan. Salut!

Je n'en revenais pas! Au collège, le père Fillion, collectionneur d'art, parlait avec emphase de notre peintre Pellan, reconnu à Paris. Pour la première fois de ma vie, je me disais que j'avais peut-être un père aux talents méconnus. Je décidai dès lors de ne plus jamais avoir honte de lui.

CHAPITRE 21

La guerre

J'AVAIS EU ONZE ANS en novembre. D'avoir dépassé le chiffre dix m'impressionnait. Le temps filait trop vite à mon goût. J'étais léger. Le printemps qui s'achevait était de toute beauté. Cette année-là, les lilas du parterre chez le notaire Décarie avaient été plus généreux que jamais. J'en avais offert un gros bouquet à Cécilia, l'unique fille du docteur Danna, qui habitait près du cinéma *Château*. J'aimais cette jolie Italienne si rieuse, d'une démarche à la souplesse fascinante. C'était mon secret. À mon âge, avais-je seulement le droit d'aimer quelqu'un d'autre que ma mère, mon père, mon frère et mes sœurs ? Étais-je normal ? Aimer une fille à onze ans et demi ! Mes amis ne parlaient jamais des filles. Gardaient-ils des secrets, comme moi ? À huit ans, j'avais connu une première peine d'amour quand Micheline était sortie de ma vie brusquement. Le soudain déménagement de sa famille m'avait comme assommé. Je ne savais toujours pas où elle s'en était allée.

Le temps avait passé et il y avait maintenant ce nouveau béguin, Cécilia Danna. Elle était belle, radieuse avec ses jolis cheveux si noirs, sa peau si pâle, ses yeux si grands, si vifs. Prudent, méfiant, je l'aimais sans le lui dire, par des petits signes. Je lui prêtais volontiers mon minivélo vert à deux roues, je lui offrais mes plus belles billes, je lui apportais des tablettes de chocolat chipées au restaurant de papa, ou de la gomme à mâcher, de celle qu'elle aimait, en dragées violettes. De marque Thrill. Il ne se pouvait pas qu'elle ne puisse pas finir par s'apercevoir qu'elle était l'élue de mon cœur. Hier encore, au marché Jean-Talon, j'étais allé la retrouver avec ma voiturette pour les aider, elle et sa mère, à transporter leurs achats de fruits et légumes. Sa mère me souriait volontiers, me parlait avec son accent chantant que j'aimais :

— *Comme* va ta *mamma*, Claude ? *Comme* va tes étoudes à l'école ? Dimanche, nous organisons oune pique-nique au parc Lafontaine. Tou aimeras nous accompagner ?

Ah oui, j'étais favorablement accueilli par cette maman Danna. Le papa était un médecin de bonne réputation car il y avait toujours beaucoup de clients dans leur appartement. Ce papa était plus réservé, comme secret, moins amène que la mère, pas du tout bavard. Il me saluait brièvement d'un simple petit signe de tête quand il me voyait rôder autour de sa Cécilia aux cheveux si longs, si noirs. Ce jour-là, j'étais bien décidé, j'allais lui fournir la preuve ultime de mon amour, je la conduirais dans notre cachette du garage des Bédard et je lui donnerais toute ma collection de timbres rares.

Je m'étais levé tôt. Le soleil était si brillant que les clochers de cuivre de Saint-Édouard étincelaient dans l'horizon du Sud. J'avais avalé en vitesse mon jus d'orange, mes céréales Shredded Wheat et une banane. Je m'étais peigné attentivement, avec un coq, m'étais parfumé avec la lotion à barbe de papa. Aller maintenant vers elle, la guetter sur le trottoir... La veille, tante Gertrude était venue de son lointain Verdun pour visiter ma mère :

— Ma très chère Germaine ! Ma meilleure amie du temps du couvent ! s'exclama-t-elle.

Gertrude n'était pas vraiment notre tante, mais nous l'appelions ainsi depuis toujours. Elle venait, certains dimanches, et on riait, nous, les enfants, de la voir chasser ma mère en répétant :

— Va-t'en, Germaine, va-t'en ! Je te donne congé de marmaille, je vais garder tes petits. Va voir une de tes sœurs, va au cinéma, fais ce que tu veux, tu es libre aujourd'hui.

Ma mère riait aussi et, après avoir revêtu ses plus beaux atours, allait voir un film français au *Château*, ou allait visiter une de ses sœurs. Avant de repartir, tante Gertrude m'avait offert une petite boîte de bonbons. Mes préférés, des gelées multicolores enrobées de sucre, en forme de tranches de citron, d'orange. Avant le cadeau des timbres, c'était cette boîte de friandises que je voulais offrir à Cécilia.

Mais rien n'allait se passer comme je l'avais prévu. Terrible journée, effrayante journée que ce samedi matin de printemps, rue Saint-Denis, rue Jean-Talon. Épouvantable journée qui resterait à jamais gravée dans ma mémoire. Jour de congé pas ordinaire, terrifiant pour le bon docteur Danna. Pour Cécilia aussi. Pour toute la famille Danna. Les jonquilles fanaient déjà dans les jardins des riches. Le vent était si doux. Rien ne laissait présager... la guerre au coin de ma rue.

Je sortais donc de chez moi quand je me rendis compte qu'un brouhaha inhabituel animait la rue. Des gens sur tous les balcons. La cohue coin Jean-Talon. Une foule de badauds, captivés par ce remue-ménage d'hommes en uniformes, soldats et policiers, se bousculaient les uns les autres. Tenant fermement ma boîte de bonbons soigneusement enveloppée dans un beau papier bleu, je courus vers l'attroupement. Roland, Tit-Yves et Tit-Gilles y étaient déjà.

— Qu'est-ce qui se passe, les gars?

Ils ne savaient pas. On parlait d'une attaque-surprise. Je voyais des policiers retenant la foule des curieux, les refoulant, les empêchant de s'approcher du rond édifice de briques beiges, la *Casa Italia*. Des policiers en motocyclette roulaient en tout sens, allaient et venaient dans un ballet fou. Il y avait aussi des jeeps de l'armée et quelques gros camions aux peintures de camouflage, bâches ouvertes au vent. La guerre au coin de la rue Jean-Talon! On apercevait des automobiles de la Gendarmerie royale ainsi que des gendarmes à cheval dont les montures se cabraient face aux automobilistes pressés, désobéissants, de la rue Saint-Denis.

On faisait dévier tout véhicule avec de grands gestes impératifs, dans un déploiement jamais vu dans le quartier.

— C'est une descente en règle à la *Casa*, mon vieux! Paraît que c'est un nid d'espions! m'expliqua Roland.

— Une affaire de nazis italiens se proclamant les fils d'Italie! renchérit Tit-Gilles.

Les plus curieux se bousculaient pour mieux voir en cas d'assaut. Je me sentis en danger. Était-ce risqué de rester là? Soudain, remuement général, la police faisait reculer les badauds. Protestations, cris, menaces.

— Venez-vous-en, les gars. On va mieux voir de mon balcon, cria Roland.

On le suivit volontiers. Il habitait la maison au coin, juste avant le champ de piquants, au dernier étage. En effet, juchés là-haut, on avait une vue fameuse sur l'action. On voyait des soldats armés de carabines s'installer sur deux rangées en face de la clinique du docteur Longpré, le «communisse». Face à l'entrée principale de la *Casa*, trois fantassins installaient une effrayante mitrailleuse sur un trépied de fer. La guerre, si lointaine, si abstraite, allait se dérouler sous nos yeux! Cette guerre, qui n'en finissait plus en Europe, venait d'être transportée à deux pas de chez moi !

La mère de Roland, les mains tremblantes de nervosité, nous commanda de rentrer :

— Il pourrait y avoir des grenades incendiaires, des obus, une bombe. Les espions pourraient vouloir se défendre. Rentrez vite, les petits gars. Vous regarderez par la fenêtre !

Roland, farouche, répliqua aussitôt qu'il n'en était pas question. Nous qui collectionnions avec tant d'enthousiasme des cartes illustrées montrant des navires de guerre, des avions militaires, nous qui souhaitions tant aller nous battre comme des héros, navrés d'être trop jeunes pour l'enrôlement, pour rien au monde n'aurions-nous voulu rater cet épisode en vrai. Oh non ! Nous protestions quand nous entendîmes soudainement des rafales de coups de feu venant des fenêtres de la *Casa*. Ça y était ! La vraie guerre ! Pas dans un reportage à la radio, pas dans des photos de journal, sous nos yeux ! Plaisir et frayeur mêlés. Silence subit dans la foule des loustics. Et puis, éclata la stupéfiante crécelle du tir de la mitrailleuse. Réplique immédiate de la part des résistants italiens. Dans un porte-voix électrique, des ordres se firent entendre :

— Rendez-vous ! Résistance inutile ! Vous êtes complètement cernés ! Sortez, les mains sur la tête. Rendez-vous !

Les curieux avaient reculé volontiers cette fois, effarouchés par les premiers coups de feu. C'était sérieux. Certains, plus timorés, avaient couru se mettre à l'abri, s'étaient couchés dans le gazon des parterres chez le notaire Poirier, chez les Dubé.

C'était la guerre ! Hélas, trop brève à notre goût, car on voyait maintenant sortir les assiégés, les mains en l'air. Reddition qui nous décevait, nous, enfants courageux à l'abri sur un balcon. Les Fils d'Italie étaient brutalement enfournés dans les camions kaki ou dans des paniers à salade de la police. Un branle-bas terrible qui faisait pousser des oh! et des ah! d'ébahissement aux voyeurs, qui maintenant se rapprochaient du lieu de ce trop bref combat. Oui, terrible déception pour nous, les Lone Ranger, les Gene Autry du coin. Le conflit mondial aurait pu devenir si réel pour une fois. Du haut de notre refuge, nous aurions tant apprécié une longue et homérique bataille, avec des tirailleurs des deux bords se tirant dessus, s'entretuant, se déployant au beau milieu de notre large rue Saint-Denis, réquisitionnant des autos, des tramways. Nous aurions pu assister à une lutte épique avec des tactiques de stratèges expérimentés que nous aurions ensuite reconstituées cent fois dans notre ruelle. La candeur des enfants! Mais non, ça n'avait été qu'une simple escarmouche, un face à face trop vite terminé.

Déjà, hélas, hélas, les policiers s'en allaient, les soldats envahissaient la *Casa*, si vite désarmée, et les curieux se dispersaient lentement. La guerre de la rue Jean-Talon avait duré dix minutes. Encore énervée, madame Devault nous offrit des biscuits en forme de feuilles d'érable. Je les refusai. Roland, pas moins déçu que nous tous, me regarda:

— Qu'est-ce tu tiens dans ta main, Tit-Claude? Un cadeau? C'est pour nous autres?

Je m'esquivai rapidement, cachant mon cadeau bleu. Je descendis l'escalier intérieur, puis celui de l'extérieur, en tire-bouchon comme tous les escaliers de ma rue. Sur le trottoir, certains badauds discutaient ferme, persistaient à vouloir comprendre le nœud de l'attaque éclair. J'écoutai les commentaires improvisés:

— Ça va être le bagne pour eux! Ils vont se faire fusiller! Ils vont rejoindre le maire Houde et les autres!

Les policiers invitaient les gens à se disperser, se refusant à toute explication sur cette opération militaire. Rendu devant chez moi, j'entendis des : « C'étaient des collaborateurs du dictateur Mussolini ! » ou encore : « Il s'agit d'une cinquième colonne ! » Des fascistes ! Drôle de mot ! Je ne comprenais pas car, pour nous, il y avait, d'un côté, les bons, nous autres avec les Anglais, les Américains, et, de l'autre, les méchants, ces sales Boches de l'Allemagne d'Hitler et les Japonais. Mais les Italiens ? Nos voisins italiens ? Qu'avaient-ils en commun avec les soldats du catholique dictateur Mussolini ? Non, je ne comprenais pas. Papa, me voyant revenir, gronda :

— Ah ! te voilà, innocent ! Veux-tu bien me dire ce qui t'a pris d'aller écornifler là-bas ? Tu sentais donc pas le danger ? T'aurais pu recevoir une balle perdue en plein front, tête folle, girouette ! Reste ici, sur notre balcon. Ne bouge plus.

Un client descendit vers son restaurant avec des bouteilles vides et papa le suivit. Ouf ! Libre !

La guerre aux espions n'était pas tout à fait terminée. Des militaires vinrent sonner à quelques portes. Ils tenaient des papiers à la main, vérifiant des adresses. Ils avaient, c'était clair, une liste de suspects. Ils sonnaient chez l'un ou chez l'autre de nos voisins italiens, chez le notaire Corbo, chez l'avocat Mancuso, chez le docteur Panaschio. Je les vois se diriger chez la maison du docteur Danna ! Le papa de Cécilia soupçonné d'espionnage ? Mon père m'avait déjà dit :

— Paraîtrait que certains de nos Italiens auraient des radios-émetteurs à ondes courtes dans leur cave pour communiquer avec les gens du *Duce* !

Je me précipitai sur les lieux au moment même où une voiture de police se stationnait devant la maison. Les policiers en sortirent, laissant les portières grandes ouvertes. Ils sonnèrent, ayant sans doute un mandat d'amener. On ne venait pas vite ouvrir. Ils donnèrent quelques coups de pied dans la porte des Danna. Des voisins s'étaient attroupés, les Desbarrats, les Thériault, les Légaré.

Le père de Cécilia ouvrit enfin, découvrant tous les voisins sur le trottoir. Le docteur osa parlementer avec les policiers avec de grands gestes de supplication. Le cœur me débattait. Allaient-ils le battre, allaient-ils l'assommer? Résisterait-il? Cécilia m'apparaîtrait-elle en larmes? Allaient-ils amener femme et enfants? Non! Les policiers rebroussaient chemin. Le docteur m'avait aperçu, avait hésité un instant avant de refermer la porte. Avait-il eu honte, lui qu'on voulait ramasser comme un hors-la-loi? Les policiers se réinstallèrent dans leur bagnole. À toute vitesse, sirène hurlante, ils foncèrent vers la rue Bélanger, tournèrent dans notre ruelle avec des crissements de pneus. Le blanchisseur chinois du coin était sorti de son échoppe, agitant les bras, très inquiet. Avec d'autres badauds, je courus vers la ruelle. Les policiers freinèrent brusquement vis-à-vis de la cour arrière des Danna. Le docteur sortit avec un sac et une petite valise. On lui passa les menottes! Larmes et cris de l'épouse! Cécila pleurait et se cachait le visage. Le médecin monta docilement dans la voiture. Sirène toujours mugissante, la voiture de police fila vers le nord. Un gros chat marcoux effarouché par le bolide grimpa dans un poteau de cordes à linge. Sur la galerie, je vis madame Danna qui caressait la tête de sa fillette. Je vis les deux petits frères de Cécilia tirant farouchement sur les rideaux de la fenêtre de cuisine. Je serrai contre moi ma boîte de bonbons en gelée. Ce n'était pas le moment. Pour la consoler, j'osai entrer dans la cour. Cécilia pleurait de plus belle. Elle me vit. Elle me tourna le dos et rentra chez elle. Sa mère me dit :

— C'est une erreur, Claude. Ce n'est pas grave. Ils se
sont trompés. Ils vont nous le rendre bientôt.

Le soleil faisait reluire le fer-blanc des hangars. Les
chiens de chasse des Bédard aboyaient comme des
enragés. J'ai lancé un gros caillou dans leur cour grilla-
gée. Silence! Une voisine, madame Alarie, secouait
énergiquement sa vadrouille. Nuage de poussière. Se
pouvait-il que le père de Cécilia, dans sa cave, des écou-
teurs sur les oreilles, ait livré de lourds secrets d'État aux
ennemis? aux méchants? Non, ça ne se pouvait pas. Un
si bon docteur. C'était impossible. Je le connaissais, je
l'avais vu reconduisant ses patients sur son perron, généreux, compréhensif et tout. Il soignait même le gazé de
1914, Coco-la-guerre. Dans nos bandes dessinées, l'ennemi avait un regard torve, une gueule de satrape, était
bas sur pattes, avait des jambes croches et un faciès de
gorille, pas le doux visage du docteur Danna, notre
voisin. Oui, c'était sans doute une erreur. Madame
Danna disait vrai. J'allais rentrer, très peiné, quand Tit-
Gilles, Tit-Yves et Roland m'apparurent au bout de la
ruelle avec un gant et une mitaine de receveur de
baseball, une grosse balle de *soft-ball* décousue et un
bâton bien verni.
— Tit-Claude! Arrive! On va prendre notre revanche. Tit-Rouge Colliza s'en vient avec sa gang. On va les
battre à plate couture. On va aller chercher le grand
Turcotte et le gros Pit Godon.
Avec un morceau de plâtre, Roland dessina les trois
bases du jeu, puis une grande croix gammée sur la
palissade de la cour des Venna et des Palange. La cruauté
des enfants, comme toujours. J'ai dit à Tit-Gilles : « La
police va regretter son erreur. Le docteur Danna est un
saint homme, tout le monde sait ça. » Et puis, le cœur en
compote, j'ai dit que j'avais une corvée à faire pour ma

mère. Je mentais. J'avais besoin de réfléchir, je voulais être seul pour penser à Cécilia, trouver un moyen de la consoler. Je me disais qu'elle avait sans doute honte de son père et je savais que c'était un sentiment accablant.

Chez moi, mon père m'entraîne au boudoir, s'agenouille devant notre grosse radio Marconi et me dit :

— Écoute bien ça. En farfouillant sur les ondes courtes, j'ai fini par réussir à synthoniser Rome ! Oui, mon Claude, Radio-Vatican ! Ouvre tes oreilles, écoute bien, c'est en italien mais c'est le pape ! Le pape !

J'ai ouvert la boîte de gelées, j'ai avalé un des bonbons en forme de tranche d'orange. Je suis allé porter la boîte sur la commode de la chambre de Marcelle. C'était son anniversaire la veille et je ne lui avais rien donné. La friandise avalée avait un goût vinaigré !

CHAPITRE 22

Un dimanche pluvieux

TROP DE SUCRERIES ? Nous avions souvent des maux de dents. Nous n'osions pas trop nous en plaindre tant nous craignions ce bourreau d'enfants, ce monstre, le dentiste. Ils étaient nombreux dans notre rue. Quand l'un des dentistes du quartier nous croisait, nous refusions de le voir, nous souhaitions devenir subitement invisibles ! Nous détournions le regard. Mieux, nous changions carrément de trottoir. Un simple regard du bourreau, pensions-nous, pouvait nous projeter dans son maudit fauteuil pivotant. S'il nous croisait dans une rue, il pourrait nous arrêter et dire : « Ouvre la bouche, mon petit bonhomme ! » Et alors, bang ! sa découverte d'une dent cariée serait suivie d'un avertissement expédié aux parents. Résultat : une autre terrifiante visite au cabinet de torture.

À cette époque, l'homme au fauteuil pivotant faisait mal, ne possédant aucun moyen pour atténuer la douleur. Avant tout, il avait sa fraise qui ne tournait pas vite, sans parler de son affreuse pince. Une grosse ! « Comme celle pour casser des noix », disions-nous. Parfois, pas moyen de faire autrement, après une nuit blanche, nous osions avouer :

— J'ai mal aux dents !

La douleur avait gagné sur notre peur. Trop tard alors, il fallait s'armer de courage et suivre notre mère :

— Bon, arrive ! On y va !

Nous y allions, blêmes, appréhendant le pire. Ma mère traînait son tricot à la salle d'attente. Nous entendions les cris de la victime du moment, la porte du cabinet du despote n'étant pas suffisamment capitonnée pour étouffer les clameurs. Sueurs froides ! Et notre tour arrivait toujours trop tôt ! Nous y allions comme Louis XVI alla à la guillotine ! Une fois que nous étions assis, le sadique triait ses outils machiavéliques et nous nous promettions de ne pas crier pour ne pas faire honte à maman qui tricotait.

— Ouvre bien grand !

« Jésus, Marie, Joseph, secourez-moi ! »

Ce dimanche-là, Roland nous révéla que, dès lundi après l'école, il devait monter à l'échafaud pour une molaire pourrie. Roland le faraud avait très peur. Même lui ! Il pleuvait. Nous étions sur le balcon de Tit-Gilles, voisin justement du dentiste Dupras, et nous discutions le coup, à savoir lequel de nos dentistes était le plus sadique. Nous faisions des comparaisons. Le dentiste Dupras — j'avais visité assez souvent son fauteuil des tortures — était, selon moi, le lauréat. Tit-Yves ripostait :

— Tit-Claude, parle pas trop, on voit bien que tu connais pas notre dentiste Marion. Il est petit et maigre, beau sourire, belles façons, mais une fois derrière sa chaise, une fois sa pince dans la main, il se change en monstre du docteur Frankenstein !

Roland, à son tour, enchaînait :

— Pardez pas votre temps à comparer Dupras et Marion. Allez une fois, juste une fois, chez le dentiste Coutu, oui, le père de Tit-Jean ! C'est le Dracula de la rue de Castelnau ! Vous m'en donnerez des nouvelles. La dernière fois, j'ai saigné pendant deux jours. Un boucher, calvinas, un vra boucher !

Vincelette, à son tour, ne tarissait pas sur le dentiste Chapdelaine, son arracheur de dents de l'autre côté de la rue :

— Après avoir zigonné avec ses grattoirs fourchus pis sa maudite *drill*, il passe sa pince sous tes yeux et il rit ! Oui, oui, les gars, il rit, et plus tu brailles, plus il rit. Un fou !

Chacun de nous avait affaire au pire bourreau d'enfants. J'avais essayé, pour remporter la palme du martyre, de décrire mon dentiste Dupras :

— Avec sa face de gorille, il te pousse d'abord rudement dans la chaise. Ensuite, c'est le coup du petit miroir. Le maniaque te farfouille, te gratte, te creuse, cherchant sa bête noire. Puis il émet des gloussements de satisfaction. Il a l'air de vouloir te découper la gueule en petits morceaux. Dupras porte toujours une blouse pas de manches pour que tu voies ses bras musclés et poilus, pour bien te faire sentir que ta résistance, c'est une perte de temps. Quand ta dent sort pas de son trou assez vite à son goût, *watch out*! le bonhomme s'excite. Il te plaque un genou sur ta cuisse, un coude sur ta poitrine et il gueule ! Oui, il engueule ta dent ! Il sacre, on dirait un possédé du démon ! Quand il finit par arracher la dent pourrie, il court la montrer à ta mère ! Et toi, mon vieux, t'existes plus. Tu craches le sang, mais tu ne l'intéresses plus une miette. Il ne pense qu'à son trophée. Il brandit ta molaire dans ta face en ricanant : « La veux-tu ? Veux-tu la garder en souvenir ? »

Roland n'était pas rassuré par nos évocations et il affichait une mine qui collait tout à fait au temps qu'il faisait. Il frottait sa joue enflée, méditatif, donnait de grands coups de pied dans la balustrade chez Tit-Gilles, où nous nous morfondions d'ennui.

— Ousse qu'on va? Qu'esse qu'on fa?

La pluie, un jour d'école, c'était tolérable mais, un dimanche, c'était désolant. Il pleuvait depuis la veille au soir. Une pluie agaçante qui tombait à torrents pendant quinze minutes puis s'arrêtait net, et hop! ça reprenait. Le ciel, au-dessus de Villeray, était couvert de draps sales avec plein de zones noirâtres aux quatre horizons. De toute évidence, le soleil serait absent longtemps. Tit-Yves dit:

— Il devrait y avoir une loi écrite dans le ciel: « Pas de pluie les jours de congé! » J'ai pas raison, gang?

Pourtant, à midi, il y avait eu quelques éclaircies, corridors célestes de clarté; pendaient du firmament des banderoles délavées comme mises à sécher, bannières d'une blancheur douteuse qui s'effilochaient. Le vent de ce lendemain d'Halloween soufflait de l'ouest et, de ce côté, le ciel s'avançait en un tas de catafalques apeurants. Ce deuil céleste était l'annonce d'un orage. Un orage électrique si on en jugeait par les grondements lointains qui se faisaient entendre et les éclairs brefs qui illuminaient ce ciel d'apocalypse. Tit-Yves soupira:

— Mosus, où c'est qu'on irait ben?

Roland, se tenant la joue gauche, grogna sans trop ouvrir la bouche:

— Mal à ma dent! Cibolac, que j'ai mal!

Quoi faire? Où aller? Ces jours de pluie, nous n'avions qu'un but, qu'une envie: nous éloigner de la maison, partir pour n'importe où. Surtout, ne pas rester enfermés dans le logis familial quand toutes nos sœurs y étaient. Et puis, c'était dimanche, alors, beau temps, mauvais temps, nous aimions aller quelque part, visiter n'importe quoi. Pas question pour moi de demander à mes parents: « Qu'est-ce qu'on fait? Où va-t-on? » Non seulement mon père n'avait pas d'automobile, mais il travaillait tous les jours à sa gargote, le dimanche inclus. Quand, comme moi, on va avoir bientôt douze ans, plus question de jouer au parchési, au bingo, aux puces ou aux dominos, assis autour d'une table de cuisine ; je n'étais plus un bébé-lala ! Nous n'allions tout de même pas passer la journée sur le balcon de Tit-Gilles ! La pluie avait cessé un moment. Nous faisions pitié, nous examinions méticuleusement le ciel, nous faisions des pronostics :

— Ouais... D'après ce que je peux voir, les gars, le vent a tourné et toute cette noirceur fonce vers le bas de la ville. On peut entreprendre une randonnée.

Un autre proclama :

— Bon ! Qu'il mouille qu'il mouille pas, on a nos impers, nos bottes, on fonce. On n'est pas en chocolat, maudit verrat ! On y va ! On part !

J'avais dit :

— On va où ? On part pour où ?

Tit-Gilles trancha :

— On va à gare Jean-Talon, on s'achète une liqueur, un petit gâteau, pis on regarde circuler les voyageurs. Venez-vous-en, viarge ! On a assez poireauté.

Nous y étions allés quelques fois comme pour nous dépayser, imaginer des voyages. Unanimité : nous irions voir les trains.

En tournant le coin, rue Jean-Talon, nous aperçûmes un des chauffeurs de taxi du champ aux piquants qui se tenait après un lampadaire et vomissait. Le fou à Rosaire dansait tout autour, jouant de son harmonica. Un autre chauffeur, voyant notre curiosité pour son collègue aux abois, nous lança :

— Faites-vous-en pas, les petits gars. C'est Jack. Il a bu pour noyer sa peine. Sa femme est morte cette semaine. A y a laissé quatre enfants sur les bras !

Nous passâmes notre chemin, ne sachant jamais quoi dire quand les grandes personnes nous flanquaient un pan de leur vie intime dans les oreilles.

Rendu devant le cordonnier Colliza, Roland le faraud lança soudain :

— J'sais pas ce que je ferais si ma mère mourait. Est toujours malade. A reste étendue des heures de temps sur le *chesterfield* du salon.

Nous continuâmes de marcher en silence. C'était si rare d'entendre Roland se livrer ! Je pensais à ma mère presque toujours peppée, en forme, jacassant avec toutes les voisines en étendant sa lessive. Elle ne pouvait pas mourir, elle n'avait pas le temps ! Même pas le temps d'être malade. On était trop nombreux chez nous. S'il fallait... ce serait terrible avec Marielle qui a dix ans, Raynald qui n'a que sept ans, Nicole qui n'a pas cinq ans tout à fait, et la petite, Marie-Reine, qui parle à peine. On avait tant besoin de notre mère. Mon père deviendrait fou, il vomirait du matin jusqu'au soir, c'est certain. Et nous ? Serions-nous tous placés à l'orphelinat Saint-Arsène ?

On aurait dit que la pluie se retenait de tomber. Nous la sentions toute proche au-dessus de nos têtes. Il fallait nous hâter pour éviter la douche. Nous avions traversé en courant la rue De Gaspé, puis la rue Casgrain et la rue Saint-Dominique où gueulait le grand blond à Chapleau, vendeur du *sweepstake* irlandais clandestin. Il changeait son pneu crevé, les cheveux dans le visage, accroupi, le cric dans ses mains sales. Nous traversions la rue Saint-Laurent quand Tit-Yves, regardant au sud, dit :

— S'il y avait juste un peu de soleil, on irait louer des bicycles chez Baggio ! On a eu tellement de *fun* dimanche dernier, pas vrai ?

Moi, je me disais : « Décembre s'en vient. Ce sera bientôt l'hiver, la neige, la patinoire. » Dans huit jours, ça allait être mon anniversaire. J'espérais que mes parents se décideraient à me faire cadeau d'une paire de patins neufs. Les miens, achetés de seconde main, rouillaient à vue d'œil et me faisaient mal aux orteils tant ils étaient étroits. Je les avais reçus à dix ans. En deux ans, les pieds des enfants, ça pousse. Ils ne pouvaient donc pas comprendre ça ?

Nous avions traversé la rue Clark. Un vieillard barbu, près du garage Joly, fouillait dans un énorme bac à ordures. Rue Saint-Urbain, un camion de patates frites surgit. Nous entendîmes son petit sifflet aguicheur. La bonne odeur des frites lui chatouillant les narines, Tit-Gilles s'agita :

— Les gars ! On s'achète un sac de patates frites avec ben du sel pis ben du vinaigre ! OK ?

Roland salivait, mais grimaçait aussi, se frottant énergiquement la joue :

— J'ai mal à ma dent. Ça rempire, tabarnouche !

Nous comptions nos sous, les yeux rivés sur la roulotte de frites, quand Tit-Yves nous mit en garde :

— Minute ! Vous connaissez les gardiens de la gare ? Si on achète rien à leur *snack-bar*, ils vont nous sacrer dehors !

Il avait raison. Nous regardâmes tristement s'éloigner le camion de frites, qui ne sifflait pour personne !

Nous marchions d'un pas de frustrés vers la gare de l'avenue du Parc. Nous avions traversé du côté nord de la rue. Un tramway Jean-Talon s'arrêta. Des passagers en descendirent, secs. D'autres, trempés jusqu'aux os, y montèrent. Une fenêtre s'ouvrit en grinçant. Deux mains s'agitèrent, papillons blancs énervés. Des cris : « Moéneau! Cloclo!» Vincelette se démenait, se tortillait, à genoux sur la banquette de son tramway:

— Où c'est que vous vous en allez, la gang? Vous voyez pas que l'orage va péter?

Vincelette agitait sa correspondance, semblait étrenner des vêtements neufs. Tit-Yves cria:

— On s'en va prendre le train pour New York, Vincelette la b'lette!

Le tram se remettait en branle. Je mis mes mains en porte-voix pour que Vincelette puisse m'entendre:

— Toé, la b'lette, tu t'en vas où?

Son tramway s'éloignant, nous entendîmes tout de même:

— Aux courses de chevaux! À Blue Bonnets!

Il allait aux courses? Son père était donc un *gambleur*? Nous n'en revenions pas!

J'essayais vainement de me représenter un endroit de ce genre. Je n'en avais jamais vu. J'imaginais un immense terrain, des chevaux qui coursent avec des numéros imprimés sur les reins, des estrades remplies de parieurs anxieux qui guettent leur cheval favori avec des jumelles. On y gagnait de l'argent facilement. On en perdait beaucoup le plus souvent, selon ce que j'avais entendu dire. Mes parents maudissaient ces lieux. Ma mère:

— C'est un endroit pour ruiner les familles. Le curé l'a dit un dimanche: «Les courses, c'est le pain qu'on arrache de la bouche de ses enfants!»

Mon père:

— C'est une calamité! De pauvres travailleurs sans cervelle y vont et ils se retrouvent en prison pour dettes. Les gageures, les jeux de hasard, c'est un vice ignoble. Notre premier ministre Duplessis devrait passer un décret pour mettre la hache dans les champs de course.

La pluie, très soudainement, tomba en averses denses. Le ciel d'ardoise s'illuminait d'éclairs à répétition et le tonnerre faisait vrombir l'air. Heureusement, nous étions justement sous le viaduc des voies ferrées. Tit-Gilles s'exclama :

— Avez-vous vu ça, les gars, on entre dans le tunnel pis, badang, l'orage ! C'est ça, la *luck*. La *flouxe*, on l'a avec nous autres.

Avoir la *flouxe* ! On en parlait tout le temps. On l'appelait sur nous en toutes circonstances : pour gagner une partie de billes, pour arriver premier dans une course ou pour réussir un examen. Ainsi, j'ouvrais une boîte de *cracker Jack* et je fermais les yeux : « Faites que je sois *lucké*, que je trouve une bague à la couleur de ma pierre de naissance. »

Je n'en trouvais jamais. Je souhaitais la *luck*, mais mon *pop corn* caramélisé n'était jamais *blod* avec moi ! Jamais je ne trouvais de bague jaune topaze, couleur de novembre. J'en trouvais souvent des rouges et je les donnais à Marielle, née en janvier. Quand ce bijou-cadeau était bleu, je le donnais à Marcelle ou à mon petit frère Raynald, tous deux nés en mars. À l'école, je ne gagnais jamais rien aux fréquents tirages des professeurs. Je choisissais toujours le chiffre huit car je m'étais convaincu qu'il allait être mon chiffre de chance. J'en étais arrivé à penser que je n'étais pas doué pour la *luck*, que toute ma vie il faudrait que je fasse sans la *flouxe*.

Sous le tunnel, Roland avait dit :

— Maudite pluie en marde ! Ça va-ti finir par finir ?

Nous étions las de décrypter les graffitis des murs du tunnel. Nous y lisions des mots d'amour en riant : « Ginette aime Jacques ! », « Maurice aime Lison ! », « Raymonde mon amour ! » Aussi, des cochonneries, des obscénités qui nous intriguaient, nous laissaient songeurs. Pourquoi tous ces dessins grotesques de djos, ces seins démesurés griffonnés avec des pics, des clous, du plâtre ? Pour qui ? Pourquoi donc toutes ces pissettes avec des couilles gigantesques ? À onze ans, ce monde des graffiteurs nous étonnait, avec des « Mort aux chiens sales de police ! », des « Je te tuerai, chien de Cotroni ! » En toutes petites lettres de peinture rose, je découvris : « Je t'aime pour toute la vie. Jeanne. » Puis, en grosses lettres roses : « Je rêve d'amener Line à la mer ! » Roland ramassa un tesson de vitre et traça en grosses lettres tassées : « MALAMADENT ! » On finit par déchiffrer son graffiti : « Mal à ma dent ! » À onze ans, tous ces murs parlants nous intriguaient.

Tit-Gilles cria et sa voix fit un écho formidable dans le tunnel :

— Bon, ça suffit ! On n'en mourra pas. On court jusqu'à la gare. C'est même pas deux coins de rue.

Il fila comme flèche et nous le suivîmes tous. Nous nous engouffrâmes dans la gare, haletants et mouillés. Nous aimions ce bel édifice. Il en imposait avec sa fière colonnade. Nous aimions l'atmosphère du lieu, le plafond du hall central, si haut, les balcons aux arabesques de fer forgé, l'énorme horloge, les tableaux noirs remplis de noms de lieux et d'horaires, le granit luisant sur le sol, les socles de marbre des torchères électriques en verre mordoré. Tout cela nous impressionnait. Nous n'avions pas beaucoup de lieux publics de cette qualité et, pour une fois, ce n'était pas une église. J'aimais aussi observer tous ces voyageurs pressés, avec des valises, qui allaient et venaient dans le hall. Ils avaient un but, un endroit où se rendre. Un jour, me disais-je, moi aussi, je serais un de ces adultes. J'aurais mes billets et je saurais où je vais. Je visiterais des villes étrangères. J'irais loin, très loin, dans une de ces cités dont un mégaphone hurlait de temps à autre les noms :

— *Attentchonne! Attentchonne! Bostonne, Niou York, Chikago, Filadelfia. Doors number six, seven and nine! Bi rédé plize!*

Nous étions trempés. Après avoir enlevé nos imperméables, comme des hommes, de petits hommes, nous avions pris des mines sérieuses, des airs préoccupés, histoire de ne pas nous signaler aux vigiles. Nous laissions le passage à des Nègres qui poussaient des chariots débordants de malles. Nous marchions avec lenteur, solennels comme la gare elle-même, vers le comptoir des friandises. Avec nos sodas, nos pâtisseries à bon marché, comme les autres fois, nous nous étions installés sur un des beaux bancs de chêne laqué. Nous avions dévoré au ralenti cette collation du dimanche après-midi. Il ne nous restait plus un seul sou. Après que nous nous soyons rapprochés des quais pour reluquer de près une locomotive qui fumait comme un percheron en hiver, un gardien finissait toujours par venir nous demander si nous avions nos tickets d'embarquement; nous regagnions notre banc. Roland se tapotait la joue:

— Mal à ma dent, torpinouche!

Chaque fois que nous venions flâner à la gare Jean-Talon, au bout d'une heure ou deux nous nous demandions:

— Où est-ce qu'on pourrait bien aller maintenant? À quel endroit pourrions-nous nous rendre sans qu'il nous en coûte un sou?

Chaque fois, nous nous creusions les méninges. J'avais aperçu, ce dimanche-là, le frère de papa, l'oncle Léo. Cantinier du CPR, il revenait sans doute d'une de ses navettes quotidiennes, Québec-Montréal, Montréal-Québec. Il m'avait paru si vieux, tout courbé, épuisé même. Poussant son chariot de bouteilles vides, sa casquette du Pacific Railways à l'arrière de la tête, il se dirigeait vers son *locker*. Il ne m'avait pas vu. J'aurais été gêné, je ne sais trop de quoi. C'était idiot. Nous n'aimions pas être vus en gang par un parent. Je m'étais sauvé de lui en entraînant les autres derrière moi :

— On s'en va ! On débarrasse la place.

Les trains pouvaient arriver ou partir sans nous, pauvres tit-culs sans argent. « Bon débarras », semblait dire un gardien en ajustant sa casquette.

— Les gars, ça fait longtemps qu'on n'a pas vu le Musée des sourds et muets ! tenta Tit-Gilles.

Roland grimaça à cette suggestion pas très excitante. Le dernier étage de cette institution tenue par les Clercs de Saint-Viateur avait été transformé en modeste musée naturaliste. On y voyait quelques animaux empaillés, une collection d'insectes et une autre de plantes diverses.

— C'est vrai, dit Tit-Yves. La dernière fois qu'on l'a visité, ça doit faire six mois. Ils ont peut-être fait des changements.

Nous quittâmes cette salle des pas perdus où nous avions ajouté ceux des enfants qui s'ennuient les dimanches de pluie. Nous nous dirigeâmes vers la sortie en espérant que la pluie avait cessé. Sous une arche, un haut-parleur appelait les voyageurs : « *All aboard* ! En voiture ! » Suivit un fracas à faire grincer des dents. Des bielles s'activèrent, le sifflet à vapeur de la locomotive déchira l'air et, au même moment, huit semelles crêpelées levèrent le pied en cadence vers l'extérieur de la gare.

Dehors, la pluie avait cessé. À l'ouest, le ciel de cette fin d'après-midi de novembre virait au violet. Pas de soleil, mais une étrange lumière mauve et jaune. Nous avions retraversé le tunnel et avions tourné au nord, dans la rue Saint-Laurent. À l'angle de la rue Molière, j'avais regardé l'usine de vêtements où travaillait maintenant Lucille, l'aînée de la famille. Je m'étais dit qu'elle était chanceuse d'avoir pu quitter l'école des pisseuses, d'être libre, d'avoir un salaire. Arrivés devant l'édifice, nous avons lu à voix haute, en chœur, l'inscription gravée du fronton : « Institut des sourds et muets ». Là aussi, des colonnes imposantes, un large escalier. À l'intérieur, une haute statue sculptée : saint Viateur lui-même !

Au dernier étage de l'Institut, aucun visiteur. Nous nous sommes approchés des étalages des taxidermistes : une loutre, un castor, une martre, un vison, une mouffette — la sale bête —, un rat musqué, un raton laveur avec son masque noir sur les yeux. Enfin, un renard et un loup.

— Regardez la gueule du *raccoon* pleine de dents cariées ! rigola Roland, qui sembla avoir moins mal à la sienne.

Nous allions sans enthousiasme d'une vitrine à l'autre. Section ornithologie : deux aigles aux ailes dépliées. Je m'y attardai. J'aimais les aigles. Tit-Yves, lui, examinait les papillons. Tit-Gilles était resté à l'écart, n'en finissant plus d'admirer le renard et le loup. On répugnait à lire les étiquettes couvertes d'explications scientifiques. L'école, c'était bon pour les jours de semaine. Nous regardions tout cela avec les yeux de garçons ennuyés. C'était, sous un éclairage pauvre, le spectacle mort de la mort. Nous rêvions si souvent d'aller dans une vraie forêt, de rencontrer des bêtes qui se sauveraient de nos arcs à flèches !

Soudain, bruits de pas, deux portes s'ouvrirent toutes grandes et une classe de garçons de notre âge fit son entrée. Nous nous regardions : ils devaient être une vingtaine au moins. Quel silence étonnant, pas un seul mot ! Ces garçons de notre âge défilaient en suivant docilement un religieux qui agitait ses deux mains. Bientôt, nous comprîmes qu'ils étaient des enfants sourds. Mal à l'aise, nous ne parlions plus, nous ne chuchotions même pas. Par une sorte de solidarité face à ces garçons infirmes, nous gardions le silence. Pudeur sans doute. Gêne d'être capables, nous, de parler tant que nous le voulions, de crier à volonté, de ne pas avoir besoin de quelqu'un pour nous faire des signes avec les mains. Les enfants sourds nous épiaient du coin de l'œil et nous en étions embarrassés. Nous nous sentions des intrus. Un petit rondelet aux cheveux blonds, avec un beau sourire, nous suivait des yeux. Je me demandais : « Comment communiquer avec ce garçon qui, depuis sa naissance, n'a jamais pu entendre une voix humaine ? » Tit-Yves vint me sortir de ma jonglerie en me chuchotant :

— Viens, on s'en va. C'est leur musée, après tout.

Je le suivis avec empressement. Tit-Gilles quitta le loup à regret et suivit Roland, qui frottait sa joue enflée :

— Ma dent m'élance que l'yable ! En rentrant à maison, je vas l'attacher après une poignée de porte, pis crac !

Lui aussi chuchotait, par respect instinctif pour les enfants muets.

La pluie tombait de plus belle dans la rue Saint-Laurent, fine mais très abondante. Le tonnerre s'était tu et le ciel, vidé de ses éclairs et maintenant brunâtre, s'assombrissait de plus en plus. Une fois dehors, Roland, libéré comme nous tous d'un profond malaise, avait crié à tue-tête :

— Les gars ! On fait une course : le premier rendu au coin de Jean-Talon et Saint-Denis ! OK ? Un ! Deux ! Trois ! *Go* !

Au *spot* des *taximen*, coin Jean-Talon, Rosaire l'harmonica, une poche sur la tête, vit venir vers lui quatre jeunes coureurs luisants de pluie qui criaient, qui pouvaient crier, eux ! L'idiot du coin ne savait pas qu'ils criaient comme pour remercier le ciel de pouvoir parler et entendre. Entendre tout, leurs voix, le bruit des tramways, la pluie qui tombe, les clameurs de leur quartier.

Avant qu'il ne grimpe dans son escalier, j'avais lancé à mon ami :

— Roland ? Oublie donc ça, la poignée de porte, et bonne chance pour demain !

CHAPITRE 23

Un safari

À NOS YEUX D'ENFANTS, quel carnage c'était! Nous avions onze ans. Nous étions fiers et inquiets à la fois. Prudents et excités. Les chats de ruelle fuyaient en tous sens. Nos manches de moppe les terrorisaient. Pauvres bêtes! Nous en voyions, devenus fous, qui traversaient à toute vitesse la rue Bélanger ou la rue Jean-Talon, au milieu de la circulation, fuyant cette ruelle aux gladiateurs! C'était le nettoyage des nettoyages. Roland, fier comme Artaban, exultait. Il avait été l'organisateur de ce mémorable safari aux chats. Dès le début des hostilités, deux cadavres gisaient au milieu du champ formé par deux cours non clôturées, là où se livraient nos parties de *soft-ball*. André Thériault, installé à une lucarne de sa *shed*, avait vu se dérouler cette guerre sans y participer. «Trop jeune», avait décrété notre chef de safari. Un vrai combat, enfin! Étions-nous las d'occire des ennemis invisibles avec nos pow! pow! de revolvers-jouets? Ce jour-là, enfin, nous avions livré bataille à des être vivants: des chats.

Qu'ils nous semblaient puérils, ces combats où l'on se tuait plusieurs fois par jour sans vraiment mourir, où l'on prenait des poses tragiques observées au cinéma, où l'on se relevait, après chaque coup de carabine à air comprimé, pour se faire tuer de nouveau. Cette chasse n'était pas un jeu de pantomime. Les chats qu'on venait de tuer ne se relèveraient jamais. Il faut dire qu'en ce temps-là les matous se multipliaient de façon inquiétante. Ma mère m'avait déjà dit:

— C'est une peste, une vraie épidémie alentour, tous ces chats de gouttière!

Madame Denis, madame Le Houiller, le gros monsieur Provost, tous les voisins en étaient conscients: il y avait trop de ces félins sans médaille dans notre ruelle. Odeur de pisse partout. Insupportable quand la neige fondait. Certains soirs d'été, les ardents miaulements des félins en chaleur empêchaient les gens de dormir. Une réalité accablante. Il y en avait partout. Ils vivaient terrés sous des hangars, sous des galeries, au fond de garages vacants. Ils se nourrissaient de rebuts. La plupart des poubelles n'avaient pas de couvercle et ces bêtes sans propriétaire n'avaient qu'à lutter contre les nuées de mouches pour attraper des restes de table et grossir. Il y en avait de très lourds, les plus agressifs. La noirceur venue, on pouvait les entendre se battre comme des tigres enragés ou bien tenter de copuler en miaulant comme des putois.

Une voisine de Roland le matamore lui avait dit:

— Mon beau Roland, tu connais Coquette, ma jolie chatte de Perse? C'est une bête de race payée les yeux de la tête. Eh bien, les marcoux — d'où pouvait bien venir cette appellation? — viennent la tourmenter dès qu'elle sort le museau. Je vais la faire opérer si ça continue et elle sera si malheureuse. C'est un fléau, une véritable calamité que tous ces chats errants.

Roland admirait la chatte persane de madame Lafleur. Il allait secourir cette propriétaire d'une bête de grand prix. Il s'engagea à régler le problème. Il allait se montrer utile, indispensable et héroïque. Il organiserait sa solution finale.

En cet après-midi de fin d'avril, Roland tint une réunion stratégique. Il avait un plan. Fini cette engeance à moustaches, à quatre pattes, à queue en l'air, à miaulements intempestifs. Cela avait assez duré, selon lui. Ce serait, aujourd'hui, samedi, la fin du règne maudit par tous. Son plan? Nous formerions deux équipes de chasseurs. Au sud, à partir du cinéma *Château*, trois gars : Turcotte, armé de sa lance, accompagné de Vincelette et Tit-Gilles en rabatteurs. Au nord, Roland serait le tueur à la lance. Moi et Tit-Yves, munis de sabres de bois et de couvercles de poubelle, ferions du vacarme, débusquant ces sans-médaille des dessous de galeries, des *sheds* et des cabanons. Notre tintamarre assourdissant allait forcer ces sans-*pedigree* à sortir de leurs domaines pourris. Débusqués, les marcoux deviendraient des cibles faciles pour Turcotte au sud et pour Roland au nord. Peu à peu, le piège se resserrant, toutes ces sales bêtes se retrouveraient au beau milieu de la ruelle, juste en face des Thériault. Et bang, bang, bang!

— S'il le faut, avait dit Roland, nous referons la même battue une deuxième fois.

Comme toujours, j'avais accepté ma tâche sans trop montrer ma répugnance. Après tout, je ne serais pas vraiment responsable pour les morts.

Roland donna le signal du *stampede* aux chats de ruelle par un long coup de sifflet — on avait tous un sifflet, un canif— et, avec Tit-Yves, je courus dans sa cour battre campagne avec des cris, des sons assourdissants. Bientôt — je frappais la tôle d'un hangar chez les Theasdale —, un chat orangé, crasseux, s'enfuit vers la ruelle. À côté, chez les Maher, un autre matou fila en miaulant d'épouvante. C'était une grosse bête noire, tachetée de blanc, à l'œil crevé, au pelage miteux.

Roland, voyant les deux fuyards, jubilait, lançait et relançait son arme fatale. Ça commençait très bien. À l'autre bout de la ruelle, Tit-Gilles et Vincelette devaient avoir le même succès. Roland, jambes arquées, fut bientôt au comble de l'excitation. Son plan fonctionnait! Il visa l'orange à quatre pattes, le blessa. On entendit un cri terrible et le minifauve s'échappa vers une cour de la rue Drolet. Enhardi, Roland ramassa son arme pour viser ensuite le noir tacheté. Encore un miaulement de terreur! Le pelé à moustaches s'aplatit sur ses quatre pattes, griffes sorties, crocs menaçants, figé. Sans aucune pitié, Roland lui planta sa lance dans le dos. La mort! Tremblements du marcoux, puis son immobilité complète. Roland cria:

— En v'là un de crevé! Bon débarras!

Dès ce premier cadavre, moi, le fils du pleutre dévot, je me sentis mal dans ma peau. Devais-je me retirer? ou bien traînasser loin derrière, laissant faire les autres? Je me ressaisis. Non! Courage. Je devais me montrer dur. Comme les autres. Je continuai donc mon vacarme d'éclaireur pour débusquer la nuisance publique.

Je me disais que, devant chez moi, il y aurait la vieille chatte de papa... S'il fallait... Je m'arrangerais pour la faire rentrer si jamais elle traînait dans ma cour. Tit-Yves me dit:

— En avant, en avant! Mort aux tigres!

Pour lui, c'était juste un jeu. Un jeu nouveau, un jeu formidable puisqu'il y avait des cibles vivantes. Fini nos morts fictives de gamins. J'entendais Turcotte, déjà rendu chez les Lanthier, qui criait victoire lui aussi. De loin, il nous faisait des gestes de conquérant satisfait. Roland, inquiet de ce rival, nous stimulait:

— Turcotte en a tué deux, lui! Grouillez-vous, les gars!

Énervé, je me mis à cogner partout, comme pour m'étourdir, oublier ce drôle de jeu.

Une bête tigrée m'apparut, menaçante. La chatte affolée sauta sur une clôture, puis sur le toit du garage des Décarie, miaulante, stridente de frayeur. Tit-Yves grimpa vers elle, son sabre de bois en l'air. La bête fit un saut prodigieux, rata une barrière métallique, tomba, se redressa aussitôt et fonça sur... Roland! Ce dernier poussa un cri de tirailleur mercenaire, de centurion enragé, laboura la bête de ses coups de lance. L'animal s'enfuit, blessé grièvement, se faufila sous la clôture des Macerolla. L'exterminateur émérite s'y engouffra aussitôt, faisant claquer la porte de bois. Nous l'entendîmes, farouche, donner des coups, ahaner. Sa victime poussa un miaulement d'agonie. Les yeux clignotants, Roland sortit. Il tenait son « tigre » par la queue, la langue pendante, les yeux révulsés. Inerte.

— On en a deux, nous autres aussi! Bravo, les gars!

Je commençais à avoir mal au cœur. Tit-Yves, lui-même, était devenu blême. J'aimais Tit-Yves, justement parce que je le savais un peu timoré lui aussi, sensible. Il était mon meilleur ami. Roland aussi, je l'aimais bien, parce que je sentais que c'était avec lui que je finirais par m'endurcir, par devenir un vrai gars, pas une mauviette comme Pété.

Notre équipe du nord s'approchait du centre de l'arène sanglante, en face des Thériault. On ne savait pas trop ce qui s'était passé dans l'équipe du sud. On constatait que les gars n'avançaient plus beaucoup vers nous. Étaient-ils, tous les trois, retournés en arrière, à la recherche de quelque proie qui leur aurait échappé? Roland cria:

— Turcotte! Vite, par ici, chez Pété Légaré! Venez nous aider, il y en a toute une talle!

Turcotte répondit:

— Débrouillez-vous! Chez les Saïa, on les compte plus. La vermine grouille!

Patatra! Coin Jean-Talon, roulait lentement vers nous une voiture de policiers, phares allumés!

— Nous avons été dénoncés! s'écria Roland, jetant sa lance derrière une palissade.

Nous avons appris plus tard que la femme du notaire, scandalisée par notre chasse, avait appelé la police. C'est Turcotte, le premier, qui avait aperçu la voiture des flics. Il avait gueulé:

— La police! Cachons-nous vite!

La meilleure cachette, nous la connaissions bien, c'était cet espace d'à peine douze pouces entre la terrasse surélevée et les garages, chez Yvon Vincelette. Rendus là, nous nous y faufilâmes en rampant. Grand silence chez les planqués! Les policiers devaient ramasser les preuves du délit. De longues minutes passèrent. Ignorante, comme toutes nos mères, de l'existence de notre repaire, madame Vincelette marchait sur nous! Elle criait:

— Yvon? Où es-tu là? Je peux pas croire que tu trempes dans ce coup pendable!

Yvon Vincelette, couché à plat ventre dans cet espace restreint, souriait. La nouvelle de notre battue avait dû se répandre partout autour. Ma mère devait me chercher, elle aussi. On entendit faiblement des appels divers. Au nord, madame Dubé criait après son Tit-Yves. Au sud, madame Morneau criait après son Tit-Gilles. Les pas nerveux de la maman de Vincelette martelaient les planches de la terrasse. Puis, on l'entendit claquer la porte en maugréant:

— Le petit venimeux. Il va passer la nuit au poste de police. Tant pis pour lui!

On ne bougeait plus d'un poil, retenant notre souffle. Tit-Yves tremblait et je n'étais pas moins inquiet. Cette fois, c'était grave: nous pourrions être mis en cellule. La honte de mon père, de ma mère, de mes sœurs! J'étais au comble de la nervosité. «Aussi, me disais-je trop tard, pourquoi n'avoir pas eu le courage de dissuader Roland de son plan?» Oui, j'étais un lâche, un peureux. Comme mon père. Soudain, des bottes au-dessus de nos têtes: les policiers marchaient sur nous! Silence de mort sous la terrasse. On entendit la voix d'un agent:

— La femme nous a ben dit que leur cachette habituelle était par icitte, mais je voués rien pantoute!

Après le hallali des chats de gouttière, on allait sonner le nôtre bientôt! Les beus finirent par redescendre et notre pouls aussi. Le temps n'était plus le temps coutumier! Avions-nous passé trente minutes ou une heure tapis sous cette terrasse? À un certain moment, Roland proclama:

— C'est fini, les gars! On sort. Les chiens sont partis, c'est sûr.

Prudents, nous avons laissé notre chef de safari s'aventurer le premier. Il rampa sur les coudes vers le trou de sortie, se redressa lentement, regarda aux quatre horizons puis revint vers nous, penché en petit bonhomme:

— Sortez donc, maudite gang de pissous (cela venait de *pea soup*). Y a pus personne!

Dans la ruelle, un drôle de silence. Pas un chat, c'était le cas de le dire. Le soleil bavait en rouge et jaune sur la grande marquise beige chez Turgeon, rue Jean-Talon. Les policiers avaient ramassé les carcasses de nos chats morts. Aucun trophée à exhiber pour Roland et Turcotte. Un peu de sang, c'est tout. Le petit Dédé Thériault, toujours dans la fenêtre de son hangar, avait lancé:

— Vous avez eu la chienne du poste de police, hein, les tueurs?

Réplique de Roland:

— Toé, tit-cul, farme ta yeule pis va te cacher dans les jupes de ta mère !

L'heure du souper était venue. Chacun rentra chez soi, la tête basse, mortifié par la descente de police. Nous n'étions donc jamais totalement libres. Roland avait dit :

— Maudite marde ! On veut rendre service, on veut nettoyer la ruelle, pis on nous dénonce, on nous met la police dans les jambes. Je m'en souviendrai !

Attablé sans beaucoup d'appétit, quand maman me demanda ce qui s'était passé au juste dans la ruelle, j'ai marmonné :

— Rien de grave. On a écrasé un chat de gouttière en jouant au moineau, pis une femme a appelé la police. Une folle !

Ma sœur Lucille, rentrée de sa manufacture, dit :

— J'ai rencontré madame Bégin. Paraîtrait qu'on aurait fait une chasse aux chats.

Je lui fis une grimace et mis beaucoup de sel dans ma soupe aux alphabets. Marcelle s'en mêla :

— La police est venue, paraît ? Tu devrais pas suivre un *bum* comme Roland !

Je mis beaucoup de poivre dans ma soupe aux lettres :

— Tes oignons, la grande évaporée ! OK ?

Marielle, toujours solidaire, affirma :

— Une vraie plaie d'Égypte, ces chats errants. Toute la ruelle pue !

Mon père remonta du restaurant, s'attabla avec nous. Les commérages couraient vite, car il dit :

— Si vous aviez tué mon mine, t'aurais pu faire une croix sur ta demande de patins à glace pour le jour de l'An.

Mon petit frère Raynald osa :

— Pourquoi pas m'avoir amené avec vous autres? J'ai une nouvelle épée, très pointue!

Il me sembla que la soupe n'avait pas de goût! Maman brassait ses nouilles au bœuf haché et voulut faire sa comique:

— Toi, mon Claude, tu vas manger du chat bouilli! Je te remercie pour la viande fraîche!

Évidemment, toute la trâlée s'esclaffa. Encore une fois, j'avais honte de moi, je n'étais pas fier de moi du tout.

CHAPITRE 24

Une promenade

QUAND CE N'ÉTAIT NI L'HIVER NI L'ÉTÉ, nous avions souvent des jours d'ennui. Il m'arrivait pourtant d'aimer ces journées vides, ces jours d'automne par exemple où je ne savais pas quoi faire. Je sortais alors de la maison, les mains dans les poches, le nez au vent, examinant des riens : un immense tas de feuilles mortes dans l'entrée du garage du professeur Laroche, une flopée de moineaux agglutinés sur un fil du téléphone, le passage du Chinois blanchisseur avec sa lourde poche de linge à laver, ou bien la voisine, madame Diodati, qui déplumait sa poule du dimanche, à califourchon sur un banc rond. Quoi encore ? Le rémouleur criant sa mélopée : « Couteaux, ciseaux à aiguiser ? » en faisant sonner sa clochette aux sons aigus. Je marchais vers nulle part, vers rien. Je comptais sur le hasard pour me divertir un brin. J'espérais bêtement un accident de voitures, au moins un incident cocasse : voir un conducteur de tramway se débattre avec son *trolley*, observer l'organiste aveugle, monsieur Bourdon, quémander du secours au coin de la rue Bélanger, ou encore apercevoir le cul-de-jatte dans sa voiturette, s'appuyant sur deux fers à repasser antiques pour rouler. N'importe quoi. Il m'arrivait, désœuvré, d'aller lire toutes les affiches des cinémas au coin de la rue. Je n'avais pas le droit d'y entrer encore. Onze ans.

Trop jeune. J'étais trop jeune pour tant de choses, entre autres pour obtenir cette bicyclette tant quémandée.

— Plus tard, me répétait papa. Quand tu seras plus grand et que tu iras au collège de la rue Crémazie.

Je marchais, marchais.

J'allais souvent, par la rue Bélanger, jusqu'à la rue Saint-Hubert pour examiner les vitrines des magasins. On les changeait si souvent pour attirer le client. Tout, n'importe quoi me tirait l'œil. Je guettais l'inattendu. J'examinais la devanture de la boucherie Shaeffer, sous son auvent de toile. Les lapins qui y étaient pendus à des crochets me faisaient de l'effet. Les vitrines du quincaillier Damecour me retenaient un long moment, tellement remplies d'objets divers, commodes pour les sempiternels réparateurs, les rénovateurs comme mon père, toujours à bricoler sur des vieilleries à rajeunir. La vitrine du pâtissier m'alléchait à tout coup, pleine d'invites que je ne goûtais jamais, maman répétant sans cesse :

— Trop de sucrage ! Des cochonneries ! Vaut mieux mes tartes, mes roulés aux fraises, des aliments autrement plus sains.

La vérité était que nous n'avions pas les moyens de nous offrir ces merveilles, meringues, éclairs au chocolat, religieuses à l'érable, millefeuilles, jolis gâteaux qui coûtaient trop cher.

Je marchais, marchais lentement, toujours sans but. Je m'ennuyais. Ici, plein de souliers pour dames, fantaisistes, colorés, élégants. Là, plein de robes sophistiquées pour les coquettes du quartier. Ailleurs, un cinq-dix-quinze, ces vastes magasins d'aubaines. L'un d'eux, qui se nommait Larivière et Leblanc, était vraiment à la portée de toutes les bourses. J'y entrais toujours, déambulant librement à travers les innombrables comptoirs, y allant souvent d'un cinq sous, toujours pour un calepin — je les collectionnais —, dans lequel j'écrirais mille et une sottises, y conservant des idées jugées originales, ou bien quelques pensées édifiantes tirées des annales pieuses auxquelles papa le pieux était abonné, ou bien encore y consignant des projets : inventions de jeux de société, plans de jouets de mon invention, irréalisables. J'aimais tant dessiner.

Je marchais, marchais. Marcher pour contrer l'ennui. Chez Sauvé et frères, ce jour-là, de beaux costumes pour garçons me faisaient rêver. Si ma mère pouvait donc abandonner ses marchandages radins chez Wise Brothers ou chez Greenberg's, là où elle nous traînait pour négocier âprement, à vils prix, des accoutrements qui ne me plaisaient jamais. Quand pourrais-je porter une de ces belles chemises à fines rayures, ce pantalon bien coupé avec veston appareillé ? C'était encore le sempiternel :

— Quand tu seras au collège. Plus tard !

Je marchais, vaguement triste. Oh, avoir de l'argent, entrer dans ce beau restaurant, *Chez Vénus*, où il y avait de jolies banquettes de vrai cuir ! Dehors, des affichettes prometteuses illustraient de magnifiques *sundaes*, mieux encore, des *banana splits* garnis de caramel, de sauce au chocolat, de guimauve et, par-dessus un coulis de framboise, couronnant le tout, une cerise géante. Je soupirais et m'éloignais. Ah ! avoir de l'argent !

Je marchais. Parvenu à la rue Beaubien, je revenais en changeant de côté de rue. D'autres vitrines de commerce défilaient. La papeterie-librairie Raffin et tous les albums illustrés inconnus de moi, importés de France. Éventail de jolies « plumes-fontaine », échantillons de cahiers avec des couvertures rigides aux effets de gravures luxueuses et parfois avec des anneaux. Ah, pouvoir m'acheter ce taille-crayon mécanique, cette boîte de crayons Prismacolor. Vingt-quatre couleurs ! J'en rêvais. « Plus tard, toujours plus tard, me disais-je, quand je serai grand. » La vraie vie était pour plus tard. Je n'étais qu'un garnement pauvre avec «des yeux plus grands que la panse», répétaient mes parents. À trois ans, à cinq ans, toutes ces richesses aperçues n'étaient pas encore objets de convoitise. Je me les appropriais en songe. Elles m'appartenaient! J'étais heureux de seulement les regarder. Maintenant, c'était différent, je les voulais bien à moi. Était-ce cela vieillir? Une boutique montrait des mannequins de jeunes filles ravissantes aux poses alanguies, avec des robes de mariage. Que de blancheur! Qui allais-je épouser un jour? La question ne faisait que m'effleurer. C'était le mystère d'un avenir très lointain. Je m'attardais davantage aux vitrines du magasin de jouets Lord et frères. En avais-je assez rêvé de ce train électrique Liorel! Sa locomotive s'illuminait en passant sous les viaducs. Des poteaux de signalisation clignotaient à son passage. Tout un village l'environnait, bacs à fleurs, maisonnettes, arbres, routes. Je me sauvai, frustré. J'en avais assez de me faire exciter.

Rue Jean-Talon, je bifurquai vers l'est, vers la rue Christophe-Colomb. J'aimais bien grimper une des collines bordant l'immense carrière abandonnée, passé la rue Everett. Ses falaises de pierre grise, son lac profond, au milieu, me faisaient rêver. L'eau de la carrière était d'un noir absolu. Le vent y griffonnait des vaguelettes. J'observais les arbres, tout autour, complètement dénudés en ce début de novembre, d'un sinistre qui allait bien avec mon âme en peine, ma langueur indéfinissable, mon spleen. Les feuilles mortes des rues avoisinantes s'entassaient tout autour des côtes. Une fois redescendu, je les foulai à grands coups de pied. J'aimais entendre ces sons croustillants sous mes semelles. Petit plaisir enfantin. J'étais donc encore un enfant?

Vers l'ouest, rendu à la porte de la salle paroissiale de Notre-Dame du Rosaire, rue Boyer, je lus: «Samedi soir, 10 novembre, comédie en cinq tableaux: *La femme*

étourdie. Au même programme, une tragédie terrible :
Un orphelin trahi, en deux actes. Venez voir Ovila Légaré
et toute sa troupe. Tirage de nombreux prix de présence ! » Je me dis que j'en parlerais à ma mère, qui ne
ratait jamais les séances théâtrales à notre paroisse. Elle
m'y amenait toujours. Samedi prochain, c'était justement
mon anniversaire !

Rue de Castelnau, chez Variétés Nadeau, j'entrai
pour acheter — un autre cinq sous — une fronde. On
disait un *sling-shot*. Mon dernier achat car j'étais ruiné.
Puis, par la rue Henri-Julien, je me suis rendu chez
Colliza, coin Drolet, pour y prendre une paire de souliers
ressemelés. J'avais le ticket au fond d'une poche. Je ne
pouvais jamais partir en promenade sans qu'on me donne
une commission à faire. Le cordonnier Pascal Colliza
était en sueur. Il n'arrêtait jamais, entouré de chaussures
de toutes sortes à réparer. Il cognait ferme sur l'enclume
métallique en forme de pied quand je me présentai :
— Ah c'est toi ? Mon petit gars me dit que vous ne le
faites jamais jouer ailleurs qu'au champ à vos parties de
soft-ball. Pourquoi donc cela ?
Mal à l'aise, je tentai de m'esquiver par un :
— C'est Roland qui décide. Pas ma faute, monsieur !
Je lui parlerai.
Son garçon, Tit-Rouge, avait les yeux croches comme
moi et frappait aussi mal que moi. Moi aussi, on me
faisait souvent jouer à vache. Pascal grogna, se mit à
chercher mes souliers dans son fatras de chaussures, finit
par les trouver, les enveloppa, brouch, brouch, dans du
papier-journal et me les remit. C'était un troisième
ressemelage.
— Ce sera soixante cents !
— Maman va vous payer plus tard, qu'elle m'a dit.

Il grogna de nouveau et alla se jeter sur son pied de fer.

L'heure du souper approchait, mais je n'avais pas très faim. Je me sentais vide. Je ne savais pas trop ce que j'avais. Je constatais que ma petite vie n'avait rien de bien exaltant. Je ne savais pas comment la rendre plus attrayante. À cet âge, on est si démuni, si peu important, maître de rien, embrigadé dans une routine, école-maison-école. Il y avait aussi cette bronchite asthmatique qui ne me lâchait pas, qui m'avait fait abandonner mon rôle de servant de messe. L'hiver revenu, j'allais encore devoir porter ces horribles longues camisoles de laine rouge. Elles déteignaient sur ma peau quand j'avais trop joué dans la neige ou patiné trop longtemps au *Shamrock*. La sueur. Il y aurait bientôt tous ces médicaments pour mes bronches malades, du liniment, l'antiflogestine que maman me plaquerait dans le dos et sur la poitrine, ce satané mastic écœurant qu'il était si difficile d'enlever après usage. Et puis, ça allait être encore les mouches de moutarde. Bien pire, l'application de ventouses brûlantes quand mon mal s'aggraverait. L'enfer !

Oui, l'hiver allait venir et, à cause de mes crises de toux, de mes râles, j'allais devoir dormir avec trois oreillers sous la tête. Devoir fumer de cette poudre du docteur Chase allumée dans une soucoupe, respirée par un entonnoir. Et ces cauchemars — cette poudre était-elle hallucinogène ? — dans lesquels je me voyais me changer en géant remplissant la chambre ou, au contraire, me métamorphoser en tout petit bonhomme, moins gros qu'une mouche. Pour comble, mon œil croche m'obligeait à des exercices fastidieux chez l'opticien Gervais après les heures de classe. Je n'étais rien d'autre qu'un garçon malingre, tousseur frénétique aux poumons fragiles. Ce mauvais état de santé qui m'accablait m'avait fait redoubler ma quatrième année.

— Tu ne manges pas assez et tu lis trop ! répétait maman.

Comme j'aurais voulu être solide comme Roland ou Jacques Malbeuf, chef sur son côté de rue, des gars capables de jouer au hockey durant des heures et des heures sans se fatiguer. J'en étais au point où je me demandais si j'allais réussir mon année scolaire. Le si gentil professeur Gérard Saindon que j'aimais tant m'avait averti vendredi :

— Tu vas redoubler ta cinquième année. Fais-toi soigner. Tu manques l'école beaucoup trop souvent.

J'ai marché jusqu'à notre ruelle, mes souliers réparés sous le bras. Tit-Yves se menuisait un *scooter* avec une caisse d'oranges vide, un bout de madrier et un vieux patin à roulettes.

— Tu vas voir que ça va filer, c'est un patin à *ball-bearings*. C'est rapide en titi ! On va courser, si tu veux, après souper.

Je l'ai quitté en lui disant :

— T'es pas fou ? À soir, le Canadien joue au Forum contre Boston. Qui veut manquer ça ?

Il avait oublié. Après le hockey, je ne voulais surtout pas rater *Les mémoires du docteur Morange*, à la radio de CKAC. J'aimais tant avoir peur. Il y avait toujours des bruits de jungle tropicale à cette série radiophonique, des rugissements de fauves, des cris d'oiseaux exotiques, des croassements et des coassements, une héroïne à sauver des périls les plus extrêmes, un héros valeureux. Des aventures formidables.

J'ai ouvert la barrière de la cour, j'ai rentré les poubelles vides et je suis allé vérifier si mon paquet de cigarettes était toujours intact dans l'escalier en tire-bouchon du hangar. Un sifflement! Une ombre dans le soir! J'ai sursauté. C'était ma grande sœur Marcelle, cachée avec le colleux Geronimo, le fils du tailleur, que ma mère détestait. Ils se sont sauvés comme l'éclair, Adam et Ève chassés du Paradis terrestre! Je ne suis pas un bavard, Marcelle devrait bien le savoir. Mes cigarettes y étaient. Je me méfiais beaucoup de Thériault, qui voulait fumer et qui n'avait pas même huit ans. Sur la galerie, mon frère Raynald se bricolait un avion bombardier, les doigts pleins de colle, entouré de bouts de bois de balsa et de papier de soie. Sur le modèle épinglé à la porte de la dépense, on spécifiait : « Dix ans et plus ». Il avait sept ans. Je lui ai offert mon aide, j'étais expert là-dedans. Il m'a repoussé :

— Non, non! Je suis capable tout seul!

Je suis entré. Ça sentait bon la soupe au chou, ma préférée. Ma mère jasait, au coin de la table toute mise, avec la commère perpétuelle du deuxième, madame Le Houiller. C'est fou, mais j'aimais souvent écouter leurs potinages. Ainsi, ce soir-là, j'ai su que la caissière du fleuriste était tombée enceinte de son patron et qu'il allait lui payer un séjour aux États-Unis, à Plattsburgh, que le voisin d'à côté, monsieur Lemaire, buvait trop et qu'il risquait de se tuer dans sa Willis Knight, que le pharmacien Filiol se droguait à l'éther, que le docteur Longpré était un communiste et qu'il influençait le jeune docteur Ferron de la rue Bellechasse. Que l'apprenti du plombier Pelletier était entré à l'école de réforme! J'eus un frisson. Ce lieu, rue Saint-Denis près du boulevard Saint-Joseph, nous terrifiait.

Bientôt, la faim m'étant revenue, je me suis mis à râler :

— Quand est-ce qu'on mange, m'man?

Madame Le Houiller a vite ramassé ses clés et son paquet de Sportsman :

— Ma pauvre Germaine, je te retardais dans ton souper. Je me sauve!

Protestation aussitôt:

— Mais non. Vous êtes ma seule distraction. Je vois si peu de gens avec toute ma trâlée.

Au même moment, de son restaurant du sous-sol, papa a fait sonner sa cloche. Il avait un besoin urgent de fromage en tranches et de tomates. Je suis descendu lui porter le tout. Il m'apostropha:

— Où étais-tu tout cet après-midi? Je t'ai cherché. J'avais besoin de ton aide.

Il a pris le fromage et les tomates. Deux *zoot-suits* s'impatientaient:

— Grouillez-vous, le père Jasmin! Le film avec Alan Ladd commence dans dix minutes au *Rivoli*!

Quand je suis remonté au logis, Raynald, affamé, se frottait les doigts avec du Old Dutch. La colle à avion ne partait plus. Maman lui dit:

— Prends du Snap. Ça va partir tout seul, tu vas voir!

Marcelle s'amena, encore rose d'excitation. Elle me fit un signe, index sur la bouche. Pour qui me prenait-elle? Moi, un *stool*? Jamais! Lucille ne souperait pas avec nous, nous apprit ma mère. Le grand René, son cavalier, l'amenait chez lui à Saint-Vincent-de-Paul pour la présenter à sa veuve de mère.

— Oui, mon petit gars, sur son satané bicycle à gaz! rageait ma mère. Des plans pour se tuer!

Marielle s'amena avec sa petite amie dont les parents, les Éthier, étaient partis pour des funérailles à Chicoutimi:

— Ça dérangera pas, m'man. Elle va prendre la place de Lucille!

Ma mère, toujours accueillante, toujours recevante, lui fit un grand sourire.

— On est pas millionnaires, tu sais. J'espère que tu vas aimer mon ragoût.

Marie-Marthe, avec candeur, répliqua aussitôt :

— Craignez pas. Ma mère vous le dirait, je mange n'importe quoi ! Je suis la moins capricieuse de la famille.

Je pris double portion de la bonne soupe fumante ! Maman était contente. Elle aussi devait beaucoup s'ennuyer car elle n'arrêtait pas de poser des questions sur la famille Éthier. Marielle protestait :

— M'man ! Joues-tu à la police, coudon ?

Nous étions rendus au dessert, du tapioca que je sucrais toujours trop, quand ma mère annonça :

— Écoutez, mes enfants. Autant vous prévenir, au printemps prochain, vous allez avoir un petit frère ou une petite sœur.

Silence total dans la cuisine ! Je me demandais bien où on allait l'installer, ce petit nouveau. Les quatre chambres étaient remplies de lits. Mais ce n'était pas mon problème. Marielle se secoua et, en riant, fit :

— *Attaboy* ! J'aurai un p'tit bébé à promener, comme Micheline Darveau.

Je me levai de table pour aller cacher la fronde achetée chez Nadeau sous l'oreiller de Raynald. Un cadeau, une petite surprise. J'étais trop vieux pour jouer avec un *sling-shot*.

Je suis allé m'installer au salon et j'ai ouvert la radio. J'avais hâte que le Canadien batte encore les Bruins de Boston. Surtout, après le match, j'avais hâte d'avoir peur à l'écoute des *Mémoires du docteur Morange*. J'avais hâte aussi que l'hiver s'amène. J'avais reçu de mon cousin Jacques son large hockey de gardien de but et sa vieille paire de *pads*, des jambières énormes ! J'allais être un vrai Bill Durham ! Les gars continueraient peut-être de m'appeler « coq-l'œil », mais un gardien de but tout équipé, c'est précieux et un œil croche n'empêche pas d'arrêter

les tirs de rondelle. J'allais devenir le meilleur gardien de
la rue. Pourvu que ma bronchite me laisse tranquille
cette année. À la radio, l'annonceur Normandin criait :

— Mesdames, messieurs, entendez-vous la foule ?
Tout le Forum est debout ! Richard, le « *Rocket* », notre
fabuleux Maurice, vient de sauter sur la glace ! Écoutez
les applaudissements !

J'étais certain que les *bad* Bruins allaient en manger
toute une.

Plus tard, j'irais mettre mon pyjama, je fermerais la
lumière et je m'enfoncerais dans une forêt inquiétante,
pleine de crocodiles, de serpents venimeux, de léopards
voraces. Avec le héros, je trancherais à grands coups de
machette les lianes de la jungle, puis une belle fille serait
délivrée des mains des méchants contrebandiers.

Michel Normandin me sortit de ma rêverie, gueulant :

— Déjà un premier but, mesdames et messieurs ! Et
par Richard, bien entendu ! Écoutez la foule en délire...

CHAPITRE 25

Le bossu

ÉTAIT-CE DE LA MÉCHANCETÉ? Était-ce de la peur? Il n'en restait pas moins qu'à nos yeux le gardien du rond à patiner était une sorte de monstre, plus vieux, plus bossu, plus laid qu'il ne l'était sans doute. Nous le percevions comme un démon. Pas vraiment un être humain. Le pauvre homme devait supporter notre hargne. Cependant, ce misérable dictateur était comme protégé par notre peur. Il ne parlait pas, il grognait. Il émettait parfois des cris sourds, comme retenus. Nous ignorions tout de lui. La nuit venue, couchait-il dans cette cabane où les patineurs allaient se réchauffer? Au milieu de la pièce unique, se trouvait une grosse truie, ce poêle rond et bas dont le gardien entretenait la flamme avec des bûches de bois entreposées derrière l'abri de planches. Sur trois côtés, de longs bancs rustiques. Aux murs, des crochets sur lesquels nous faisions sécher tuques, foulards, mitaines.

Il était écrit qu'un jour ou l'autre nous allions harceler cet hurluberlu sorti de nulle part. La cruauté des enfants peut être terrible, comme toute cruauté des faibles. Ce jour de fin d'hiver, le gardien maudit n'avait pas déblayé la patinoire du *Shamrock* à côté du marché Jean-Talon, désert en hiver. La mi-mars amenait parfois une hausse de température imprévue. La neige fondait, la glace se mouillait. Un lac ! Nous ne patinerions donc pas ce jour-là. L'idée d'emprisonner le gardien dans sa cabane était venue de Roland, le plus fort de notre bande. Roland le farouche. Le plan, tout simple, était prévu pour le lendemain.

Ce samedi matin, nous nous étions levés très tôt, un peu après l'aube, et, avant même de prendre le déjeuner, tel que convenu, nous nous étions retrouvés au rond à patiner, chacun avec sa pelle. Ces pelles de fer lourdes et si efficaces. La neige ramollie était pesante et pourtant nous faisions montre d'une énergie rare, d'une vaillance à toute épreuve. La porte d'entrée du cabanon fut vite bloquée. Le haut mur de neige complété, le refuge du bossu s'était transformé en prison ! Nous avions fait très vite et nous étions essoufflés.

Nous rôdions maintenant comme des hyènes nerveuses tout autour de l'abri du monstre. Nous n'entendions rien. Absolument rien ! Était-il là ? Nous n'étions pas absolument certains qu'il couchait là. Des doutes nous assaillaient et nous chuchotions des hypothèses. Peut-être avait-il un logis ailleurs ? Peut-être, vu la clémence de cette fin d'hiver, son contrat de gardien étaitil terminé ? Peut-être allait-il s'amener avec sa grosse canne en menaçant de nous assommer ? Nous n'étions, après tout, que des petits garçons méchants et sans grande force face à ce lourd et musclé dinosaure. Devenus plus prudents, appréhendant une colère furibonde, nous nous étions tassés en une grappe serrée.

Mais non ! Roland, l'oreille collée à un des murs, fit soudain des signes véhéments. Il nous incita à nous rapprocher de la cabane. Le méchant bossu était bien là ! Il s'était enfin réveillé et nous l'entendions chantonner ! C'était un chant rauque, accompagné de raclements de gorge, de toux intermittente. Le gardien était bel et bien notre prisonnier. Il fallait passer à l'autre phase de notre plan diabolique : le feu. Nous avions apporté deux sacs de jute remplis de bouts de bois. L'effrayant allait griller comme la Jeanne d'Arc de l'histoire. Il allait payer pour tous ses horribles cris, pour nous avoir si souvent chassés du cabanon, pour ses interdictions de fumer nos cigarettes volées au comptoir de mon père. Pour les fois aussi où il avait décidé péremptoirement que nous devions sortir, même pas vraiment réchauffés, pour laisser nos bancs aux nouveaux venus. Il fallait que notre vengeance soit effrayante. Tit-Gilles sortait des journaux et en faisait des torches. Tit-Yves exhibait une grosse boîte d'allumettes Eddy. Ça allait flamber sur un temps rare.

Le bossu cognait frénétiquement dans la porte, qui ne pouvait plus s'ouvrir sur l'extérieur. Déjà, nous pouvions entendre ses cris de mort. Sa panique ! Notre plaisir, mais aussi notre nervosité. Il allait bien voir que nous n'étions pas du genre à nous laisser terroriser tout un hiver sans qu'il ait à subir un châtiment à la hauteur de nos frustrations, de nos griefs d'enfants méprisés. Oui, il fallait qu'il y ait vengeance. Le temps de l'intimidation des enfants était terminé. À l'angle de deux murs, le feu avait pris très vite et on y jetait tous nos morceaux de bois. Un beau bûcher s'élevait. Mort au vieux bonhomme dominateur des faibles ! Le gardien affolé criait de plus belle et donnait des coups de bras et de pied dans tous les murs. Qu'il crève, ce satané bourreau des jours froids ! La cruauté des faibles, oui.

On surveillait les alentours. Il était encore tôt et on ne voyait personne. Aucune voiture, aucun camion dans cette rue Henri-Julien. Derrière la cabane, les stalles du marché restaient un lieu de désertion totale. Ce silence d'un samedi matin nous rassurait. Il n'y aurait aucun témoin de notre geste sacrificateur, de notre messe noire. Une opération guerrière parfaite. Cela dépassait nos jeux de cow-boys dans la ruelle, nos expéditions punitives, toujours à demi ratées, contre les *Blokes* de la paroisse voisine. Un grand succès ! Roland était content, trépignait, se tapait l'estomac tel un jeune gorille dans les films de Tarzan. Enfin, enfin, on pouvait voir le coin du cabanon s'enflammer. Une victoire totale. Nous ne retenions plus nos cris de sauvageons.

À force de ruades, la porte de la cabane s'était entrouverte de quelques pouces et nous pouvions mieux entendre les objurgations, les blasphèmes, les menaces de notre victime. Un forcené désespéré s'époumonait à l'intérieur. De la fumée s'élevait, dense, noire, qui se mêlait à la colonne de fumée de sa truie. Ah oui, un fameux succès pour notre bande. Tit-Gilles, éberlué et contenté, se mit à danser autour du cabanon tel un Iroquois autour du poteau de nos saints martyrs jésuites et récollets ! Cette fois, ce n'était pas un missionnaire qui allait rôtir, mais un lascar, un filou et, disons-le, un persécuteur d'enfants grelottants. Soudain, on entendit des vitres se fracasser. Le gardien démolissait une des deux petites fenêtre. On le vit qui haletait, toussant, gueulant à pleins poumons son charabia étonnant. On ne comprenait rien à son sabir. Quelle langue parlait-il donc ? Quand il régnait et nous chassait, intempestif et sûr de son pouvoir, c'était par des grognements incompréhensibles. D'où sortait donc ce gros gnome ratatiné ? Des mots d'anglais perçaient ici et là : *damned, goddamit, dirty dogs*, et aussi des mots d'un français approximatif : « voyouses », « pitites crétines », « saligaudes », « infants de chienne ». Le reste n'était, à nos oreilles, que salmigondis. Cet homme, qui nous avait terrifiés tout l'hiver, était un extraterrestre, un gros pantin venu d'un pays impossible, un démon sorti d'un enfer inconnu.

Le torse à demi sorti par la fenêtre brisée, le gardien agitait frénétiquement les bras. Roland lui criait :

— C'est à ton tour d'en baver, vieux chien sale ! T'as fini de nous écœurer.

Tit-Gilles, nous encourageant à l'imiter, façonnait des balles de neige et le bombardait en riant. Moins brave que mes amis, je cherchais des yeux si un passant n'allait pas apparaître, pire, si une patrouille de police n'allait pas surgir. J'avais peur, je regrettais cette guérilla. Il me semblait que nous étions allés trop loin. Je criai à Roland :

— On devrait peut-être dégager la porte.

Roland, intrépide, me jeta :

— T'es fou ? T'es malade ? Le bonhomme va vouloir nous égorger s'il sort de là.

Le feu rongeait tout le coin du gîte. La bande des sept dansait tout autour. Moi, je n'osais pas.

Le bossu tentait de sortir par la fenêtre. Trop gros, il n'y arrivait pas du tout, fulminait, implorait le ciel, les yeux rougis, la bave à la bouche. Son jargon d'imprécations apocalyptiques déferlait de plus belle sur nos têtes. Tout un spectacle ! Il fracassa la deuxième fenêtre, mais elle n'était pas plus large. Sans échappatoire, il allait brûler vif. À bout de nerfs, je m'emparai d'une pelle et me mis en frais de tenter de dégager la porte d'entrée. Les quolibets fusèrent :

— Maudit chieux ! P'tit peureux ! Fifi à sa môman !

Ma tardive repentance ne dura pas, une sirène de police se faisant entendre pas bien loin. Fuite de tous ! Nous déguerpissions, plus rapides que le Guy L'Éclair de nos bandes dessinées. Heureusement, nous connaissions les cachettes entre les hangars, les raccourcis, les allées entre les maisons et, cinq minutes plus tard, la bande était réunie, soufflante, haletante, en sueur, dans le garage abandonné du docteur Bédard, parti à sa rituelle chasse d'hiver au Mexique.

— Il a eu sa leçon, dit Roland.

— Oui, peut-être, mais on pourra jamais retourner patiner au *Shamrock*!

Long moment de silence. L'évidence de la situation frappait de plein fouet. Tit-Gilles étouffa un ricanement :

— Eille, les gars, imaginez-vous ça? Dans le moment, les policiers obligés d'éteindre le feu et de pelleter pour faire sortir le gardien?

— Qu'ils travaillent un peu pour une fois, les beus, dit Tit-Yves.

— T'es connais. Ils vont faire venir les pompiers pis ça va être la démolition complète. Combien tu gages? dit Roland.

Une idée sinistre me hantait :

— Eille, les gars, vous avez remarqué, à la fin, le bonhomme criait plus. Ils vont peut-être le trouver mort, étouffé par la fumée.

Grand silence.

— Oui, ça se pourrait bien, dit Roland, visiblement pas du tout peiné d'une telle éventualité.

Un mort sur la conscience, c'était un poids énorme pourtant. Je n'ajoutai rien. Nous nous sommes mis à fumer et à nous tirailler pour le choix de nos *comic books*, cachés dans un coffre moisi. Ni *Superman* ni le nouveau Dick Tracy ne me captivaient. Pas même un Popeye récent, pas encore lu. Pour tout dire, notre équipée exceptionnelle me restait sur l'estomac et une petite envie de vomir me tenaillait. Je n'avais pas la conscience tranquille même si je ne l'avouais pas. J'entendis ma mère crier :

— Le dîner est prêt!

J'ai quitté notre repaire de la ruelle pour aller manger le ragoût que maman préparait tous les samedis avec les restes de la semaine. J'avais aussi à réparer la longue luge abîmée par nos acrobaties au parc Jarry et réclamée à grands cris par mon petit frère Raynald et ma cadette Marielle. Papa avait fait une haute glissoire dans la cour avec, comme squelette, une vieille glacière de son restaurant car il avait adopté depuis peu le mode de réfrigération moderne, électrique.

Le lendemain, le temps froid était revenu. Après la messe, après la lecture des bandes dessinées de *La Patrie* et du *Petit Journal*, après le bon *roast-beef* dominical, mes sœurs, Lucille et Marcelle, décidèrent d'aller patiner... Où? Mon Dieu, au *Shamrock*! Avant qu'elles ne reviennent avec des nouvelles du bossu, l'attente serait longue. Je partis donc glisser avec Raynald à la carrière abandonnée, rue De Fleurimont, à l'est de Papineau, lieu formellement interdit. La Ville y réparait sans cesse les clôtures, que les gamins éventraient à mesure. Le cœur n'y était pas. Revenu à la maison, je guettai le retour de mes sœurs.

— Pis toujours? Le gardien? Toujours aussi grognon?

Marcelle s'exclama:

— M'en parle pas! Y en a plus, de gardien! Et sa cabane a été à moitié brûlée! Plus moyen d'aller se réchauffer. Le cordonnier Colliza nous a dit que c'étaient des *bums* qui avaient mis le feu à sa cabane.

Faisant l'innocent, j'ai dit:

— Voyons donc! Le bonhomme sentait toujours le tonneau. Il a dû mettre le feu en surchauffant son poêle à bois.

Les rumeurs circulaient. On parlait du gardien comme d'un escroc, d'un faux-monnayeur, d'un drogué à la morphine. Ou bien, on disait qu'il était un hypocrite, un Israélite plus riche qu'on l'imaginait, qu'il se livrait à de l'usure dans le quartier. Ou encore qu'un débiteur aurait voulu l'assassiner. Qu'il était un fuyard venu des

États-Unis, très recherché. Qu'il était un richard ruiné par les courses à Blue Bonnets. Qu'il était un maniaque des loteries irlandaises clandestines. Bref, sa soudaine disparition de notre décor familier faisait naître les pires calomnies. Le lundi suivant, après l'école, nous décidâmes crânement de retourner sur les lieux de notre crime. Deux pâtés de maisons et on y était.

Le soleil venait tout juste de se débarrasser d'un tas de nuages et des moineaux s'excitaient sur le fumier chaud du cheval du boulanger Durivage. Le rond à patiner était rempli des couleurs vives des tuques, foulards et blousons d'une cinquantaine de filles et garçons. Des rires formaient de joyeux échos, des cris de ralliement s'échangeaient allègrement. On aurait dit un carnaval. La patinoire était un remuant compotier, un bouquet de fleurs vivantes. Des ouvriers de la Ville avaient réparé la partie incendiée de la cabane municipale. En patinant, on ne cessait d'examiner le cabanon. Des enfants y entraient ou en sortaient. Il y avait donc un gardien ! Au bout d'une heure, transis, nous décidâmes d'entrer pour nous réchauffer. Nous espérions y découvrir un nouveau gardien moins grognon, moins ivrogne aussi, et qui aimerait les enfants. Était-ce possible ? À l'école de Lamennais, au parc Boyer, au parc Jarry, partout, les gardiens étaient des espèces de brutes enragées, toujours impatientes. Allions-nous encore découvrir un grogneur bouffi aux yeux injectés de sang, à la trogne de pirate retraité ?

Notre Quasimodo était là, recroquevillé comme toujours, plus bossu que jamais, nous semblait-il, écrasé sur sa chaise de paille, accroché à sa vieille table à cartes. Comme avant, sur une haute armoire, des boîtes de conserve ouvertes, sa graisseuse salière, ses langues de cochon et ses œufs dans le vinaigre, sa blague à tabac et son gros gin dans une fiole sans étiquette. Il nous jeta un regard éteint. Nous reconnaissait-il ? Comment savoir ? Il semblait plus vieux que jamais, plus soufflant. Mitaines enlevées, tuques retirées, nous nous sommes installés près de la truie rougie, dans un silence prudent. Nous évitions son regard. Soudain, avec fracas, il se leva, tituba un peu et marcha vers nous. Je tremblais légèrement, me tenais prêt à bondir. Il ouvrit une main pour nous distribuer à chacun une cigarette ! Étonnement total. Nous nous regardions, très surpris. Pour la première fois de nos hivers d'enfants, le vieux matamore nous souriait. Il en était donc capable ! Puis, il sortit de sa poche un lourd briquet et nous alluma un à un. Ensuite, il retourna à sa table, dans son coin. Roland se pencha pour chuchoter :

— Il avait besoin d'une bonne frousse, les gars !

J'étais mal. Pris de remords. J'enlevai mes patins, je mis mes bottines. J'éteignis ma cigarette et je me dirigeai vers la sortie. Le bossu me sourit une autre fois et me grogna quelque chose que je ne compris pas. Dehors, à l'ouest, le soleil martien faisait briller les grandes tôles ondulées du marchand de grain Mondoux, rue Jean-Talon. Je marchai vers la bibliothèque installée au-dessus du poste de pompiers, rue Saint-Dominique. Au pavillon du marché, une petite foule attendait un autobus de la Provincial Transport. Je pressai le pas, m'imaginant stupidement qu'on allait reconnaître et dénoncer un des auteurs du sordide méfait à la cabane du gardien. Étais-je devenu un peu fou ? Au comptoir de la bibliothèque, madame Grignon me fit un signe. Toujours sur mes gardes, je m'approchai prudemment de son comptoir :

— Le livre demandé est enfin revenu. Le voici.

Je me suis installé dans mon coin favori, j'ai sorti mon livre d'arithmétique puis, par-dessus, j'ai ouvert *Vingt mille lieues sous les mers*.

Le samedi suivant, sept jours après notre guerre punitive contre le bossu, le directeur des salons mortuaires s'achetait des croustilles et un gros Denis Cola quand je descendis porter des oignons au restaurant paternel. J'entendis monsieur Turcotte raconter à papa :

— J'ai reçu une nouvelle dépouille ce matin. Il s'agirait du gardien de la patinoire municipale. Un pauvre bossu en haillons. « Crise cardiaque », a dit la police. Il n'a pas de famille. L'infirme serait né à Berlin et aurait fui la guerre en 1939. Notre Coopérative ne peut pas exposer un non-catholique. Je l'ai confié à mon embaumeur, Cloutier. Il sera retourné à sa communauté.

Remonté dans ma chambre, je me suis sauvé vingt mille lieues sous les mers. Je parvenais mal à oublier cette sombre histoire. Une fois de plus, j'avais honte. Maman m'a distrait un instant quand elle a crié :

— Le repas est prêt ! Arrive, Claude ! T'aimes tant mes fricassées !

Dans la cuisine, elle m'a montré une lettre :

— Regarde, le facteur a livré cela ce matin. On est contents. Ton père surtout. Tu es accepté au collège de la rue Crémazie. Tu vas pouvoir devenir un avocat si tu veux !

J'ai souri et, m'attablant :

— Papa, lui, il veut que je fasse un prêtre et il insiste, tu le sais.

Maman m'a servi de sa bonne fricassée toute fumante en me glissant :

— Prêtre, toi ? Ça m'étonnerait bien gros, mon garçon !

Je repensais à la neige entassée pour empêcher le bossu de sortir, à notre bûcher. J'ai murmuré :

— Moi aussi, m'man, ça me surprendrait.

Puis j'ai repoussé mon assiette.

CHAPITRE 26

Ovila

Q UAND J'ÉTAIS PETIT, le jour de l'An était le grand
jour. Noël était plus calme, on recevait peu
d'étrennes, c'était vraiment une fête religieuse. Nous
chantions les louanges de la venue d'un rédempteur des
hommes. Du Messie ! Ce petit bébé naissant qu'on fêtait
partout, tout rose, déjà frisé, les bras tendus, né dans une
crèche à bestiaux en Palestine, était ce Jésus qui allait
changer le cours du monde. Nous, les enfants, étions
ravis, attendris aussi, de voir tout le monde des grandes
personnes se pencher avec émoi sur un nourrisson. Nous
en étions flattés. Un enfant avait de l'importance enfin !
Ainsi, pensions-nous, un simple petit enfant devenait, le
vingt-cinq décembre, le grand pôle d'attraction, captait
toute l'attention de l'univers chrétien.

Nous ne croyions pas longtemps au père Noël.
C'était une blague. Dès l'âge de cinq ans, et même avant,
nous avions vite mis au rancart cette fable d'un bedonnant bonhomme joufflu, rigolard, naviguant dans le ciel
en traîneau tiré par des rennes, avec des poches de jouets.
Non, Noël, mon pieux papa y voyait, c'était plus sérieux
que cela, c'était la naissance du Christ, le commencement
d'une révolution inouïe. Bien sûr, nous accrochions un
de nos bas au pied du lit mais, au matin de Noël, nous
n'y trouvions pas grand-chose. Deux morceaux de

charbon — une tradition —, des fruits et quelques bon-bons. Plus tard, bien catéchisés, en âge d'aller à la messe de minuit, nous prîmes davantage conscience que Noël ne devait absolument pas devenir une fête païenne. Il fallait prier, entonner les cantiques religieux, être de bons catholiques. Il fallait ne penser qu'à cet enfant-Jésus né d'une vierge !

Au jour de l'An, alors là, oui, c'était la fête ! Le jour des cadeaux, que l'on nommait des étrennes. Dès le début de décembre, que de rêves, de désirs. Il fallait éliminer, choisir, concentrer nos souhaits variés en une seule mire. Quel cadeau souhaitions-nous recevoir ? était la grande question ! Comme nous n'étions pas une famille riche, loin de là, le cadeau désiré s'amenuisait au fil des jours. Au départ c'était, par exemple, un train électrique et, à l'arrivée, ce n'était plus qu'un simple bâton de hockey, ou bien un petit camion, au mieux une trottinette. Selon l'âge, il y avait un ordre du côté des véhicules : d'abord, le *kiddy-car*, ou *teddy-car*, avec lequel on se traînait des deux pieds, puis le petit *scooter*, alias la trottinette, venait ensuite la brouette, commode aussi pour transporter les colis des parents, puis venait le droit au tricycle et, plus tard, le petit bicycle chez les plus riches. Enfin, vers douze ou treize ans, la vraie bécane… peut-être.

Mes sœurs imaginaient, elles aussi, des étrennes fastueuses. Elles faisaient des croix dans un catalogue de grand magasin : au départ sur une maison à deux étages complète avec un mobilier miniaturisé pour chaque pièce et les petits personnages de toute la maisonnée. À l'arri-vée, le rêve se réduisait à une simple poupée qui, hélas, ne pleurait pas, ne faisait pas pipi, n'ouvrait ni ne refer-mait les yeux. Les enfants que nous étions n'étaient pas vraiment déçus. Ils étaient tout de même heureux, au matin du jour de l'An, de développer la boîte mystérieuse qui les attendait et ils couraient embrasser maman et papa pour le « merveilleux » présent. L'enfant est plus sage et plus réaliste qu'on croit, il comprend tout à fait que les moyens financiers des parents peuvent être réduits à l'extrême.

Le plus grand bonheur, dans notre famille, était qu'il y aurait le beau et grand repas, un vrai banquet, chez grand-maman Jasmin, deux coins de rue plus au nord. Surtout, il y aurait le prodigieux cadeau de mémère, comme on appelait la maman de notre père. Cette veuve sévère était riche, pensions-nous. On l'imaginait même millionnaire, ce qui était faux. Des signes extérieurs nous faisaient croire qu'elle était très au-dessus de notre modeste condition. Cela tenait à des riens, au fait que son logis était mieux aménagé, plus décoré, garni de boiseries un peu partout. Chez elle, il y avait du tapis de Turquie, pas seulement au salon comme chez nous, mais aussi dans la salle à manger et dans le boudoir. Et même dans le couloir ! Il y avait plusieurs luminaires, luxueux à nos yeux, faits de chandeliers électriques ouvrés. Les murs de ses pièces étaient recouverts d'une sorte de tapisserie en relief, du *burlap* coûteux. L'ameublement était plus noble. Enfin, comble de bonheur, il y aurait, sous son immense arbre de Noël chargé de décorations variées, un beau cadeau. Une grosse surprise. Des étrennes d'enfants riches. Alors, on s'y rendait le cœur battant.

Ma mère revêtait ses plus beaux atours. Mon père arborait son plus beau chapeau, son chic foulard à franges de soie blanche. Nous étions lavés, brossés, peignés. Parfumés même ! Nous devions paraître sous un jour flatteur. Il fallait que mémère soit impressionnée, que nos parents fassent voir qu'ils étaient aux petits soins avec nous. Avant de partir, nous avalions avec hâte le repas du midi, souvent des restes du réveillon. Chaque après-midi du jour de l'An donc, grand départ de la petite tribu pour le 7453 Saint-Denis, les deux plus jeunes dans la grande *sleigh* blanche sortie du hangar pour l'occasion.

Cette grand-maman riche vivait avec son fils, l'oncle Léo, sa bru, Rose-Alba, et leurs deux enfants, Marthe et Jacques. Que nous aimions cette visite annuelle, la seule chez elle de toute l'année. Chaque fois, nous accourions d'abord au salon pour admirer l'arbre surchargé et surtout pour reluquer l'amas de grosses boîtes de cadeaux. Nous nous accroupissions pour tenter au plus tôt de lire les cartes à nos noms et ainsi constater l'ampleur de nos étrennes. Les visiteurs se débarrassaient d'abord de leurs manteaux d'hiver sur le grand lit de la chambre principale. Aussitôt, débutaient les offrandes de jus, de boissons gazeuses, de bonbons, de pistaches et autres friandises alléchantes. Plein de petits plats en verre taillé.

— Ne mangez pas trop, mes enfants, vous savez bien que le repas sera copieux et plein de bonnes trouvailles culinaires! disait notre mère, roucoulante, de bonne humeur obligée, racontant les dernières péripéties de sa marmaille.

Sur le phonographe — objet de curiosité car nous n'en avions pas —, la cousine Marthe faisait tourner des disques de chants de Noël ou autres musiques appropriées. Nous étions fascinés par la fausse cheminée de marbre où un feu artificiel fait de faux charbons de vitre noire s'illuminait de lumières rouges camouflées. Une pure merveille des demeures de riches. Les deux enfants de l'oncle Léo, Marthe et Jacques, nous semblaient timides, réservés, si dociles, comme soumis à des règles que nous ignorions. Albina Jasmin faisait-elle régner dans son logis un ordre trop sévère? On se posait des questions là-dessus car ces deux enfants nous paraissaient presque anormaux tant ils étaient polis, déférents, intimidés.

Au fond, nous appréciions la générosité de mémère, mais d'instinct nous comprenions que nous avions de la chance de ne pas vivre sous le même toit que cette grand-maman à cheval sur les principes, sur les bonnes manières. Nous plaignions secrètement ces deux enfants de devoir toujours ainsi rester sur leur quant-à-soi. Hélas, le moment d'ouvrir nos boîtes à surprise ne venait qu'après le souper fastueux. Des carafes de porto, de vin blanc, de vin rouge circulaient pour les adultes. Mon père, qui ne buvait jamais, avalait apéritif sur apéritif avec son frère cadet et bientôt, les deux fils à maman de la place se changeaient en joyeux drilles plutôt bruyants, déclamaient des farces assez grivoises. On ne reconnaissait plus notre père ! Ma mère et sa belle-sœur grondaient un peu, les rappelaient en vain à la prudence, cachant les bouteilles. Des propos quelque peu égrillards fusaient de plus en plus malgré les sourcils froncés de leur vieille maman si dévote.

Ce n'était pas long que l'atmosphère se réchauffait et nous, les enfants, étions admiratifs et étonnés de voir des adultes se transformer en troubadours tonitruants. Leurs histoires drôles, qu'on ne comprenait pas toujours, déferlaient, de même que les chansons à répondre. Nous prenions alors conscience que notre père et son frère avaient été élevés en habitants, qu'ils venaient de la campagne. Ces garçons avaient grandi avec leur maman veuve sur une ferme, dans la maison multifamiliale des Prud'homme, où l'on devait savoir comment fêter sans chichi.

À chaque jour de l'An, nous revoyions, fidèle à ces agapes, l'ami de l'oncle Léo, Ovila, un personnage haut en couleur. On appelait oncle Ovila ce maigre et long hurluberlu mystérieux. On ne savait pas trop d'où il sortait. On l'imaginait en clown engagé pour fêter, pour bien alimenter l'atmosphère de carnaval. C'est lui qui avait le plus gros répertoire d'histoires polissonnes, c'est lui qui entonnait tous les cantiques archiconnus mais aussi les chansons à répondre. Il était perpétuellement en verve, d'un dynamisme rare sous ses vieux habits râpés, élimés, rapiécés, sa chemise pas bien propre, sa cravate étriquée et décolorée. Ce squelettique bonhomme au physique débile, toujours blanc comme un drap, manifestait une étonnante énergie ! Il se comportait tout à fait comme un animateur forain dynamique, boute-en-train capable de dérider un mort. Ovila jouait une musiquette grinçante sur un petit violon à bon marché.

Je n'avais de cesse, à ces fêtes du jour de l'An, d'observer attentivement le phénomène, d'examiner ce long et maigrichon arlequin au gosier capable de produire tant de bruits, d'imitations, capable de giguer sur des fariboles, de mimer n'importe qui, n'importe quoi. Cet Ovila cadavérique était à mes yeux un phénomène. Il était capable d'entraîner les plus réticents à chanter ou à danser une ronde autour des pièces du logis de mémère. Cette dernière, fait surprenant, semblait apprécier ce désopilant magicien. Elle tolérait ses frasques, ses propos pas toujours catholiques. Mémère devait comprendre, malgré ses manières austères, qu'il fallait bien endurer ces excès puisque c'était grand jour de fête.

Revenu à la maison, j'interrogeais mon père sur Ovila le comique, mais ses réponses restaient sibyllines. Je demandais :

— Papa, d'où il vient au juste, ce supposé oncle ? D'où sort-il exactement ? Où est-ce qu'il habite ? Pourquoi a-t-il l'air si pauvre, est-il si maigre, est-il si mal habillé ? A-t-il des parents, une famille, ou bien est-il un vieil orphelin sans feu ni lieu ?

Aucune de mes questions ne recevait une réponse qui puisse me satisfaire. Pourquoi donc cette aura de mystère compact entourant ce gaillard au visage raviné, aux traits accentués, à la pomme d'Adam proéminente? Sa bonne humeur débordante faisait contraste avec sa physionomie. Ce troubadour chaplinesque faisait notre bonheur un jour par année, puis on ne le revoyait plus, on n'en entendait plus parler. Ovila était un sosie de Hardy dans les films des séries *Laurel and Hardy* visionnés au sous-sol de l'église.

— C'est un paquet de nerfs, disait maman sur le chemin du retour.

— Il est fou raide, disait mon père.

Et ils riaient encore, revenus à la maison, de ses gaudrioles improvisées, de ses histoires rigolotes.

Un certain jour de l'An, le voile se déchira. Un an ou deux avant la mort de mémère. Triste surprise, Ovila n'y était pas! Le beau logis de mémère parut vide et triste. L'oncle Léo nous expliqua l'absence de son fou. Surprise renversante pour moi d'apprendre enfin qu'Ovila avait un nom de famille, celui de Vérondeau, qu'il louait à vil prix une petite maison à Ville Jacques-Cartier, une banlieue de Longueuil remplie de pauvres hères, de l'autre côté du fleuve. Qu'il était marié, qu'il avait même plusieurs enfants. L'oncle raconta qu'une terrible maladie s'était acharnée sur ses enfants. Que son cher clown — qu'il employait parfois pour ses voyages de cantinier — avait failli venir malgré tout mais que l'un de ses enfants était à l'article de la mort, son plus jeune. Le miroir du joyeux compère se fracassa net! J'apprenais aussi qu'il était presque toujours en chômage, n'étant qualifié en rien, qu'Ovila vagabondait d'un petit job à l'autre, que la famille vivotait dans une sorte de camp d'été sans solage, plus ou moins bien rafistolé, qu'ils ne mangeaient pas toujours à leur faim. Bref, qu'ils manquaient de tout.

Cette année-là, après la distribution de nos étrennes, il y eut l'examen d'un tas de sacs et de boîtes. Mes parents, sans doute alertés par mon oncle, avaient rassemblé des effets de toutes sortes à expédier à Ville Jacques-Cartier avec les colis de Léo. Nous, les enfants, on ne s'était aperçus de rien, égoïstes et indifférents aux préparatifs des parents. Dans une boîte, il y avait des cannages, dans une autre du linge usagé qu'on ne porterait plus. Et, à ma surprise, dans deux gros sacs, mon père avait mis de vieux journaux.

— Pourquoi, papa? Ça ne vaut rien! dis-je.

Il m'expliqua qu'Ovila en réclamait pour calfeutrer les murs de leur cabane insalubre contre les rigueurs de l'hiver. Toutes ces révélations me laissèrent médusé, désorienté. Ainsi, ce gai bouffon était un de ces miséreux dont j'entendais parler, un de ces squatters qui vivaient dans certaines banlieues du temps, se faisant de tristes demeures avec des planches et des tôles abandonnées. L'enjoué et dynamique Ovila était de ces gens qu'on voyait parfois passer dans notre ruelle les matins de cueillette d'ordures, fouillant dans les rebuts. Quel choc! Je me demandais comment un tel homme aux abois pouvait oublier, les jours de l'An, sa condition de gueux et se transformer en bonimenteur si joyeux.

J'aimais ce merveilleux énergumène. J'aurais voulu trouver un trésor, un sac rempli d'argent, et courir le lui remettre. Je l'imaginais, rentrant de sa veillée dans son taudis branlant, donnant à ses enfants grelottants les restes ramassés chez ma mémère, la riche veuve de la rue Saint-Denis. À partir de ces révélations, beaucoup plus tard — mémère était décédée —, j'échafaudai un petit roman, j'imaginai quelle bonne histoire attendrissante je pourrais en tirer. Je me prenais pour un Victor Hugo. Je commençai à composer une sorte de saga, misérabiliste et comique à la fois, intitulée *La famille des Nez-crochus*.

Avec plein de fautes d'orthographe. L'Ovila véritable avait le nez aquilin et croche. Dans mon récit, toute sa petite famille était affublée du même nez. Je prévoyais faire des illustrations, une bande dessinée mélodramatique qui devrait avoir beaucoup de succès.

J'abandonnai vite mon projet car je ne dessinais pas assez bien, et puis cette histoire se présentait mal car, je ne savais trop pourquoi, je fis de mon monsieur Nez-crochu un voleur ! Sa femme et ses enfants collaboraient volontiers à ses larcins pour survivre. Ils avaient toujours, d'aventure en aventure, la police à leurs trousses. Ils allaient en prison ! La nuit, le benjamin, Titi Nez-crochu, s'évadait des cellules par un soupirail et il délivrait ses parents, mais... je m'embrouillais dans les rebondissements, emmêlant les épisodes. Chaos total. Je découvris l'influence d'Oliver Twist au-dessus de mon épaule, me rendis compte que j'étais en train de plagier Dickens.

J'avais treize ans et, comme les fêtes de fin d'année approchaient, je me contentai de rédiger une sorte de journal illustré en huit pages. Cette fois, c'est ma propre famille qui y passait, avec ironie, sarcasmes, caricatures. Je me mis en frais de reproduire à la main ce petit journal en neuf copies. Dur, long mais amusant travail en guise de cadeau-surprise pour les miens. Je me sentais l'âme d'un éditeur autodidacte. Ovila était remplacé par papa en bizarre olibrius que je nommais monsieur Crochu. Dans mes dessins, il devenait une sorte de diable inoffensif. J'ignorais volontairement le taudis et la misère noire chez Ovila. L'action se déroulait chez nous. Il me semblait qu'il fallait oublier cette trop sinistre réalité. Ce papa en Ovila n'était plus l'indigent pitoyable de Ville Jacques-Cartier. Il était une sorte de Chinois — un peu mon père — de la rue Saint-Denis, un bouffon aux dévotions multiples. Avais-je eu peur de la vérité ? Avais-je besoin d'embellir la vie à tout prix ? ou de caricaturer

papa? Mon petit journal eut du succès dans la famille.
Papa avait ri le premier, maman davantage encore!
Marielle m'applaudissait. De ce jour, il m'arriva souvent
de songer à devenir plus tard dessinateur de bandes dessinées. Un autre rêve vague d'enfant qui allait s'évanouir.

CHAPITRE 27

Perdu dans le West-Island

J E PÉDALAIS, PÉDALAIS. Je ne savais plus du tout où j'étais. À Burlington ou à Plattsburgh ? Perdu complètement. Je savais bien que j'étais dans Montréal, mais où exactement ? Moi qui croyais connaître ma ville par cœur ! J'étais désemparé sans bon sens. Comment rentrer chez moi ? J'étais très énervé. À l'ouest de toutes ces rues inconnues, le soleil, grosse boule flamboyante du mois de mai, baissait inexorablement. Il devait être tard ! Le cœur me débattait. J'avais quatorze ans, je n'allais pas fondre en larmes tout de même. Je pédalais, pédalais. Plus je roulais sur ma bécane, plus je ne reconnaissais rien. Aucun repère utile. Le vide. Un néant qui m'affolait de plus en plus. Comme je regrettais ma décision d'il y avait plus d'une heure ! Une heure vaine à foncer dans le mystère d'un quartier totalement inconnu de moi. « Où suis-je ? » Ces trois mots — phylactère coutumier de tant de bandes illustrées — me faisaient rire en temps normal, mais là pas du tout.

« Où suis-je ? » me répétais-je. Nulle part. Se perdre, c'était cela, ne plus savoir si on doit continuer droit devant soi, ne plus savoir même si on ne ferait pas mieux de rebrousser chemin. Revenir en arrière, retourner là où j'avais commis la bêtise de me séparer de mes camarades du club Cyclo-Grasset. Aussi, me disais-je maintenant, pourquoi donc cette permision du père Amyot, à la sortie du pont Mercier : « Oui, tu peux y aller, Claude » ? Ce fondateur du club aurait dû me dire : « Non ! Tu restes avec le groupe ! » C'est qu'ils avaient pris la décision de rouler par le bas de la ville, vers l'est, afin d'accommoder deux élèves du club qui habitaient le quartier Maisonneuve. Toujours fier et indépendant, j'avais pensé que je rentrerais plus vite chez moi en fonçant droit vers le nord. Erreur fatale ! J'étais désespéré. Rouler si longtemps et me retrouver dans une zone tout à fait inconnue !

Je pédalais. Je pédalais comme un forcené. Chaque fois que j'interrogeais un passant — il y en avait peu car c'était l'heure du souper —, on me répondait en anglais. Je ne comprenais rien. L'un d'eux tenta de m'expliquer qu'à ma droite se trouvait Côte-Saint-Paul. J'avais bien saisi, mais pourquoi m'y rendrais-je ? Ce nom ne me disait absolument rien. C'était la première fois que je l'entendais. Non. Plutôt continuer vers le nord, me fiant à l'astre éblouissant à ma gauche. Je pédalais, je pédalais. Un si bel après-midi. Une excursion si excitante. Nous étions partis du collège de la rue Crémazie en descendant la rue Papineau. Puis nous avions traversé le pont Jacques-Cartier, une première pour moi. La beauté du fleuve ! L'émotion de sortir de Montréal en survolant — tant le pont me parut haut — l'île Sainte-Hélène, puis, la découverte, à l'horizon, des villages de la Rive-Sud, Longueuil, Jacques-Cartier, Greenfield Park, tout cela me transportait au septième ciel. Le père Amyot, à voix forte, nous précisait les noms des lieux.

C'était notre première grande expédition. J'avais des ailes. En vélo, un jour, me disais-je, je traverserais aux États-Unis, j'irais voir Boston et New York. Voir la mer ! Je n'avais jamais vu la mer ! Plus vieux, je visiterais La

Nouvelle-Orléans, le désert du Nevada, la Californie. Je rêvais, non pas debout mais trônant sur la selle du cycliste ambitieux. À midi, je rêvais mais, ce soir, quel désastre de terminer une balade aussi formidable en me perdant dans des faubourgs inconnus ! Je pédalais moins vite. J'étais épuisé. On se fatigue plus vite quand on roule vers... nulle part. Comme nous étions heureux et satisfaits vers trois heures, cet après-midi, quand nous sommes arrivés au but ! Nous étions parvenus sains et saufs à Iberville. Notre cortège était fier : une randonnée parfaite, même pas une crevaison. Nous avions dévoré notre collation en riant, en chantant, en nous taquinant.

La petite ville de Saint-Jean, de l'autre côté de la rivière, brillait sous le soleil printanier, sous ce ciel sans aucun nuage, d'un bleu parfait. Un religieux d'une institution, à proximité, nous avait servi une limonade délicieuse. Ah oui, d'être arrivés à destination sans encombre, avec des mollets encore solides, faisait de nous des matamores de la pédale. Notre premier grand voyage à vélo s'avérait une victoire merveilleuse. Nous venions de rouler durant plus de deux heures ! Certes, il y avait eu quelques arrêts, le sulpicien Amyot, pédagogue, voulant nous faire admirer certains paysages, quelques sites historiques, par exemple le fameux fort de Chambly. Nous avions été si dépaysés en pédalant tout le long de cette rivière Richelieu, le long du canal du même nom, endroits inconnus de nous tous. Oui, un merveilleux voyage. Et il y en aurait d'autres, promesses d'évasions bienvenues pour des collégiens abrutis d'études.

Je ne regrettais pas d'avoir adhéré à Cyclo-Grasset malgré l'interdiction de mon père, qui répétait :

— Vas-y pas, tu vas t'éreinter.

Je n'étais jamais sorti de Montréal à bicyclette. Amyot s'avéra un jeune et solide gaillard, une sorte de grand frère. Nous l'aimerions autrement désormais. Il nous enseignait très sérieusement, parfois sévèrement, les éléments latins, mais, installé sur son vélo, il n'était plus le prof grave et rigoriste, non, il se métamorphosait en jeune chef de bande. Nous découvrions, étonnés et ravis, un autre homme. Une sorte de grand scout plus musclé qu'on ne l'avait cru, taquin, rieur, enthousiaste, volontiers courseur à l'occasion. Candide, je n'aurais jamais cru qu'un prêtre, un moine comme nous appelions nos profs en soutane, puisse se transformer en sportif exemplaire.

Hélas! cette belle expédition tournait mal pour moi. Je craignais de perdre cette précieuse boussole, le soleil, qui ne cessait de baisser et allait m'abandonner bientôt. Ce lacis de chemins et de carrefours inconnus m'enlevait le peu d'énergie qui me restait. J'étais, comme on disait, écarté. Je n'en revenais pas de me retrouver dans une telle situation. J'avais envie de pleurer. J'étais donc toujours un enfant? Je cherchai en vain un poste de police. Les rares magasins rencontrés affichaient tous en anglais. Inutile d'aller quémander des informations sur comment me rendre chez moi, dans Villeray. Des affiches m'indiquaient: Ville-Émard, Côte-Saint-Luc, puis *Hampstead, Montreal West*, des noms inutiles puisque je ne les avais jamais entendus de ma vie. J'étais abattu. Je me disais qu'à continuer de rouler ainsi, Dieu seul sait où je me retrouverais. Verrais-je un écriteau m'annonçant que j'approchais de la frontière de l'Ontario? De Toronto peut-être? Cela ne m'aurait pas surpris. Ou bien, lirais-je bientôt: « Frontières. États-Unis »? Cela se pourrait bien. Me perdre dans ma propre ville! Je ne rêvais plus du tout à Boston, ni même à Plattsburgh, mais à simplement rentrer dans ma petite patrie.

Intimidé, plus anxieux que jamais, j'entrai dans le premier restaurant enfin rencontré, pour y faire une brève halte, retrouver un peu de calme, chercher une solution. Dans une loge de bois verni, un couple s'embrassait timidement, à petits becs prudents. Elle riait sans cesse, maigre, rousse, la peau toute picotée et les dents très longues. Lui, était un filiforme blond avec les dents encore plus longues. J'entendis la rousse lui dire, en le repoussant :

— *Darling, stop, please*!

Je me levai et osai les interrompre d'un :

— Pouvez-vous m'aider ? Je suis écarté. Parlez-vous français ?

Le blond, en riant, baragouina quelque chose d'incompréhensible. Je retournai à mon tabouret du comptoir-fontaine, où la serveuse, chevelure montée en dôme, accrochée à son téléphone, hurlait des admonestations à son correspondant. Me voyant l'écouter, elle baissa le ton. Mon coca-cola me parut fade, amer même.

Sorti de la gargote, je tentai de reprendre mes esprits, de trouver du courage, de relativiser mon drame. Des voitures passaient. Un cycliste, deux piétons, tous semblaient si bien savoir où se diriger. Pas moi ! Ma situation restait la même, « ...mais bon, me disais-je, ce n'est pas la fin du monde ». La nuit venue, je coucherais dans un garage, je demanderais asile à un des propriétaires de ces riches pavillons. « On ne laisse pas un chien coucher dehors, me disais-je. Je ferai pitié à quelqu'un. Il doit bien y avoir des Anglais qui ont du cœur. Ils verront que je ne suis pas un voyou, un hobo, mais un collégien sage. » Je n'avais plus un seul sou en poche. Je venais de penser, mais trop tard, que j'aurais pu téléphoner chez mon oncle Léo. Comme il avait une automobile, il serait venu vite secourir ce neveu mal pris qui lui servait parfois d'aide-cantinier sur son train Montréal-Québec. Oui, mais comment lui aurais-je expliqué où j'étais puisque je n'en avais aucune idée ? J'étais condamné à retrouver mon chemin seul.

Comme pour me calmer, en pédalant je me remémorai l'excursion, les si beaux panoramas, les belles campagnes de la vallée du Richelieu, le pique-nique dans l'herbe, sous les arcades d'un... monastère, juvénat, noviciat? En tout cas, là où nous avions été si chaleureusement accueillis. Ça avait été, oui, une formidable excursion. Pourquoi aussi mon idée de rentrer seul sans être certain de mon chemin? Il fallait que je retrouve mon calme. Réfléchir. Je n'avais pas de bracelet-montre. Il devait bien être sept heures du soir. Heureusement, en mai, le ciel restait clair tard, les jours s'allongeant de plus en plus. Je me mis à espérer bêtement qu'en pédalant je verrais soudain un nom de rue familier, une manière de m'y retrouver. Fol espoir? Deux fillettes en jupes écossaises jouaient à la marelle. Un petit garçon courait derrière un immense ballon blanc et jaune dans cette belle rue tranquille. Un écureuil me passa sous le nez, voltigeant dans un saule gigantesque dont les branches formaient une voûte au-dessus de la rue. Un geai bleu filait à basse altitude, émettant son cri trop strident pour un si bel oiseau. Une fillette, en dansant à la corde, entrait dans l'allée de sa demeure. La chanceuse, elle était chez elle. Et moi? Quand arriverais-je?

Mes parents devaient être rongés d'inquiétude. Ils devaient avoir appris que le club était revenu, chacun des excursionnistes rentré chez soi pour souper. Ils devaient se lamenter:

— Notre garçon s'est perdu! On le retrouvera Dieu sait quand? Blessé, mort peut-être, entraîné, Dieu sait où, par un maniaque!

Je me sentis un peu consolé, un peu heureux de les imaginer inquiets. En ce moment, toute une famille s'en faisait pour moi. Jeune, on aime imaginer que les nôtres tiennent profondément à nous. Cette pensée me donna un zeste de courage et j'accélérai. Cela ne se pouvait pas

que je ne finisse pas par reconnaître un lieu un peu
familier. Montréal, après tout, n'est qu'une île! Il y aurait
une fin à mon égarement géographique! Je saurais
mieux, trouvant un repère quelconque, vers quel horizon
me tourner. Le soleil avait disparu. Plus aucun repère! Je
tournais, à tout hasard, ici ou là. Des rues de ce quartier
inconnu étaient ou des impasses ou de ces *circle roads* à
l'anglaise qui ne conduisaient nulle part et je me retrouvais à pédaler en rond, perdant un temps précieux. Je me
mis à sangloter d'impuissance.

La noirceur tombait, de plus en plus dense, sur la
ville. J'entendais battre mon cœur au grand galop. Je me
laissai aller à pleurer à chaudes larmes, brève crise qui me
soulagea. À un coin de rue, un vieillard à l'allure inquiétante me dévisagea. Une lourde couronne de cheveux
blancs encerclait sa casquette. Il poussait une énorme
charrette remplie de poches bourrées de je ne savais trop
quoi. Un chiffonnier? Un de ces guenilloux comme il en
passait parfois dans nos ruelles? Prenant mon courage à
deux mains, je fis demi-tour et l'accostai:

— Pardon monsieur, je suis perdu. Je veux aller dans
le nord de la ville, dans Villeray.

Providence bénie, il me répondit dans un français
approximatif:

— Villeray? Tou continua à pédale dans ce direction,
darrière, toute devant touâ!

Il avait levé son bras vers ma droite. Il continua:

— Tu voira oune boulevarde, tré grosse boulevarde!
Pas loin. Ça va récondouir touâ vers la *Town of Mount-
Royal*. Touâ *knows Mount-Royal?*

J'étais sauvé! Je connaissais cette ville-modèle. Souvent, j'y allais en vélo le dimanche après-midi, admirant
les jardins coquets, les spacieuses demeures de cette banlieue de richards. Leur chemin des Persilliers, non pavé,
nous servait de piste pour courser avec nos bicyclettes. Je

me mis à pédaler avec fureur du côté du bras levé de mon sauveur.

Je finis par apercevoir, sur un panneau décoratif avec blason enluminé : « *Town of Mount-Royal. Welcome.* » Je m'y retrouvais enfin ! Je n'avais plus qu'à rouler vers l'est. De quel côté, l'est ? Pour m'en assurer, j'ai visé une vieille qui offrait un cornet de glace à un bambin dans sa poussette :

— Est-ce que *you know where I will found the* marché Jean-Talon ?

La vieille se redressa, me dévisagea comme si elle avait vu un Martien. Sans doute qu'elle repassait dans sa tête ma misérable question. Elle finit par acquiescer, levant une main vers sa droite :

— *Yes, yes* ! Mârché Djanne-Taloune ? Toute droite devant vous. Quinze ou vingt minoutes.

Je me suis mouché, je me suis calmé. Il était temps, car j'étais à bout. Je me suis remis à pédaler plus vite que jamais. J'avais si hâte de retrouver la maison, de pouvoir manger, même des restes refroidis. Je l'avoue, j'avais hâte de voir les visages ravagés d'inquiétude des miens, de mon petit frère Raynald, de mes sœurs. J'imaginais déjà le flot des questions, les : « D'où sors-tu au juste ? Ça fait deux heures que tes camarades sont revenus. As-tu été attaqué ? As-tu rencontré un de ces hommes aux enfants, ces offreurs de bonbons empoisonnés, un de ces vicieux ? » Oui, je me voyais déjà, racontant mes angoisses, les péripéties de mon aventure, que j'allais exagérer, bien entendu. Je m'apprêtais à déballer un récit effroyable. J'allais allonger la sauce du désarroi de m'être retrouvé complètement perdu dans un territoire inconnu. L'impressionnable petite Nicole allait ouvrir des yeux de terreur. Voyant soudain un écriteau marqué « Rue Jean-Talon », je pédalai à en perdre haleine.

Quel bonheur de passer devant la gare Jean-Talon, de redécouvrir les rues familières de mon quartier, au coin de Saint-Dominique, d'apercevoir la belle Marion Hall dans un parterre, un arrosoir de tôle à la main :

— Claude, me cria-t-elle avec son accent que j'aimais tant, tes sœurs te cherchaient pour le souper. Où étais-tu ?

Je n'ai rien dit. Je lui ai fait de frénétiques saluts de la main, ne cessant pas une seconde de pédaler. J'étais rendu. J'étais rentré d'un exténuant voyage à l'étranger ! Bourlingueur revenu à son port d'attache, je me percevais comme un héros, un de ces voyageurs de nos manuels d'histoire découvrant le Mississippi, un nouveau monde ! J'avais déjà oublié le garçon braillard au coucher de soleil. Je me transformais en un Marquette, un Jolliet, un Cavelier de La Salle ou ce La Vérandrye de notre livre d'histoire du Canada. Désormais, j'étais mieux qu'un gars ordinaire de Villeray ; j'avais vu du pays, moi !

J'ai foncé dans notre ruelle. Tit-Yves bricolait une cabane à moineaux. M'apercevant, il s'écria :

— Tit-Claude, te v'là ? Tout le monde te cherchait chez vous. Tu vas en manger toute une. Ton père avait l'air enragé.

Je lui ai lâché :

— J'arrive du bout du monde, mon vieux ! Tu peux pas savoir.

Je pédalais à grande vitesse, me disant : « Comment ça, mon père enragé ? Il peut donc pas imaginer que je sors des Enfers ? que j'étais le poète Orphée luttant sur l'Achéron ? Je viens de risquer ma vie. J'ai triomphé de Charron et du Cerbère impitoyable. J'émerge du Styx périlleux ! »

Moi qui aimais tant la mythologie, qui m'en délectais, j'étais parvenu à sortir du Labyrinthe, j'étais le Minotaure astucieux. J'avais déjoué le Dédale maudit ! Tout de

même vrai que j'aurais pu me retrouver au pays des Mille-
Îles, en Ontario ! « Comment ça, mon père furieux ? » Je
souhaitais plutôt des encouragements, des mots de
consolation, sentir chez papa le bonheur de me revoir sain
et sauf, retrouver une mère réconfortée de revoir son
enfant prodigue. Il fallait qu'on tue le veau gras. Il fallait
que ma mère me serre contre elle, me caresse le visage,
me dise :

— Mon pauvre petit garçon ! Rentre, viens, un bain
d'eau chaude t'attend. Dire qu'on a failli te perdre !

Tit-Yves me faisait craindre une déception : que des
reproches voilent la satisfaction de m'avoir retrouvé.
Peut-être devrais-je déchirer ma chemise, salir de boue
mon beau pantalon de serge beige ? saigner un peu ? Je
songeais à m'érafler la peau des bras avec un tesson de
vitre. Non ! Je saurais prendre le visage du rescapé d'une
funeste aventure. Je saurais mentir. Comme tous les
enfants du monde, j'étais acteur à l'occasion.

Hélas ! personne dans notre cour arrière ! Curieuse
réception ! Je décidai alors de passer par en avant, rue
Saint-Denis. Ils sont sans doute tous entassés sur le balcon, inquiets, guettant l'horizon, entourés de voisines et
voisins paniqués. La police devait avoir été avertie. Ils
devront vite rassurer le père Amyot au collège, bourré de
culpabilité. Je m'emparerai du récepteur pour lui dire :

— Rien de grave, père Amyot. J'ai voulu voir du
pays, découvrir des quartiers nouveaux !

J'étais tout divisé : jouer le héros ou jouer la victime ?
Je calculai vite. Les enfants cherchent toujours le meilleur
moyen d'être applaudis, félicités ou, selon les situations,
d'être consolés et cajolés. Devant le 7068, personne sur
le balcon ! Je m'étais imaginé des choses. Je me disais :
« Mes parents ont leurs autres enfants et, pauvre rêveur,
je ne compte peut-être pas pour grand-chose dans cette
maisonnée ». L'intolérable « Un de plus, un de moins... »

me vint à l'esprit. Mes contes de Charles Perrault, relus si souvent quand j'étais enfant, montraient de ces parents endurcis qui se débarrassaient cruellement de leurs petits, les abandonnant à des ogres impitoyables. J'exigeais un accueil digne d'un garçon qui venait de traverser une grave épreuve.

Alors, je ne suis pas entré, sachant pourtant que la porte était toujours déverrouillée. J'ai sonné. Plusieurs coups. On allait bien voir. J'imaginais la course de tous dans le couloir. On se précipiterait dans le portique. J'entendais déjà les cris de joie de ma mère. C'est Marcelle qui m'ouvrit :

— Ah, c'est toi enfin ! La table est desservie. Il n'y a plus rien à manger. Ça t'apprendra.

Elle me suivit. Je marchais vers la cuisine lentement, cherchant encore quelle attitude adopter. De sa chambre, Nicole me fit un petit : « Bonsoir ! » et se replongea le nez dans son livre de géographie. J'appelai :

— Maman ? Maman ?

Rien. Dehors, sur la galerie, elle raccompagnait sa chère commère, madame Le Houiller. Je l'entendis rire ! J'étais atterré. M'aimait-elle ? Raynald sortit de notre chambre avec un cerf-volant qu'il s'était confectionné :

— Regarde ça, Claude ! Je l'ai baptisé le Dragon rouge. Où t'étais donc ?

Enfin, ma mère entra et me lança :

— Trop tard ! Va manger un hot dog en bas. Je suppose que tu as traîné encore chez ton ami Tit-Cor, espèce de lunatique qui ne sait jamais l'heure !

J'ai tourné les talons, déçu, ulcéré. Madame Le Houiller ricanait derrière la porte à moustiquaire. Je l'aurais assommée.

Au restaurant, mon père me fit un énorme hamburger après m'avoir dit :

— Écoute un peu, mon petit gars. Tu dois absolument apprendre à téléphoner quand tu t'attardes chez Tit-Cor Laurence ou chez un autre. Ta mère, c'est pas une cuisinière engagée à cœur de jour. Peux-tu te rentrer ça dans la tête une bonne fois pour toutes?

J'étais très déçu. Alors, je n'ai rien raconté. Pas un seul mot. Mes parents ne méritaient pas mon récit, je l'ai gardé pour moi. Papa s'est mis à ranger des paquets de cigarettes en sifflotant. Moi, en silence, j'ai avalé mon hamburger, une pointe de pizze et un *cream-soda*.

Je me suis installé à mon pupitre dans ma chambre. J'ai ouvert un cahier tout neuf, payé dix cents au quinze-cents de la rue Saint-Hubert. J'ai décapuchonné ma plume à l'encre Waterman, d'un si beau bleu, et j'ai écrit tout en haut de la première page: «Aventure extraordinaire d'un intrépide cycliste au bout de l'île». Je jonglais un peu à comment faire débuter mon odyssée toute fraîche. J'ai mis d'abord quelques vers en latin, piqués dans le manuel *De bella gallica*. C'était parti:

«Le soleil tombait dans les eaux sombres du fleuve infernal. Un brouillard épais recouvrait des rives funestes. J'étais perdu, hors du monde des humains. Un vieillard, couronné de lourds cheveux blancs, poussait une immense charrette remplie d'os de squelettes. Était-ce le gardien d'un styx méconnu? Moi, grimpé sur ma barque fragile, je cherchais, parmi des arbres noyés, ma muse égarée. Il me fallait la ramener sur un sol hospitalier... »

Ça allait mieux. J'étais content. J'enverrais mon conte au journal du collège. Ma famille ne le méritait pas. Ce jour-là, j'ai vieilli d'un seul coup. J'étais coupé des miens. Cela me faisait un peu mal. En écrivant, je me disais: «Un bon jour, ils vont découvrir que j'étais un grand poète qu'ils n'ont pas su reconnaître. Et ils auront honte.»

CHAPITRE 28

Yvette

Cela existe, les amours enfantines. À huit ans, mon béguin précoce pour Micheline Carrière, déménagée si brutalement. Gros chagrin. Les enfants cicatrisent vite et j'étais retourné à mes jeux dans la ruelle. Un instinct secret me disait que j'étais bien trop jeune pour une peine de cœur. Pourtant, peu de temps après, je devais avoir neuf ans, voilà que je m'entichai de la jolie Jacqueline Fortin, qui habitait en face du cinéma *Château*. Comme je la trouvais de mon goût ! C'était, hélas, une sportive et elle ne semblait pas remarquer mes petites attentions pour elle. Folle du patin à roulettes, elle filait, les cheveux dans le visage, la jupe volant au vent. J'avais la triste impression qu'elle se sauvait de moi sur ses maudits patins à roulettes.

Quand je la croisais, je faisais le beau comme on dit qu'un petit chien fait la belle ! Fragilisé par le déménagement inopiné de Micheline, je me méfiais de mes élans amoureux. J'approchais Jacqueline prudemment, lui proposant de vagues promenades, de petites excursions aux alentours. Elle refusait. Pour elle, il n'y avait que les patins ! Alors, je me tournai vers la jolie Ginette Matte. À quatre ou cinq ans, on avait partagé un bon copinage. Ginette avait été une fidèle compagne de jeu sur mon balcon et dans le petit parterre, celui connu du docteur par exemple, mais vient un âge — sept, huit ans? — où on en a assez de jouer le papa qui va au travail et qui retrouve la maman qui catine, qui pouponne. Alors, le petit mâle se tourne vers la rudesse des jeux entre garçons. S'installe alors une cloison étanche entre les petites filles et les petits garçons. Chez moi, cette cloison était mince. Les filles m'attiraient. Irrésistiblement! Je voyais Ginette avec d'autres yeux.

Malheureusement, si une fillette s'immisçait parmi nous, mes amis la chassaient, lui criant: «Les filles avec les filles!» Une exception: ma sœur. À la soft-ball, Marielle pouvait batter aussi bien qu'un gars, mieux que Pété Légaré qui était malingre et nous faisait perdre des parties. Elle avait vite acquis le droit de jouer avec les gars. Ce ne fut pas long qu'elle se fit traiter de garçon manqué par ses petites amies. Elle s'en fichait au début. Sa fougue faisait florès dans notre bande. Marielle se montra aussi vaillante pour frapper des home runs que pour attraper un fly quand on l'envoyait à vache. Au viril jeu du hockey de trottoir, plus étonnant encore, ma sœur s'avéra experte. Marielle pouvait facilement déjouer les plorines et compter des buts. Humiliée par les moqueries incessantes des autres fillettes, elle finit par refuser nos invitations. Nous la regrettions chaque fois qu'il nous manquait une recrue pour former une équipe victorieuse.

À un moment donné, Jacqueline en patins me sembla un peu plus attentive à mes signaux amoureux et ma flamme se raviva. Un samedi matin, malgré des éclairs annonciateurs d'orage, elle patinait, comme toujours, le long du trottoir de l'autre côté de la rue. Elle avait de si jolies et fines jambes, une belle taille, un cou si mignon. J'avais vieilli encore, alors je remarquais mieux que jamais la beauté des filles. La petite Fortin filait, patinait. Comment la captiver alors que moi je n'avais pas de patins?

Papa n'avait jamais voulu m'en acheter, répétant : « C'est une patente pour se rompre les os ! » Ce jour d'orage menaçant, j'avais réussi à entraîner la belle vers le tunnel qui séparait la maison du docteur Saine de celle des Audet. Une sorte de passage voûté permettant aux automobiles de se rendre directement à la ruelle.

Descendue enfin de ses sempiternels patins, elle riait, espiègle et charmante :

— Qu'est-ce que tu me veux ? Où veux-tu m'amener ? On vous connaît, les gars dans votre genre. Tu dois avoir une idée derrière la tête !

Un coup de tonnerre éclata au loin. L'orage se rapprochait ! Je devais me dépêcher. J'ai sorti de mon sac deux palettes de bolo que je venais tout juste d'acheter chez Nadeau pour Marielle et moi. Deux bolos de luxe ! Avec l'élastique épais, la belle balle blanche, l'épaisse raquette de bois émaillé rouge. Jacqueline agrandissait les yeux. Je lui dis :

— On fait un concours. Si je te bats, j'aurai le droit de t'embrasser.

Elle plissa les yeux, finit par me sourire et, l'ayant battue par cinq coups — je m'étais rendu à cinquante et un, elle à quarante-six —, nous avons marché vers la ruelle, au bout du tunnel, pour nous embrasser. Elle avait fermé les yeux et avait soupiré : « C'est bon ». J'étais au septième ciel, mais le ciel, au même moment, craqua dans un fracas terrifiant et la pluie s'abattit en trombe. Les coups de tonnerre se multiplièrent. Effrayée, Jacqueline voulut vite rentrer chez elle. Ses patins à la main, elle s'enfuit en me criant :

— Demain, je vais au cirque dans la cour de l'orphelinat. Viendras-tu ?

Les gars gueulaient après moi chaque fois qu'ils me voyaient partir avec Jacqueline :

— Maudit cornichon de Jasmin! Lâche donc les filles! Perds pas ton temps. On s'en va jouer au baseball contre la gang à Jacques Malbœuf. Viens nous aider, maudit fifi!

Sourd à leurs implorations, je collais à ma belle patineuse. Je finis par la convaincre de venir avec moi chez Baggio, rue Saint-Laurent, louer une bicyclette. À vingt sous l'heure, c'était un loisir abordable. En arrivant tôt, on avait meilleur choix, échappant aux bazous, ces vélos déglingués. Il lui avait fallu la permission de son papa, directeur d'un *business college*, homme sévère qui ne souriait jamais. Jacqueline sut si bien l'enjôler qu'il finit par accepter. Chaque fois, nous partions en longues balades sur nos bécanes louées. Nous allions un peu partout, au sud, jusqu'au tunnel des chemins de fer, rue De Fleurimont. Là, le spectacle du virevoltage continuel au terminus des tramways nous fascinait quelques minutes. À l'est, nous pédalions jusqu'à Saint-Léonard de Port-Maurice, la campagne à dix coins de rue! À l'ouest, nous roulions jusqu'au chemin des Persilliers. On rêvassait sur nos vélos. Je cherchais souvent à lui voler un baiser et découvris qu'elle restait sur ses gardes. Je voulais toucher son cou, sa taille, ses mollets. Rien à faire, elle se refusait à la moindre caresse. Elle avait une année de moins que moi. Je me disais: « Plus tard, elle voudra ». J'imaginais en vain de ces longs baisers comme j'avais vu s'en donner ma grande sœur Lucille et son René, Marcelle et son Yvon. Quand j'osais lui passer un bras autour du cou, Jacqueline se raidissait, se sauvait de moi en riant. Je finis par cesser de la courtiser.

Ayant déniché un autre loueur de vélos rue Saint-Zotique, aux prix plus bas que ceux de Baggio, je m'y rendais tous les dimanches. Je choisissais toujours le même vélo, un engin d'un bleu métallique, à double cadre, à pneus-ballons, avec une clochette, une dynamo et son phare, un miroir réglable, deux queues de loup. J'avais toujours peur qu'il soit déjà loué. Je me disais que c'était mon vélo. Bien à moi ! J'aimais courser en solitaire entre les halles du marché Jean-Talon et c'est là que je fis la connaissance de la jolie Irlandaise, Marion Hall. À peine plus vieille que moi et tellement moins farouche que Jacqueline. Elle avait de longs cheveux blond-roux, portait des chemises de garçon effrontément ouvertes sur des seins naissants. Elle baragouinait un français approximatif qui m'amusait. Elle se collait souvent sur moi, me caressait les bras, les épaules.

Un bon jour, mon père se décida enfin à m'acheter une bicyclette. C'était un simple vélo CCM, sans guidon ni ailes chromées, car hélas, c'était le temps de la guerre. J'y posai un vieux miroir et plusieurs réflecteurs miniatures, en vitre colorée, chipés aux plaques des autos stationnées devant chez moi. Je me dépêchai d'aller montrer ma nouvelle monture à Marion, dont le père, un géant chauve, était un redoutable cerbère. Me voyant rôder, il apparaissait sur son porche, rue Henri-Julien, grognard, les yeux exorbités, la rappelant sans cesse à lui quand il nous surprenait filant vers les halles du marché, elle sur le cadre de mon CCM. Chaque fois, il engueulait sa fille comme du poisson pourri. Comme si j'avais été un démon. Cela devenait très difficile d'entretenir ma flamme. Rien à faire, Hercule Hall ne m'acceptait pas et j'avais peur de lui. Il ne me saluait pas, tournait le dos dès mon approche, marmonnait d'inaudibles imprécations que je pris bientôt pour des menaces sérieuses. Tant et si bien que je mis fin à mon flirt avec sa fille trop protégée. De toute façon, il y aurait bientôt les vacances à Pointe-Calumet, et peut-être une fille inconnue avec un papa moins tyrannique. Quittant le marché, je croisai ma mère qui me dit :

— Rentre donc! Je t'ai vu, tu sais. De quoi t'as l'air
à courir les filles à ton âge? Tes notes sont pas bien
fortes. Si tu rates ta première année de collège, tu pourras dire adieu aux études classiques, à ton avenir.

Mon avenir. J'avais peur. Papa espérait tellement que
je réussisse, mais je n'aimais que l'histoire et la géographie, l'anglais et le latin. Découvrir que pomme se disait
« *apple* » en anglais, qu'enfant se disait « *puer* » en latin,
était un jeu fascinant. Toutes les autres matières m'as-
sommaient. Ce que j'aimais le plus, c'étaient les filles!
Mon père avait échoué ses études en versification, au
collège de Sainte-Thérèse, et il savait que c'était difficile.
Constatant mon peu d'entrain à étudier, il m'étonnait,
me disant:

— Mon pauvre Claude, c'est difficile hein? Faut pas
trop te forcer. Fais juste ton possible!

Ma mère, plus sévère, me poussait au contraire à
bûcher, à cesser mon bambochage. J'étais conscient d'en
avoir pour des années à piocher. Je calculais que j'aurais
vingt et un ans après les deux années de philo, et
qu'après viendraient les années d'université. Je serais
vieux! me disais-je. Si vieux! Trop tard pour aimer peut-
être! Je découvrais la peur du temps qui passe trop vite.
C'était nouveau pour moi.

Et puis, j'ai eu treize ans. En novembre, j'en aurais
quatorze! Ce chiffre m'impressionnait! L'amour rava-
geur refit surface. Cette fois, compliqué et fou. Un grand
amour contrarié! Je m'étais épris de la sœur de Tit-Yves,
Yvette, une vieille. Quelle audace d'espérer qu'elle s'intéresse à moi, cette Yvette Dubé qui devait avoir dix-neuf
ans. Je l'aimais en secret. Je la trouvais d'une beauté
envoûtante. Je découvrais un sentiment nouveau,
l'amour difficile, quasi impossible. Mon sentiment amoureux était né de certains regards qu'Yvette jetait sur moi,

de certains propos gentils à mon endroit, aussi du simple fait qu'elle m'accueillait si chaudement quand j'allais chercher mon ami, son petit frère. Elle engageait volontiers des conversations avec moi, simple tit-cul au premier pantalon long! Bref, je finis par m'imaginer que je ne la laissais pas indifférente.

À cet âge, la moindre attention devient un encouragement. Je me disais qu'elle n'osait pas aller plus loin par peur des conventions. Une grande ne devait pas s'intéresser à un petit. La belle Yvette ne pouvait pas avouer que je n'étais pas un garçon comme les autres et qu'elle me trouvait de son goût. Mon imagination avait pris le mors aux dents. Des illusions s'installaient chez moi. Pour un simple clin d'œil de sa part, pour un mot gentil, pour une main sur mon épaule. Pour des riens. Oui, je voulais m'en convaincre, Yvette m'aimait secrètement, tout en luttant contre cette réalité. Et vogue ma galère! On se découvre soudainement amoureux fou d'une grande. Elle était une vraie beauté aux longs cheveux bruns, svelte, à la démarche si souple quand je la voyais magasiner rue Saint-Hubert avec une de ses amies ou quand elle s'en allait vers un des cinémas du coin. Tout ce mois d'avril, le cœur en chamade, espérant l'impossible, j'allais très souvent veiller sur le balcon chez Tit-Yves. Lui, il ne voyait rien, ne devinait rien. J'aimais observer Yvette, guetter la moindre attention de sa part.

Quand la belle Yvette passait devant chez moi, je faisais le grave, le sérieux. Je me vieillissais du mieux que je pouvais, cheveux enduits de *brylcream*, veston d'homme, chapeau d'homme, foulard de soie blanche. Était-ce bien utile? Me distinguait-elle même? J'avais des doutes. Un soir, du balcon chez Tit-Yves, je la vis monter dans une voiture décapotable, plus belle que jamais, riant à belles dents — ses belles dents, sa belle grande bouche — avec un garçon de son âge aux allures de Prince charmant.

Cendrillon ne me voyait plus! J'étais furieusement jaloux. Le temps qui passe, vieillir, cela ne me faisait plus peur du tout! Au contraire, j'aurais voulu, par un coup de baguette magique, me voir métamorphosé en adulte. J'avais mal partout. Allais-je la perdre? Je m'obstinais à l'aimer en silence. Je m'étais imaginé, folie, qu'il n'y avait qu'à patienter une année ou deux, que j'allais vieillir plus vite que les autres et qu'elle finirait par me voir avec d'autres yeux. Comme si Yvette, elle aussi, n'allait pas vieillir de son côté. On est fou quand on a treize ans!

Mai s'amena. J'étais stupide, me disais-je, de m'amouracher d'une vieille de la sorte. Je m'imposais chez Tit-Yves. J'insistais pour veiller tard, le vendredi, le samedi, sous leur gigantesque peuplier, juste au-dessus du Salon Theasdale, coiffure. Je n'étais heureux que sur le balcon de ma Juliette inaccessible! Tit-Yves trépignait, me suppliait qu'on aille se promener n'importe où, qu'on fasse quelque chose. Mon copain ne comprenait pas que je veuille rester incrusté sur son balcon. Il ne pouvait deviner que je guettais les allées et venues de sa grande sœur. Par une des fenêtres donnant sur ce balcon, je regardais Yvette lire dans son salon, écouter la radio, se friser, se maquiller. Elle venait nous offrir du chocolat ou des raisins, des biscuits, un jus d'orange, et mon cœur cognait chaque fois à tout rompre. J'étais pâmé! Je lui faisais des yeux doux, j'abordais un sujet de conversation grave, la guerre en Europe, le film le plus populaire, tout pour lui montrer que je n'étais pas un garçon comme les autres, pas du tout semblable à son petit frère, Yves.

Tout bascula en juin. Il faisait si beau, c'était un soir de printemps radieux, si doux. Yvette nous apparut sur le balcon, plus jolie que jamais, vêtue de blanc, un voile de guipure sur la tête, radieuse à me faire défaillir. Je ne voulais pas croire mes yeux. Ce n'était pas une robe de mariée, pas du tout! C'était un costume pour un bal, celui d'une fée. Était-ce enfin l'heure de ses aveux? Sa déclaration d'amour? Que se passait-il? Où étais-je? Est-ce que je rêvais? Elle allait faire du théâtre peut-être? ou de la photographie pour un magazine de mode? Quoi? Elle pivotait sur elle-même, un sourire merveilleux aux lèvres, les yeux mi-clos. C'était un rôle, une illusion. Où diable s'en allait-elle dans cette robe magique? Oui, c'était un jeu. Je restai muet, la bouche ouverte, et puis j'eus peur! Très peur! Je ne voulais pas entendre ce qu'elle allait dire. J'aurais voulu devenir sourd sur-le-champ.

Enfin, Yvette parla. Elle annonça:

— Je veux ton avis bien franc, Claude. Regarde-moi. Est-ce que je serai belle à mon mariage dans quinze jours?

Il me semble que j'ai alors entendu un coup de tonnerre! Le feuillage naissant du peuplier géant me parut se changer en mille crêpes funéraires. Le ciel s'était assombri d'un coup sec. Il allait faire très noir subitement! Est-ce que quelqu'un, pas loin, ne battait pas un tambour sinistre? Je regardais ailleurs, nulle part. Mon regard se sauvait de ce balcon effrayant. Le parterre chez Theasdale était un cimetière lugubre, le trottoir d'en bas un linceul sordide, le lampadaire, une potence, l'existence, un calvaire. Je vis le ciel et c'était un abîme! Tout s'écroulait, j'étais vide, mou, tremblant, je n'étais plus rien qu'un tas de guenilles! Je n'existais plus. J'étais comme mort. Ses sourires de connivence, ses œillades de complicité, tout ce que j'avais cru être une entente tacite, s'écroulait. Elle me trompait. Elle se jouait de moi. Yvette me trahissait. Elle bafouait mes pauvres espoirs. Elle n'avait donc pas de cœur? Je la haïssais. Sa voix me parvenait comme d'un rivage désormais inabordable. Yvette insistait:

— Tu dis rien, Claude? Dis quelque chose, c'est pas une belle robe?

Je me levai d'un coup sec, fiévreux, bafouillant:

— Viens-t'en, Tit-Yves. On s'en va. Nous autres, les mariages, on trouve ça ridicule.

J'ai entraîné son petit frère vers l'escalier en disant:

— On va aller aux vues, au *Empire*! Paraît que Richard Widmark tue deux filles dans son dernier film.

J'avais les yeux pleins d'eau!

CHAPITRE 29

Une cicatrice

JE N'ÉTAIS PLUS LE MÊME à la mi-août de 1944. Je sortais d'une sorte de rêve inquiétant. Je revenais de très loin. De la mort. J'étais sauvé, j'avais été chanceux. Dans mon hamac, je regardais ces mouvements de lumière solaire sur le sable de la plage quand le vent remue les feuilles. J'étais allongé, convalescent alangui, entre deux arbres, un grand orme vieillissant et un solide bouleau. Je me balançais doucement. Ma vie avait repris son cours. Je l'avais échappé belle, me convainquais-je. J'avais treize ans. À la radio, on annonçait pour bientôt la fin de la guerre en Europe. Ma mère avait dit : « Pourvu que mon neveu nous revienne sain et sauf ! » Ce neveu nous était un inconnu car sa mère, la tante Jeanne, n'était pas fréquentée par maman. On n'a jamais su pourquoi ! Le grand débarquement des alliés avait eu lieu et les occupants nazis reculaient. J'étais loin de me soucier du sort de l'Europe. J'émergeais à peine d'une expérience éprouvante ! Je n'étais jamais sorti de ma famille, de mon milieu.

Deux semaines plus tôt, j'avais été assailli de crampes, de douleurs au ventre et, appelée à mon chevet, l'infirmière voisine, garde Groulx, avait décrété : « Appendicite aiguë ! » Le reste, je m'en souviens mal. Un épisode dramatique embrouillé. Je m'étais laissé faire. Oui, une sorte de rêve éveillé. Je me rappelais vaguement un taxi filant à toute vitesse jusqu'à Saint-Eustache — fallait qu'il y ait toute une urgence ! — puis un brancard, une ambulance hurlante, maman à mes côtés qui me tenait la main. Je n'avais subitement plus eu mal au ventre ! J'étais comme hors de mon corps. Seule la sirène de mon ambulance me faisait garder conscience de ce qui m'arrivait. Puis nous arrivâmes enfin à l'hôpital pour enfants, Sainte-Justine.

Encore moins clairs, les événements qui suivirent : un moine en soutane blanche, dans un ascenseur, qui se penche au-dessus de mon visage en sueur. Est-ce que je veux me confesser ? Non ! Je ne veux pas mourir ! J'avais refusé carrément, pas la tête aux prières. Où conduisait-on ma civière ? Qu'est-ce qui allait m'arriver ? Hier, je jouais avec Raynald et Marielle dans la sablière, je nageais dans son lac artificiel. Hier, j'étais libre et là, je me retrouve étendu, poussé par des infirmiers pressés ! On m'avait immobilisé dans une sorte de grande salle de bains aux carreaux émaillés blancs. Voilà que, tout autour de moi, des gens vêtus de sarraus blancs s'activaient, nerveux, qu'un réflecteur puissant m'éblouissait, que deux mains surgissaient au-dessus de mon visage pour y plaquer un masque. Le noir ! Quand je me suis réveillé, on m'avait ouvert le ventre et enlevé cet appendice infecté. Je devais rester couché dix jours !

À mon retour au lac des Deux-Montagnes, j'avais l'impression de sortir d'une cérémonie d'initiation. Je me sentais changé. Transmuté, je passais à un autre stade de ma vie. Lequel ? Je ne savais trop. Je ne serais, j'en étais convaincu, jamais plus le même après mon premier séjour prolongé hors du cocon familial. Bifurcation brusque dans mon existence d'enfant choyé. Là-haut, Dieu avait décidé que le moment d'une mue était venu. J'étais celui qui réapparaissait, sortant d'un tunnel obscur. Une longue cicatrice témoignait que j'avais été coupé. Tout le monde voulait voir cette cicatrice faite par le chirurgien Favreau et je la montrais avec complaisance, preuve... mais de quoi ? La réponse restait vague. Avec ostentation, relevant ma chemise, je disais en silence : « Oui, parents, amis, voisins, venez voir, regardez, oui, regardez bien, on m'a fait cela. » Je n'étais plus un garçon ordinaire.

Je prévoyais que désormais on allait me traiter différemment. Il me semblait, justement, que mes sœurs ne me regardaient plus comme avant, surtout ma complice Marielle qui jouait les infirmières dévouées. Elle m'apportait volontiers tout ce que je réclamais, limonade fraîche, fruits, biscuits ou album de bandes dessinées. J'en remettais. Je tenais à ce que cette histoire d'hospitalisation soit un fait marquant. Inoubliable même ! Je jouais à Lazare sorti de son tombeau. Comme tous les adolescents, j'aimais impressionner. Je me convainquais, romantisme niais, que j'avais échappé à la mort. Ma mère aussi était aux petits oignons avec moi, répétant :

— Fatigue-toi pas trop. Laisse-moi t'apporter ce banc. Ne force pas. Ne remue pas tant. Laisse-toi faire. Bouge moins, ça pourrait se rouvrir !

J'étais content. On prenait soin du grand opéré. Le mot prenait une allure de catastrophe évitée de justesse. Dans le hamac, sous le vent, j'avais tout mon temps pour contempler les choses ordinaires de la vie et les jeux si beaux des lumières mouvantes sur la plage. Le voilier des Laurin fonçait vers l'île Bizard, à l'horizon. Nicole Fillion et Denise Cousineau faisaient leurs habituelles acrobaties dans le lac. Le tavernier F.-X. Beaulieu, grand amateur de pêche, appâtait ses hameçons. Ailleurs, madame Goyer arrosait ses roses jaunes. Plus loin, madame Lamarre coupait des branches de son saule. Madame Beaulieu tirait de l'eau de sa pompe à main sous un peuplier géant. Mon frère bâtissait un château de sable avec la petite pelle mécanique que je lui avais léguée. Marcelle se pavanait en maillot deux pièces, canotant avec le beau Nick Kebeggi.

— Ce Nick est trop vieux pour toi, lui disait ma mère. Méfie-toi, il y a des hommes qui ne songent qu'à la bagatelle et puis *bye-bye*!

Fier, je humais à pleins poumons l'air du large. Je m'en étais bien sorti. J'étais vivant!

Depuis un an ou deux avant mon appendicecto- mie — désormais, on allait parler d'«avant» et d'«après» l'appendicite —, je m'étais donné un rôle, j'étais devenu le moniteur autoproclamé des amis de mon jeune frère. J'organisais des jeux, improvisés selon mes critères. Les amis de Raynald apportaient leurs petites autos, camion- nettes en tous genres, des dizaines de petits véhicules de toutes les couleurs. Je leur construisais des bâtiments variés avec des bouts de bois ou de carton. Avec du sable mouillé, je leur installais une ville entière sur un panneau de contreplaqué posé sur la table de pique-nique. Je leur traçais des rues, des boulevards, des carrefours. J'y ajou- tais un garage, des magasins, une station de police, de pompiers et, prémonition? un hôpital et des ambulances.

Raynald et ses copains, le petit Royal, le grand Charbonneau, le gros Prénoveau, étaient ravis. Ils avaient un guide, un bon grand frère pour les distraire au bord du lac. J'y prenais un grand plaisir. Les garçons de mon âge, rares dans le voisinage, ne m'intéressaient pas. En ville, j'avais mon gang. Ici, ma bande, c'étaient les petits amis de mon frère. Cette générosité m'arrangeait au fond, car j'aimais encore jouer. Certes, à treize ans, je n'avais plus l'âge des petites voitures mais, comme j'étais l'amuseur des plus jeunes, j'avais un louable prétexte pour ne pas quitter ce qui m'avait captivé si longtemps : l'édification de villes imaginaires. Étais-je conscient que je résistais à quitter le temps des jeux?

Après cet hiatus de l'hospitalisation, je me demandais si j'allais reprendre mon rôle de divertisseur. Je devais évoluer. J'étais passé à un stade nouveau. Je cherchais vers quoi m'orienter, dans quelle autre sphère. Je ne trouvais pas. Ce séjour hors de ma famille avait fait de moi quelqu'un de différent, mais en quoi ? comment ? Je ne trouvais pas. J'allais avoir quatorze ans en novembre. Cet âge commandait une conduite nouvelle. Laquelle ? Je jonglais, toujours ébloui par les dessins mobiles des branches qui remuaient au vent d'août, sous un soleil éclatant. Je tirais sur la corde fixée au vieil orme pour faire balancer mon hamac. La fille unique du docteur Bélanger, Pierrette, accosta sa chaloupe à moteur :

— Peux-tu venir faire une *ride* ? On filerait jusqu'à Oka.

Je lui souris, reconnaissant, et répondis :

— Non, ça pourrait ouvrir ma plaie !

Si j'en mettais tant, c'est que j'avais envie de jouer longtemps ce rôle de miraculé. La garde Groulx ne répétait-elle pas : « Tu l'as échappé de justesse, mon Claude ! Diagnostiquée en retard, une appendicite peut tuer. » Le père de papa en était mort. C'était clair, je sortais du fleuve de la mort, du Styx.

Les jours filèrent. Toute une semaine passa et je me retrouvai debout, oubliant le grand jeu du héros ressuscité. J'allai plonger à l'île Mouk-Mouk avec Pierrette et elle m'apprit à danser le *jitterbug*. J'allais devenir un as du *boogie-woogie* au dancing *Normandie*, chez Deauville, à La Rotonde. Je faisais les yeux doux à la jolie mais rebelle Janette McCormick. On jouait souvent à la cachette, le soir, tard. On s'arrangeait pour être introuvables, elle et moi. J'essayais sans cesse de lui voler des baisers, sous le ciel étoilé, au fond du chemin Prénoveau. Au diable ma longue coupure, au diable la mort. La vie avait repris tous ses droits. Le jeu de la ville miniature m'attirait de moins en moins. Raynald n'avait qu'à copier mes inventions. Je devais m'éloigner à jamais de l'enfance. Je me suis fait des amis de mon âge. Un film avec Clark Gable au cinéma de plein air de monsieur Picard : « On y va, Saint-André ? » Ou ce film avec Victor Mature, au *Pine* : « On y va, Saint-Onge ? » De nouveaux disques dans le *juke-box* de la salle de danse du *Calumet Country Club* : « On y va, Saint-Cyr ? » La blonde Micheline Gagnon est séduisante mais me snobe ? Pas grave. Il y a Monique Dion que je ne laisse pas indifférente. Ce matin, nous sommes seuls à la plage Catalina, équipés de deux *snorkels* et de masques de plastique. On plonge voir les ménés. Ils vont par milliers ! J'enlace ma nageuse. On regarde les barques à l'envers ! On déplace les ancres, par jeu. L'échappé du Styx a-t-il retrouvé Eurydice ? On le croirait.

CHAPITRE 30

La nuit

— Ça, mon petit garçon, c'est un voyage de fou que vous allez entreprendre. Un gros risque. Si ça a du bon sens, vous faire pédaler au bout du monde !

Mon père grognait, tirait nerveusement sur sa pipe éteinte. Je ne disais rien, excité par l'idée de passer toute une nuit, ma première nuit, librement, hors du cocon familial. Il était temps, j'avais treize ans. À part mon hospitalisation forcée, je n'avais jamais dormi ailleurs que dans ma chambre. À cette époque, c'était toute une aventure. « Oui, monsieur mon père, nous partons pour le bout du monde ! » Nous allions pédaler tout ce vendredi de congé sur les routes. Fini l'enfant protégé, couvé, et bon débarras les parents veilleurs, trop soucieux de nos nuits d'enfants gâtés. Je me devais de vieillir enfin.

Jeudi soir, veille du grand départ, les préparatifs pour la grande expédition sur les bords de la rivière Outaouais allaient bon train. Victuailles pour deux jours complets à vélo, une demi-douzaine de lunchs, des vêtements et les conseils de maman, pas moins angoissée que papa :

— Oublie pas tes lunettes pis ta brosse à dents, mon petit gars !

Elle allait et venait dans ma chambre, empaquetant du linge, des biscuits, et quoi encore ?

— J'espère que vous n'aurez pas trop froid une fois rendus là-bas !

Elle me faisait pitié, ma mère poule.

— Pourvu qu'il n'y ait pas d'animaux sauvages !

Je lui dis :

— Maman, je t'en prie ! On s'en va pas dans la jungle !

J'avais un peu peur moi aussi, mais je le cachais bien. Pendant deux jours, je n'entendrais plus mes parents peureux. Quelle délivrance ! Le lendemain avant-midi, me voyant attacher solidement mon sac à dos derrière la selle de mon vélo, papa grondait toujours :

— J'en reviens pas ! Ce père Amyot, est-ce qu'il est conscient que vous n'êtes que des enfants ? Hein ?

Du balcon, mon père imaginait mille obstacles infranchissables :

— Et s'il y en a un de vous autres qui tombe malade, qui se blesse ? S'il arrive un accident ? Les routes sont bondées de camions lourds. Est-ce qu'il sait ça, votre père Amyot ?

Je n'étais pas mécontent de voir mon paternel se tourmenter à mon sujet. J'avais donc tant d'importance ?

— T'as le droit de changer d'idée, tu sais. As-tu pesé tous les risques ? Si tu veux, on ira en autobus au chalet tous les deux, on enlèvera les contrevents là-bas !

Je haussai les épaules. Papa ne devinait donc pas ma joie de couper enfin un encombrant cordon ombilical ? J'avais si hâte d'aller passer la nuit dans cette grange de la ferme Joubert à Carillon.

— Tu as ton scapulaire, j'espère ?

Je fis signe que oui et, fièrement, je mis le pied à l'étrier alors que papa me criait :

— T'as pas oublié ma médaille de saint Christophe ? T'as ton scapulaire ? Certain ?

Quelle engeance d'avoir des parents froussards !

Le Cyclo-Grasset s'était déjà rendu à Iberville et, je m'en souviendrai longtemps, mon retour avait été catastrophique. Cette fois, nous partions pour bien plus longtemps, pour bien plus loin, pour Carillon, au bord de la rivière Outaouais. Courage! Les voyages ne forment-ils pas la jeunesse? Vendredi midi donc, grand rassemblement en face du collège! Le père Amyot était tout confiant: nous avions tout ce qu'il fallait en cas de crevaison, nous avions des bouteilles d'eau et une trousse de premiers soins en cas de malheur. Il ne nous restait plus qu'à plonger dans l'inconnu.

Grand départ! Nous devions d'abord filer par le boulevard Gouin vers l'ouest en direction de Cartierville, traverser la rivière des Prairies par le pont Lachapelle, puis atteindre la route 148 en passant par Saint-Eustache. Jusque-là, j'étais en pays familier. À douze ans et à treize ans, j'avais déjà pédalé le parcours avec mon père et Marcelle pour amener les trois vélos de la famille au chalet de Pointe-Calumet.

À Saint-Eustache, arrêt pour un premier lunch.

— Nous arriverons à Carillon bien avant la tombée de la nuit, dit le père Amyot.

Parmi nous, il y avait quelques maigrichons peu sportifs et il fallait parfois mettre pied à terre pour les attendre. Je me faisais fort d'être toujours dans le peloton de tête, affichant ma bonne forme physique, mais j'avais du mal. Mes amis Tit-Cor, Jérôme et Olivier possédaient, les chanceux, des vélos de course à trois vitesses! Rendus dans le comté de Deux-Montagnes, il nous fallut gravir quelques côtes assez raides.

Nous traversâmes des villages: La Fresnière où l'on apercevait parfois la petite rivière du Chêne, Saint-Benoit, Sainte-Scholastique. J'étais émerveillé! Du pays neuf, des paysages inconnus. Je me sentais bien loin de mon patelin! Je voyageais. J'étais un explorateur. Nous avions pris notre frugal repas, avec la permission d'un cultivateur, du côté de Saint-Hermas, sous un îlot de vieux arbres, à l'embouchure de la rivière du Nord. Nous allions redescendre vers la rivière Outaouais. Nous étions proches du but, Carillon et cette vaste ferme Joubert, notre hôtesse.

En ce temps-là, il n'y avait pas encore de barrage hydroélectrique dans ce lieu célèbre de notre histoire. Sitôt arrivés, le père Amyot nous fit un bref résumé de la fameuse bataille du héros Dollard des Ormeaux et de ses seize vaillants compagnons, face aux Iroquois « décidés à descendre à Montréal pour anéantir la Nouvelle-France naissante ». Après ses explications à saveur patriotique, le père déplia un papier pour s'assurer du lieu exact qui allait nous abriter pour la nuit. Arrivés là, un métayer de la compagnie des laitiers Joubert nous accueillit sombrement, n'ayant pas l'air trop heureux de voir arriver Dollard-Amyot et ses seize compagnons ! Il nous fit voir l'immense grange où nous allions nous installer pour la nuit. À l'étage, accessible par des échelles de bois, nos couchettes étaient... des tas de paille ! Une vingtaine d'enfants-Jésus dans une crèche ! Ça nous allait. Bousculade pour nous choisir un coin pour la nuit. Le ciel noircissait. Bonne nuit ! Silence après quelques macabres farces de circonstance.

Première expérience d'une nuit entière à l'étranger. Un certain bonheur. De l'excitation. Quelques réverbères laissaient passer des rais de lumière à travers les planches disjointes. Atmosphère impressionnante pour des gamins de la ville. Des odeurs inconnues emplissaient nos narines. Un silence relatif — hululements de chouette, glapissements de renard ? — s'était installé dans l'immense grange. J'avais du mal à m'endormir. Je pensais à mon frère, qui avait, pour une fois, tout notre lit à lui tout seul. Je pensais à ma mère taraudée d'inquiétudes vaines. À mon père, veillant dans son restaurant avec son frère Léo qui venait, tous les deux soirs, bavarder, évoquer leurs souvenirs de jeunesse. En ce moment, l'oncle devait se moquer encore des craintes de mon père, « le grand peureux » comme il le nommait parfois. Je venais enfin de vieillir d'un grand bond. J'étais content.

Au matin, excitation, cris et clameurs, bousculades intempestives : nous devions nous débarbouiller sous l'eau froide d'une pompe à eau manuelle dans la cour de la laiterie. Nous nous arrosions comme des gamins de cinq ans dans une pataugeoire publique. Nous échangions des quolibets. Nous faisions les campeurs sauvages dignes d'un roman de Jack London. Certains plaignards parlaient d'une nuit blanche, d'odeurs insupportables, de bruits incommodants : hurlements de loup, beuglements de vache intempestifs, grognements de cochon. « Des fifis ! » nous disions-nous, Tit-Cor, Olivier et moi. « Des petites natures ! » Godefroy, un malingre, toussait, boitillait, répétait qu'on ne l'y reprendrait plus. Il était fils d'un riche homme d'affaires connu qui devait trop dorloter ses enfants. J'avais parfois rêvé de coucher dans ma cabane de la cour et, plus tard, dans une tente improvisée sur le terrain de Pointe-Calumet. Je l'avais fait enfin, j'avais passé la nuit à la « presque » belle étoile, dans la paille d'une grange. J'imaginais d'autres expéditions. Je me croyais prêt à courir les chemins, à sauter un train de fret, le summum d'une vie d'aventure à mes yeux.

Après les céréales et le bon lait gratuit de J.J.Joubert, nous nous sommes réinstallés sur nos selles. Il fallait revenir en ville. Dans nos besaces, il ne restait plus qu'un lunch, celui du midi. Le père Amyot déplia une fois de plus sa carte. Nous allions emprunter une route différente pour voir encore plus de pays neuf. Cette journée du retour allait être longue. D'abord, nous expliqua-t-il, le bac entre Carillon et Pointe-Fortune n'était plus en service. Nous allions devoir pédaler plus loin à l'ouest. C'est ainsi que, la jambe alerte et le cœur joyeux, nous avons pédalé jusqu'à Grenville le long de l'Outaouais et traversé un pont conduisant à Hawkesbury.

— Incroyable, nous voilà rendus dans l'Ontario !

On riait. On n'en revenait pas !

Sur la rive-sud de l'Outaouais, nous avons roulé vers Pointe-Fortune et je me suis souvenu que ma mère parlait souvent de cet endroit où, racontait-elle, les Lefebvre, sa famille, louaient un chalet d'été. J'ai alors demandé à Ti-Cor, qui avait un appareil-photo, de me prendre devant un écriteau public indiquant : « Pointe-Fortune ». Je montrerais la photo à maman. Comme j'avais aimé ma nuit dans cette grange ! J'avais d'abord cru ne pas pouvoir m'endormir. Mais non, j'avais finalement sombré dans un sommeil profond. Ainsi, même loin de sa famille, on pouvait dormir calmement. Cette découverte me rassura quant à mon avenir. Nous avons fait un petit détour vers Rigaud pour aller voir le fameux champ du diable, là où un cultivateur avait osé semer un dimanche et où il avait vu sa récolte de patates changée — punition du ciel — en cailloux !

La bande roulait maintenant vers Hudson Heights et Como. Nouvelle halte. Certains, l'estomac déjà creux, avalaient, qui une orange, qui une pomme. Je sortis de ma sacoche de vélo un biscuit aux dattes cuisiné par maman. Mon régal ! À Como, je pus revoir, à son quai du lac des Deux-Montagnes, le bac qui allait vers Oka en face, village familier où j'allais en vélo l'été. J'étais donc en pays de connaissance. Cela me calmait car je me demandais si nous arriverions au collège avant la nuit. Il fallait faire confiance à notre navigateur puisque le père

Amyot avait affirmé qu'il avait été scout, chef-scout même, et avait appris à bien évaluer le temps d'un itinéraire. En avant! Les plus anxieux demandaient souvent: «On en a encore pour combien d'heures? Est-ce qu'on arrive bientôt à Vaudreuil?» Moi, au contraire, je n'avais pas hâte de rentrer. J'aurais souhaité rouler durant toute une semaine, participer à une excursion vraiment lointaine. Les études à reprendre dès lundi n'avaient aucun attrait pour moi. Je me découvrais une âme de bourlingueur. Je me promis de partir un jour sur mon vélo avec quelques amis, de parcourir les États-Unis, de m'évader de mon statut de petit collégien docile prisonnier des routines obligées.

À l'approche de Vaudreuil, le père nous réunit tous. Changement au programme. Il avait promis que nous nous rendrions faire une visite au vieil historien Lionel Groulx et aux Compagnons de Saint-Laurent, la troupe du père Legault, animateur d'un centre dramatique. Pas le temps! J'étais déçu car nous devions rencontrer là le conteur Félix Leclerc. J'avais lu ses livres, *Adagio*, *Allegro*, surtout *Pieds nus dans l'aube*, ses mémoires d'enfance. Je lui aurais demandé son autographe. Rien à faire, il fallait gagner du temps et nous avons passé tout droit devant le chemin des Chenaux. Pédalons, pédalons! Nous chantions de vieux airs de folklore: *Auprès de ma blonde, À la claire fontaine, Marianne s'en va-t-au moulin*. Tit-Cor, lui, entonnait les chansons américaines qu'il affectionnait.

Il fallait vite foncer vers Dorion, traverser le pont vers l'île Perrot et atteindre Sainte-Anne-de-Bellevue. Pédalons, pédalons! Certains étaient au bord de l'épuisement. Nous les brocardions d'injures:

— Saudites tortues niaiseuses! Maudits ânes paresseux!

Le père en profita pour moraliser:

— Vous devez apprendre, mes amis, qu'il y aura toujours, dans un groupe humain quel qu'il soit, des gens en moins bonne santé. C'est un devoir de les attendre et même de les secourir.

Ce genre de sermon nous assommait et nous filions de plus belle. Cap Saint-Jacques, enfin! L'heure de dévorer notre dernier lunch. Il était temps, il était près de trois heures de l'après-midi. Surprise, on entendit notre mentor avouer:

— Je n'ai pas trop bien calculé les distances. Excusez-moi!

Cap Saint-Jacques était un endroit bucolique. Les religieuses du site nous avaient fourni des breuvages, quelques fruits. Elles tenaient là une ferme dite modèle. Remis en forme, il ne nous restait plus qu'à rouler le long du boulevard Gouin jusqu'à notre rue Saint-Hubert et, de là, descendre jusqu'au boulevard Crémazie. Une fois que nous fûmes tous rassemblés devant le collège, le père Amyot prononça un petit *speech* de circonstance:

— Deux jours parfaits, mes amis! Nous revenons de loin et je suis fier de notre club. Aucun accident, aucun pépin. Vous venez de vous prouver que vous êtes des garçons capables de cohésion, de partage. À lundi matin! N'oubliez pas! Vous avez à me traduire un nouveau chapitre de la guerre des Gaules par monsieur Julius César!

Il me restait juste assez de force pour pédaler jusqu'à la rue Jean-Talon. J'avais hâte de m'écraser dans le boudoir après souper pour écouter un nouvel épisode des *Mémoires du docteur Morange*, aller dans la jungle, bien plus loin que Carillon, là où une bicyclette ne peut accéder! Marielle, Raynald, Nicole et même la benjamine Marie-Reine m'accueillirent autour de la table en champion du vélo, avec des tas de questions. Leur grand frère

avait découché! Maman me regardait avec attendrisse-
ment:

— Pis? Ta nuit dans une grange! Tout s'est bien
passé?

— Diguidou! Parfait, maman. J'ai besoin de manger
avant de vous raconter. J'ai la batterie à plat!

Au menu, des bonnes galettes de sarrasin. J'ai versé
dessus une tonne de mélasse! Nicole m'a demandé:

— T'as pas eu peur? Toute une nuit en dehors de la
maison...

La bouche pleine, j'ai répondu:

— Qu'est-ce que tu veux, un jour vient dans la vie où
il faut que tu te détaches!

Maman m'a regardé longuement. Elle m'a paru
triste.

CHAPITRE 31

Le miroir

— De quoi t'as l'air ? Viens ici que je te peigne !

Ma tannante de mère !

— Tu sortiras pas arrangé de même, toujours ?

Mon achalante de mère ! Quand on a six ans, ou huit ans, on s'en fiche de ne pas être propre, beau. On se demande ce que c'est « bien paraître ». On ne sait qu'être. Pourquoi toujours se nettoyer ? Pour qui ? L'enfant n'a personne à qui plaire. Il n'a que sa petite personne. Ses plaisirs. Ses jeux quand il n'y a pas d'école. Puis l'enfant vieillit. Puis le petit garçon devient un grand garçon.

À quatorze ans, je me regardais de plus en plus souvent dans les miroirs. J'avais mon peigne et mon tube de graisse à cheveux. J'examinais attentivement mes yeux, mon nez, mes lèvres. Étais-je beau ? L'adolescent veut tellement bien paraître, plaire. Je ne portais plus de lunettes. Ma surveillante de mère, trop accaparée par les plus jeunes, ne se souciait plus de me guetter et de crier sans cesse, comme avant : « Claude ! Tes lunettes ! Oublie pas, faut les porter. » J'avais décidé que c'était inutile. On voit aussi bien avec un seul œil fort, non ? Et mon œil droit avait été noté « dix sur dix » chez l'oculiste Gervais. J'étais en bonne forme. À force de nager à cœur de jour, deux mois durant, je m'étais formé un corps ferme, solide, de nouveaux muscles, une couenne dure. Je ne me trouvais pas mal fait. Je trouvais que j'avais beaucoup d'allure. Beau? Oui, je me trouvais beau.

Ma sœur Marcelle traînait partout une photo dédicacée de l'acteur célèbre, Jean Marais, obtenue à France-Film. Marais, son idéal d'homme! Son modèle! Il me semblait que je lui ressemblais. Selon Marcelle, Marais était le plus bel homme de l'Univers. Dans le miroir de ma chambre ou dans celui des toilettes, je passais de longues minutes à m'observer attentivement, je prenais des airs. Je posais, Narcisse sur mon épaule. C'était l'âge de la découverte du physique. Dans un bric-à-brac de la rue Saint-Hubert, on avait installé de ces machines à vous photographier rapidement, trois photos pour quinze sous. Ces petits carrés à notre image circulaient partout. Il se faisait un trafic, des échanges. Jacqueline voulait une photo de moi. Elle l'avait dit à Roland qui me l'avait dit. Échange. J'avais mon portefeuille avec des compartiments de micas. Pas d'argent mais des papiers, des mots doux, des adresses, des photos de filles de l'école d'en face. Cela suscitait des scènes de jalousie:

— Quoi, tu gardes la photo de Ginette? Tu la conserves? Redonne-moi la mienne alors!

La jalousie des filles, je n'en revenais pas. Je pouvais bien avoir plusieurs préférées, non? Jacqueline m'arrachait sa photo, la déchirait, s'en allait en grommelant des menaces:

— Cette maudite écervelée de Ginette, je vas aller y dire deux mots dans face!

Un jour de mes treize ans, une question très grave s'imposa à mon esprit: Étais-je vraiment le fils de mes parents? N'étais-je pas plutôt un enfant adopté? Tous les enfants, dit-on, éprouvent ce doute. Je jugeais souvent mal cette mère qu'après tout je n'avais pas choisie. Était-elle vraiment ma mère ? Mon père la critiquait si souvent. Je l'avais entendu lui dire des mots très durs : « Tu n'as pas de jugement, Mémaine », ou : « Encore ton erreur ! Si j'étais pas là, tu serais dans un grave pétrin », ou encore : « Vous autres, les Lefebvre, vous êtes tous des têtes sans cervelle ! » Cette femme était-elle ma vraie mère ? Il me semblait que nous n'avions rien en commun. La preuve ? Tous ses reproches, ses critiques à mon égard. Nous n'avions pas du tout les mêmes goûts. Physiquement et je m'étais dévisagé assez longuement dans le miroir du porte-patères du couloir pour le savoir, ma mère n'avait aucun trait pouvant me rapprocher d'elle. Même chose pour mon père : je ne lui ressemblais pas du tout. Il ne pouvait avoir engendré un beau et intelligent garçon comme moi. Bonjour Narcisse !

L'enfant grandi se palpe, se scrute, s'ausculte. Je me redisais : « Non, impossible, je ne suis pas leur enfant. Alors, d'où est-ce que je viens ? C'est clair qu'ils m'ont adopté ! » Je m'en persuadai peu à peu. Qui étaient mes parents, alors ? Je rêvassais, étendu sur le canapé du boudoir, en écoutant à la radio mon feuilleton préféré, *Nazaire et Barnabé*, d'Ovila Légaré. Je riais aux farces de Casimir, de Tit-Clin, de Fulgence surtout, et cela finissait par chasser l'encombrant questionnement sur ma naissance. Pourquoi mes parents inconnus m'auraient-ils abandonné ? Venus enquêter discrètement dans mon quartier, ils m'avaient peut-être reconnu. Peut-être avaient-ils éprouvé un regret terrible, de lourds remords. N'étais-je pas devenu le garçon idéal, celui à qui on demande sans cesse sa photo ? Tant pis pour eux ! Ou bien je me disais, bien généreux à mon égard, que mon père était un homme important, un des magnats de la finance de la rue Saint-Jacques dont parlait mon... faux père. Va savoir. Étais-je né d'un riche émigrant qui avait déguerpi, d'un prince, voire d'un roi, dont l'Europe

regorgeait encore ? Étais-je le fils d'une reine répudiée ?
Avais-je du sang bleu ? J'étais peut-être le fils d'un aven-
turier intrépide qui courait le monde, d'un libertin explorateur qui n'avait pas voulu s'embarrasser d'un rejeton.

Ma vraie mère était peut-être cette marraine exilée à
Paris, cette mystérieuse tante Corinne, et maman, généreuse pour cette parente mal prise, aurait adopté son
bébé déshonorant, fruit d'un amour coupable, moi ! Ce
qui me mettait sur la piste, c'était le fait qu'à chacun de
mes anniversaires maman m'obligeait — c'était un ordre
— à lui écrire à Paris. À chaque début du mois de
novembre, mon anniversaire étant le dix, maman me
forçait à m'installer à mon petit pupitre et, me mettant
sous les yeux une feuille de papier luxueux, me disait :

— Vas-y, prends ta plus belle plume, écris-lui, donne-
lui de tes nouvelles, parle-lui de tes études et tout et tout.

Quand je me plaignais que cette corvée annuelle
m'assommait, elle disait :

— Tu devrais comprendre que tu as la chance d'être
le filleul d'un tante extrêmement riche. Tu as quatorze
ans. Elle t'invitera peut-être à Paris ! À Paris, mon
Claude ! Tu y serais gâté sans bon sens. Tu pourrais poursuivre des études supérieures là-bas. Aux frais de ta
marraine !

Tout jeune, dans mes premières adresses annuelles,
j'acceptais de rêver avec maman : « Un bon matin, on
sonne au 7068, rue Saint-Denis. Devant notre porte, une
limousine noire est stationnée. Mes amis tournent
autour, admiratifs. Un élégant chauffeur vêtu de gris,
portant des gants et une casquette, sonne à notre porte.
Il vient au nom de madame Corinne Sénécal, de Paris. Il
montre une carte embossée au lettrage doré. Ma marraine riche m'attend là-bas. Il a ses ordres. Il me conduit
à l'aéroport de Dorval. Mes parents pleurent, mes sœurs
m'envient. J'ai fait rapidement mes bagages. Je n'apporte

presque rien, elle l'a recommandé. Elle me prend en main pour quelques années. Je serai traité comme un prince, c'est tout entendu. Adieu la ruelle, les amis échevelés, barbouillés, édentés. Je change de vie! Je vais voir l'Europe. Adieu, adieu! Je vous enverrai des cartes postales. »

J'en faisais des songes fous! Plus tard, je ne rêvais plus mais j'obéissais tout de même à ma mère, tout en éprouvant le pénible sentiment d'être un pauvre petit quêteur de faveurs anticipées :

« Chère marraine Corinne,
J'aurai quinze ans dans quelques jours. Je suis en classe de méthode, au collège André-Grasset. J'ai un peu de mal en mathématiques, mais pour les autres matières, tout va bien. Même que j'ai eu le premier prix en version grecque. J'ai beaucoup d'amis. Je suis un filleul sage. Je veux devenir avocat plus tard. J'espère qu'à Paris la vie vous est agréable, bonne marraine, et que votre fille unique, Jacqueline, est en bonne santé. Ma mère me recommande de vous répéter que nous ne sommes pas riches mais qu'elle s'arrange pour que je ne manque de rien et pour que je puisse grandir en personne bien élevée... »

Je détestais ce calcul de ma mère, cet inutile *pensum* annuel, puisque cette marraine inconnue ne répondait jamais à mes gentilles lettres. Pas un mot, pas même une carte, pas une seule ligne! Ce fut donc ma dernière lettre humiliante à cette riche veuve qui avait épousé un millionnaire. Ce vague oncle décédé avait sa banque à Montréal à la fin des années 1800. Sa signature apparaissait sur ses billets de banque. Ma mère en conservait un pour nous le montrer. Corinne avait fait un beau mariage.

— Il était peut-être un peu vieux pour elle mais il était si gentil, se rappelait maman.

Mon père expliquait qu'à cette époque, et jusqu'au début des années 1900, il y avait de ces petites banques privées.

Pourquoi cette insistance de maman pour que j'écrive chaque année à ma muette marraine ? Cette mystérieuse tante Corinne serait-elle ma vraie mère ? Une photo retrouvée, prise devant la tour Eiffel, la montrait boulotte comme ma mère. Je m'étais imaginé une mère secrète ressemblant à une actrice d'Hollywood. Comme celles qu'on voyait, resplendissantes, sur les panneaux publicitaires du cinéma *Rivoli*. Comme je m'évaluais avantageusement, physiquement, je m'inventais une génitrice hors du commun. Quand j'allais livrer une commande chez la jolie madame Richer, qui tenait une pension de l'autre côté de la rue, elle minaudait, me faisait toujours des belles façons. Je me disais : « Ma mère peut-être ? » Si la resplendissante vendeuse de produits de beauté à la pharmacie Besner me faisait les yeux doux, je me disais : « Peut-être ma mère ? » Je finis par oublier cette suspicion puérile. Après tout, Tit-Yves ne ressemblait pas du tout à son père, le nabot ridé. Roland n'avait aucune ressemblance avec son mutique de père, ni avec sa morose de mère. Tit-Gilles, lui non plus, n'avait aucun trait commun avec sa mère ou avec son père. C'était donc une fatalité : les enfants, en général, ne ressemblaient pas à leurs géniteurs. Et comment savoir à quoi nos vieux parents ressemblaient, jeunes ? Ah !

Au collège, j'avais des modèles chez les grands et je souhaitais, en vieillissant, finir par leur ressembler. Il y avait, en rhétorique, Pierre Perrault. Je le trouvais parfait physiquement, bon hockeyeur. En philosophie, il y avait le grand Labelle, un gars sportif et poète à la fois. Il signait fréquemment des articles dans le journal du collège. Il était gai, plein d'aménité pour tout le monde et si doué. J'envoyais chaque mois des articles de mon cru au père Provost, l'éditeur responsable du mensuel *Le Grasset*. On m'en acceptait deux par année, pas plus. Cela me décevait beaucoup. J'avais idée de devenir avocat mais, en même temps, d'être journaliste, d'égaler un jour les Arthur Buies, Olivar Asselin, Jules Fournier, dont le professeur Legault vantait les talents :

— Ces fameux journalistes sont l'honneur des Canadiens français. Par leurs écrits, ils ont changé les vieilles mentalités des nôtres !

J'admirais aussi un voisin, Cardinal, en philo lui aussi, qui avait l'allure de l'acteur Louis Jourdan, la coqueluche du temps. Sur son balcon, je le voyais étudier, sérieux, le nez dans ses épais manuels scolaires. Mes grandes sœurs le confirmaient :

— Quel beau garçon, ce Jean-Guy !

Lui, hélas, ne les voyait même pas. Trois de mes sœurs tenaient un journal intime. Ces cahiers secrets aux pages roses, jaunes, bleues, étaient gardés sous clé. Malheur aux indiscrets ! Un après-midi de congé, j'osai ouvrir un de ces journaux avec la toute petite clé oubliée et j'y lus :

« Hier encore, ce garçon inconnu de moi a passé au moins trois fois devant chez nous. La prochaine fois, j'aurai l'audace de lui faire signe et, s'il arrête, je l'inviterai à boire une liqueur sur le balcon. »

À cette page d'écriture de Marcelle, qui avait seize ans, j'ai souri. À quoi cela pouvait-il bien servir de noter ainsi les faits quotidiens ? Je ne comprenais pas. Les filles étaient des êtres d'une bien grande sentimentalité, des romantiques terribles. N'empêche, j'étais honteux d'avoir violé la vie intime de quelqu'un et je me promettais de ne plus commettre ce sacrilège, chacun ayant droit à ses réflexions secrètes.

Il m'arriva de constater, à mon lever, que j'avais mouillé mon lit durant mon sommeil. Ce qui s'écoulait de moi avait une odeur d'eau de Javel. Roland, en avance sur nous tous à ce chapitre, m'expliqua que j'avais eu mon premier *wet dream*. Un rêve humide? Je me souvenais d'avoir rêvé à l'actrice à la frange blonde sur un œil, la belle Veronica Lake, vue au *Empire*, où on laissait entrer les jeunes illégalement. Dans mon rêve, elle était en robe de nuit très décolletée. Je voyais sa poitrine nue et elle m'embrassait partout. Le grand mystère du corps féminin m'intriguait de plus en plus sérieusement. Je fouillais mon *Larousse* à la recherche de ces Vénus nues aux bras coupés mais aux seins rebondis. Je m'énervais beaucoup. Un jour, dans la poubelle du notaire Décarie, je ramassai un magazine d'Hollywood. On ne trouvait rien de tel chez moi. J'allai dans le cabanon de l'escalier des hangars pour y découvrir plein de photos de vedettes de cinéma vêtues de maillots affriolants. J'en fus bouleversé. Dorothy Lamour en robe de nuit vaporeuse et Heddy Lamar en bikini eurent un effet foudroyant et ce fut le commencement de ma pratique onaniste. J'en avais honte. C'était un péché grave. Je me traitais de vicieux. Je ne valais pas cher. Mon grand rêve flou d'un amour grandiose s'évaporait. Je n'étais qu'un voyou, un voyeur. Je pris dès lors l'habitude de me ronger les ongles. Manie qui choquait ma mère. Elle prit des moyens divers pour que cesse cette sale habitude. Poli à ongles, moutarde forte, iode même, rien n'y fit. J'étais un rongeur compulsif.

Je sombrais parfois dans le mépris de moi-même. Davantage encore quand je voulus voir Marcelle, nue, en train de prendre son bain. Un samedi soir, jour des bains, je m'étais juché sur une caisse de *Root Beer*, sur la galerie d'en arrière. Je tentais de la voir par un trou minuscule dans le vieux store de la fenêtre. Ma honte! Je voulais tant savoir comment c'était fait, une fille. C'était devenu ma hantise. Tit-Yves était au même tempo que moi sur le sujet. Après que je lui aie parlé du trou du store, il me supplia de le laisser s'essayer à ce voyeurisme. Il m'offrit même de payer! Je refusai son argent mais lui installai la caisse sur la galerie, un samedi soir. Patatra! ma mère surgit et, comprenant vite la situation, elle faillit assommer Tit-Yves, nous chassa à grands coups de serpillière et d'injures:

— Ça, c'est une écœuranterie sans nom! Ton père va le savoir! Sauvez-vous, petits démons, ou je vous étripe!

Ce soir-là, je suis rentré tard. Je me suis vite enfermé dans ma chambre et maman n'est pas venue me morigéner. Peut-être connaissait-elle très bien les affres du début de l'adolescence. Plus fine que je ne le croyais, elle avait sans doute jugé qu'il valait mieux enterrer cette affaire. Elle acheta simplement un store neuf chez Damecour.

Parmi nous, il y avait des délurés sur « la chose ». On n'employait jamais les vrais mots pour nommer la sexualité. Époque de non-dit, de pas-nommé. Un temps de pudibonderie totale. Plus impatient que les autres, le grand Turcotte cherchait, par tous les moyens, à s'instruire sur tous les tabous. Il dénichait, Dieu sait où, des revues spécialisées. Il nous montra un jour des photos d'une encyclopédie populaire médicale. On scrutait ces planches anatomiques avec presque de l'effroi. On rigolait aussi, souvent par gêne. On savait qu'on découvrait des secrets d'adultes avant le temps. Le gros Godon, lui, tenait à montrer qu'il avait des poils au pubis et qu'il l'avait plus longue que nous tous. Quand il voulait s'adonner à des séances de touche-pipi, on se sauvait de lui. Quelque chose me commandait de m'éloigner de ce genre de garçon. Romantique à l'excès, je voulais préserver certaines images de l'amour, même physique. Je sentais d'instinct que je devais, plutôt que de mesurer bêtement nos organes, trouver une fille audacieuse, pas bégueule, qui me ferait connaître les choses du sexe. J'étais d'accord avec ma mère, qui avait déclaré un jour :

— Édouard, bonne nouvelle, le petit Godon déménage loin. Le petit vicieux a été surpris à déculotter deux petits garçons dans le hangar des Nuovo.

C'était décidé, bientôt je trouverais une fille qui n'aurait pas froid aux yeux et on pourrait aller loin, très loin. J'apprendrais tout dans les bras d'une compagne accorte de mon âge : tel était mon *credo*. Alors, je tentai d'approcher Paulette, une fille plus vieille que moi de deux ans qui habitait un taudis, rue Drolet, et qui se laissait embrasser par n'importe qui au balcon du petit *Boiler*. Un samedi soir, je l'accostai carrément et lui offris :

— Viendrais-tu avec moi voir un film au *Empire*? Il y a Georges Guétary en *gardian* et il chante quatre chansons !

Mes sœurs l'admiraient tant ! Paulette me fit une grimace :

— T'es malade, toé? Je sors pas avec des tits-culs ! T'es trop jeune pour moé. Pis, ton Guétary, je l'haïs à mort !

J'eus donc recours à la veuve-poignet, en compagnie de Dorothy Lamour en bikini sur une plage de la Californie.

L'année suivante, un samedi de mai, une jolie promesse m'attendait, rue Chateaubriand. Je m'étais parfumé d'eau de toilette de papa, m'étais peigné avec beaucoup de *brylcream*, avais mis ma belle chemise blanche, mon veston de velours côtelé, et je me rendis à ce rendez-vous prometteur. Il y avait là, sous les beaux arbres de cette rue, toujours assise sur son balcon, la plus jolie noiraude jamais vue, nommée Aline. Chaque fois que je maraudais en vélo dans sa rue, Aline me faisait des petits saluts amicaux, souriante dans la lumière d'un lampadaire. Des signes évidents d'invitation. Je la voyais en sosie de Veronica Lake, mais en noire ! Même jolie frange sur les yeux. Même sourire mystérieux. La veille, un vendredi soir, j'avais appuyé ma bicyclette sur la clôture de son parterre et nous avions causé de tout et de rien. Il était tard et je devais rentrer. J'avais des cours le samedi toute la journée. Elle se pencha vers moi et me donna un baiser. Smack ! comme ça ! Sans avertissement. Sur les lèvres. Douceur divine. Je m'étais empourpré aussitôt. Elle ferma les yeux, me donna un nouveau baiser. Mon cœur palpitait fort. Après avoir fixé un rendez-vous, je flottais. Je m'envolai littéralement sur ma bécane.

Le lendemain soir, Aline m'attendait, toujours assise sur son perron. On avait sorti une chaise pour moi. Elle me serra les mains avec affection, me caressa le cou. Je la couvris de rapides baisers sur tout son joli visage. Elle en frémissait. J'avais un peu d'argent car j'étais *wrapper* chez Steinberg's. Je songeais à lui payer un *sundae* chez *Vénus*. Je lui dis :

— Si on allait faire une marche sur la rue Saint-Hubert ?

Aline parut hésiter d'abord, mais finit par se lever de sa chaise berçante avec difficulté. Dans son petit escalier de trois marches, elle s'appuya lourdement sur mon bras. Je découvris qu'Aline avait un pied bot, qu'elle marchait, me tenant fermement le bras, en grimaçant un peu. Une infirme ! Je devenais le cavalier, niaisement honteux, d'une boiteuse. Dureté de mon âge. Nous n'allâmes pas très loin. Je prétextai lâchement un mal de ventre subit et la ramenai à sa chaise pour rentrer vite chez moi.

Le lendemain, dimanche, à la chapelle du collège, je n'étais pas fier de moi. J'avais décidé de ne plus revoir Aline. Un grand escogriffe de quinze ans ne pense qu'à lui. Il pense à ce que diraient ses amis s'ils l'apercevaient avec une fille claudiquante. Imbécilité de ce jeune âge. Longtemps, je m'arrangeai pour ne plus pédaler dans la rue Chateaubriand aux grands arbres. Quand j'y suis retourné, à l'été des Indiens, par un soir très doux, des feuilles rouges et or s'amoncelaient le long de la rue de la jolie infirme. Plus personne sur le balcon. Que sa chaise, vide. Je ne la revis jamais.

CHAPITRE 32

Les amis perdus

J'AI MIS DU TEMPS à m'en rendre compte. À m'apercevoir que j'avais perdu tous mes amis de la rue. Je me demandai comment cette rupture avait pu s'accomplir. En janvier, c'était terminé, je n'avais plus d'amis dans le quartier. C'était la fin de quelque chose que j'avais tant aimé. La fin d'un clan. De nos cérémonies, nos rituels, nos bagarres, nos jeux. C'était la fin des parties de baseball, du patinage au *Shamrock*, de nos parties de hockey sur la glace du trottoir quand celle du *Shamrock* était réservée pour des compétitions entre clubs organisés. Comment cette terrible rupture est-elle survenue ? C'était la faute du collège, la faute de papa qui m'y conduisit en septembre de 1944. Je ne le savais pas encore.

Je ne savais pas qu'en devenant collégien, à treize ans et demi, j'allais faire tomber le couperet : fin des amitiés de la rue. Je pensais à cette rupture chaque fois que le professeur Grand'maison récitait avec des trémolos son poème favori de Villon : « Que sont mes amis devenus ? » Certes, à chaque fête de la Saint-Jean-Baptiste, le 24 juin, il y avait toujours eu une sorte de séparation puisque, toute la famille, nous allions passer nos vacances d'été au bord d'un lac. À Saint-Placide, en 1941, puis en 1942, à la Pointe-Demers et, en 1943, à notre chalet acheté dans l'ouest de Pointe-Calumet.

Hors ces courtes parenthèses de deux mois, mes amis et moi avions quand même l'automne, l'hiver et le printemps pour jouer ensemble, toute la bande. Et puis, dès l'été de 1943, la famille de Tit-Yves loua un chalet, 40ᵉ Avenue, dans l'est de Pointe-Calumet. Alors nous allions, Yves et moi, à l'île Mouk-Mouk — on disait aussi «l'île aux fesses» — chasser les grenouilles, les couleuvres, nous faire bronzer et inventer des acrobaties. On allait aussi glisser dans la sablière des Pomerleau. On se forgeait des jeux de guerre, se prenant pour des cavaliers arabes intrépides. Au bas des hautes buttes de sable, des veines d'eau rompues avaient formé un profond lac limpide dans lequel nous plongions et nagions des heures durant. De plus, ma mère invitait à notre chalet du boulevard Proulx, ou Roland, ou Tit-Gilles, pour une semaine. Ainsi, ces parenthèses estivales ne nuisaient pas trop à la cohésion du gang. Mais le collège!

Dès le premier samedi de septembre, j'avais croisé Roland, qui me dit :

— Où tu vas? C'est samedi. Tu rêves toujours, la lune! Viens, on s'en va se baigner à Verdun. Ils ont une piscine en plein air! Il fait si chaud.

Sac au dos, je lui expliquai, assis sur ma bécane neuve qui faisait épargner les sous du tram à mon père radin :

— Mais Roland, le samedi on a des cours au collège, et il y a l'étude obligatoire en salle. On n'en sort pas avant six heures du soir.

Roland resta estomaqué :

— Maudit verrat, c'est le bagne, ton collège! Oui, une vraie prison.

Un peu plus tard, début octobre, durant l'été des Indiens, même histoire. Un vendredi soir, Roland me dit :

— Demain, si tu veux venir avec nous... On a découvert une autre belle piscine publique. Deux tramways, le Jean-Talon, transfert à Décarie pour le Cartierville, pis on est rendus.

De nouveau, je lui rappelai que j'avais de l'école, de huit heures à six heures, tous les samedis. Sa déception. La mienne encore plus. Je commençais à m'ennuyer énormément de mes copains de ruelle. Ils allaient jouer au billard, au-dessus du restaurant chez *Peter's*, en face du *Château*.

— C'est pas cher et on a un *tag* de *fun*.

— Tu devrais nous voir faire *strike* sur *strike* au *bowling* de la rue Saint-Hubert ou à celui qui est au-dessus du marché Steinberg's. Un jeu extraordinaire !

Je me rendais compte, peu à peu, que mes amis étaient toujours unis et que, sans moi — le bagnard du pénitencier —, ils découvraient de nouveaux lieux d'amusement. Nous, les collégiens, avions deux après-midi de congé, le mardi et le jeudi. Libre, je me retrouvais tout seul dans la ruelle. Tous mes amis faisaient leur huitième année à l'école de la paroisse. Plus tard, certains iraient à l'école supérieure Saint-Viateur, rue Jean-Talon. J'étais à part. J'étais devenu un solitaire. L'ambition de papa m'avait coupé d'eux tous, mes amis. J'allais faire mes devoirs dans la paix relative de la bibliothèque au-dessus de la caserne des pompiers. Je lisais aussi, un peu de tout.

J'étais devenu un garçon sans amis. Semblable au fils des Odette, comme moi collégien à Grasset. Romain Odette habitait en face de chez moi. Garçon distant, parlant pointu, très sauvage, l'air fendant, il ne se liait avec personne. Romain avait fait tout son cours élémentaire, pensionnaire chez des religieuses, dans ce qui se nommait un jardin d'enfance, une école privée, rue

Saint-Denis près de la rue Cherrier. On ne le voyait jamais. On disait que sa mère était morte alors qu'il avait quatre ans, qu'il était élevé par une tante célibataire et par ce drôle de père, un «*gambler* invétéré», potinait le voisinage. Ce père était courtier en valeurs mobilières, gageant tout son argent dans des *blind pigs* du *Red Light*, haut lieu des tripots clandestins. Pas question donc de me lier avec ce pédant sauvage qui ne regardait personne et qui, au fond, devait avoir une vie morne, désespérante. Il me paraissait si morose quand je le croisais dans la cour du Grasset. Des grands en avaient fait leur tête de Turc et le petit Romain partait s'isoler, durant les récréations, dans le vaste boisé de cerisiers et de sorbiers, au-delà de la cour. Désormais, j'étais seul comme lui. À cet âge, pourtant, les copains, c'est vital. La camaraderie, essentiel. Peu à peu, ma bande allait couper tous les ponts avec moi.

N'avions-nous plus rien en commun, eux et moi? Je refusais de le croire. Nous nous étions tant amusés, tant aimés! Je me dis que le temps des bouderies allait passer et que nous allions nous retrouver unis comme avant. J'allais vite perdre cette illusion. Ils avaient d'autres activités. Roland était aspirant aviateur dans un corps de cadets. Mon rêve! Tout fier, il arborait un beau costume de serge grise avec des ailes brodées, le képi sur le côté de la tête. Tit-Gilles, l'imitateur, le chanteur, faisait partie d'un groupe musical d'amateurs et avait des répétitions, loin, du côté d'Hochelaga. Tit-Yves, lui, s'était joint à une sorte de club de naturalistes. Pourtant, ce trio se réunissait souvent, le samedi, toujours! Pour les piscines, le *pool room*, le *bowling*, le cinéma au *Empire* de Parc Extension, et quoi encore? Je n'avais plus d'amis.

Je devenais une sorte d'étranger dans ma rue. Un jour, Tit-Yves, revenant du *bowling*, me dit:

— On se voit plus jamais, hein? On sait ben, tu vas devenir avocat, docteur, un professionnel riche. Ça fait qu'on t'intéresse pus le diable, pas vrai?

Cela m'avait mis à l'envers. Je n'avais pas su quoi répondre. Je l'ai taloché amicalement, mais j'avais mal. Oui, je l'avais tant aimé. Il avait des goûts en commun avec moi, il aimait imaginer des joutes, des tours, des jeux. Tit-Yves savait comme moi inventer des expéditions au parc Jarry, des excursions en tramway jusqu'aux rivages de la rivière des Prairies, à Ahuntsic, à Montréal-Nord. J'aimais aussi les autres, Vincelette et son ardeur au baseball, le grand Turcotte et son inépuisable répertoire d'histoires comiques. J'aimais tant Tit-Gilles Morneau, toujours capable de nous désennuyer en essayant sur nous ses sketchs burlesques, ses chansons nouvelles. Je m'ennuyais de Roland aussi, malgré ses allures de bourru musclé et son goût pour la boxe et la lutte. Oh oui, je m'ennuyais d'eux tous. Terriblement.

On se croisait parfois mais, c'était bizarre, une sorte de gêne s'était immiscée entre eux et moi. Un abîme se creusait. Infranchissable bientôt. La magie avait été rompue. Je souffrais de cette cassure irrémédiable. En décembre, ce serait pire encore car ils s'étaient inscrits dans un club de hockey organisé et je les verrais encore moins. Ils iraient dans un aréna disputer des tournois du circuit junior. Bientôt, ce fut tout à fait fini. Je n'en revenais pas comme notre lien s'était défait rapidement.

À leurs yeux, je les avais trahis en allant au collège du boulevard Crémazie. J'avais changé de planète. Ils me le disaient au début. Par des allusions, ils me faisaient comprendre que nous n'avions plus rien en commun. J'en souffrais. Nous avions une histoire, nous avions tout de même passé une douzaine d'années à nous regarder grandir, à lécher les mêmes *popsicles* et *revels*. Des années à vivre toujours serrés, collés. Inséparables vraiment. À nous épater avec nos yo-yos, nos bolos, nos petites toupies à pointes de fer ou de bronze. À nous tenir solidairement face aux maudits *Blokes* d'Holy Family. À nous entretenir sur la maladie de l'un, sur l'accident de l'autre. Ou encore à discuter de l'interminable guerre en Europe ; comme nous aurions su cogner, nous les braves, sur ces maudits Boches, les nazis ! Comme nous aurions éliminé ces sales Nippons de l'empereur Hirohito avec les mitrailleuses de nos *spitfires* ! J'arrivais mal à croire que nous ne reformerions plus jamais cette bande d'amis, « À la vie, à la mort ! » disions-nous.

Je devais m'adapter, parvenir à me faire de nouveaux camarades. Transition lente. Jean, rue Villeray, était un collégien qui parlait très peu, accablé d'une morosité mystérieuse. Il avait bien du mal à suivre le rythme des cours. Il en arrachait. Il s'excusait de ne pas m'accompagner dans mes *rides* de vélo :

— Faut que je pioche. J'arrive pas à comprendre vite. C'est trop dur.

Au collège, les élèves venaient des quatre horizons. Plusieurs habitaient Ahuntsic, assez loin de chez moi. Il y avait bien ce Pierre, rue Drolet, mais il était d'un genre ultrapieux, élevé sévèrement par des vieux parents qui lui tenaient la laisse courte. J'avais aussi de l'affection et de l'admiration pour André, alias Tit-Cor, ainsi dénommé vu l'invention de son pharmacien de père : l'Anticor Laurence. Joyeux drille, brillant sans beaucoup avoir à étudier, il m'épatait, moi qui en arrachais tant à tout mémoriser.

Tit-Cor était très malin, dégourdi, rusé pour tromper la vigilance des « suppliciens » comme nous avions baptisé les Sulpiciens du collège. Il était vif, débrouillard, friand d'expériences nouvelles. Hélas, il habitait à la hauteur de la rue Ontario, rue Saint-Hubert. Long trajet. Je restais donc seul les après-midi de congé, même le dimanche, car nous devions être au collège dès huit heures du matin. Messe obligatoire, communion, nos sandwichs et le café des religieux à la cafétéria, puis cours d'histoire de l'Église et deux heures d'étude dans la grande salle. J'aurais tant voulu continuer les bonnes vieilles amitiés de ma rue, mais un mur s'élevait, invisible certes, mais pas moins réel. On aurait dit que d'étudier le latin, le grec érigeait, entre mon gang et moi, malgré moi, une frontière. Pendant tous ces mois d'automne, j'errai comme une âme en peine, ne sachant trop quoi faire de mes deux congés et de mes dimanches après-midi.

En septembre de l'année suivante, j'avais quatorze ans, j'étais monté en classe de Syntaxe et je repris un peu confiance en moi. D'abord, je n'avais plus besoin de lunettes. Mon œil gauche, bigle, s'était soudainement redressé. Et puis, je n'avais plus mes terribles crises d'asthme, un miracle attribuable, affirmait mon père, aux étés passés au bord du lac. Quand mon paternel évoquait ce don du sable et de l'eau, ma mère, autrement moins ultramontaine que lui, le taquinait en riant:

— La campagne hein? C'est donc pas par l'intermédiaire de ta chère Marie-Reine-des-Cœurs? ou de ton saint frère André ou de la très chère sainte de ta maman adorée, sainte Anne?

Je riais avec elle, content de constater que ma mère n'était pas très portée sur la religiosité. Un parent bigot par famille me paraissait amplement suffisant. J'y allais même parfois de remarques violentes, d'un anticléricalisme naissant, quand j'étais contrarié par mon dévot de père. Il était fini le temps du servant de messe obéissant. Fini le temps d'aller à vêpres sans rechigner.

Je devenais un adolescent capable de juger sévèrement la bondieuserie ambiante. C'était nouveau chez moi et je ne savais pas d'où me venaient ces premiers élans de révolte contre mon papa grenouille de bénitier. Je devenais un instruit ! J'étudiais l'histoire de la Grèce, de la Rome impériale, de la France, l'Antiquité et les temps modernes, tout cela dans d'épais manuels. Je traduisais Cicéron et Xénophon, moi ! En géographie, avec le père Aumont, nous étions en train, peu à peu, de faire le tour du monde ! Candide, je m'imaginais très savant déjà. Je faisais de la chimie et j'étudiais la physique. On ne riait plus ! Il nous arrivait de nous prendre pour d'autres, nous, les gars du cours classique. J'avais un costume trois pièces désormais, trois cravates et deux papillons, qu'on nommait « boucles ». Je portais des boutons de nacre — hérités d'un oncle — aux poignets à boutonnières de l'une de mes trois chemises ! Enfin, ce n'était pas rien, j'avais hérité du gros oignon en or — on disait : « une montre-patate » — de mon grand-père Lefebvre, avec chaîne assortie s'il vous plaît, et j'y lisais l'heure en chiffres romains. Ce n'est pas tout, je possédais la plus belle des plumes-réservoir — on disait « fontaines » — pour mes compositions françaises. Plume en simili marbre, avec des stries de rose et de pourpre. Peu à peu, quand ça m'arrangeait, je versais dans la prétention niaise.

— Enfle-toi pas trop la tête, mon garçon ! clamait ma mère s'il me prenait envie d'épater Marielle ou Nicole en déclamant des vers du *Cid* à tue-tête ou des maximes célèbres d'auteurs latins. Faut pas péter plus haut que le trou !

Ou bien :

— On ne sort pas, personne ici, de la cuisse de Jupiter ! insistait maman pour me rabattre le caquet.

Un bon dimanche je reçus un autre coup. Un dernier. Je pédalais mollement vers un glacier populaire —

vingt sortes de crème glacée —, rue Saint-Dominique, et
j'aperçus mes anciens amis. Ils marchaient rapidement en
parlant et gesticulant. Je fis :

— Salut, les gars ! Où est-ce qu'on s'en va ?

Le trio s'éloigna ! À peine des petits saluts de la tête.
Je descendis de mon vélo et me précipitai vers eux.
J'accrochai Dubé par une manche :

— J'ai pas le choléra, Tit-Yves !

Roland et Tit-Gilles s'éloignaient rapidement. Tit-
Yves, se défaisant de ma prise, me lança sèchement :

— On s'en va aux vues au petit *Boiler*. Un film de
cow-boys. Ça intéresse pas un gars de cours classique !
Salut !

Et il courut rejoindre les autres. Un coup au cœur !
C'était donc bel et bien terminé. Il fallait donc que,
résolument, je tourne le dos à mon passé. Que je fonce
vers mon propre destin. J'en avais une crampe. Je les
regardais s'éloigner, je les entendais, de loin, qui riaient.
Peut-être d'une bonne histoire. Des larmes me montèrent aux yeux.

Oh oui, nous nous étions tant aimés ! J'aurais voulu,
à ce moment-là, que nous redevenions des petits garçons
en culottes courtes. Je souhaitais, sentimental, revivre les
jeux fous de ces années-là. Jouer à la *tag*, aux anges, aux
quatre coins, à la cachette. Déjouer la police une dernière
fois sous la plateforme de la galerie des Vincelette.
Chasser les chats marcoux avec des gros pétards à dix
sous entre les palissades des cours, aller sonner aux portes
et fuir, manger les tomates du bonhomme Venna, voler la
piquette imbuvable du docteur Mancuso, fumer le tabac
de son jardin, quêter encore les petits cigares tout
croches du bonhomme Capra. De nouveau, voltiger, rue
Saint-Denis, d'escalier en escalier, au risque de nous
rompre le cou, grimper sur les toits des garages pour lire
en paix nos *comics*, sauter, l'hiver, dans les congères, du

haut d'un deuxième étage, nous parachuter, avec de vieux parapluies grands ouverts, de la galerie de Laurette Denis, enfumer le hangar des Hubert avec de la barbe de blé d'Inde, piquer les cous des petites vieilles avec nos tire-pois, sarbacanes à cinq sous. Fracasser des carreaux avec nos lance-pierres, par bravade.

Oui, une dernière fois, revenir en arrière. J'avais le vague sentiment que nous avions vieilli beaucoup trop vite. J'avais envie de crier : « Stop ! » Pouvoir arrêter le temps ! Retourner jouer, aux fontes d'avril, dans la *swamp* du champ vacant et là, rire de Bombarde l'harmonica, courir dans les chardons, faire la chasse aux souris et aux rats de l'entrepôt des Lanctôt. Oui, mon Dieu, une dernière fois, jouer au drapeau ou à *branch a branch* en criant d'enthousiasme. Tout mon passé récent défilait et j'en étais déjà nostalgique, à quatorze ans. Ah oui, revivre les pique-niques au parc Jarry avec ma mère et toute la marmaille, les délices de simples sandwichs aux tomates avec beaucoup, beaucoup de mayonnaise. Aller à ce bain public, rue Saint-Hubert, où l'on versait beaucoup, beaucoup, d'eau de Javel, y rire comme des fous, faire damner le *life guard* si myope. Manger, avec beaucoup, beaucoup de sel, les cerises sauvages du jardin des frères de l'école. Ou bien dévorer, pour cinq sous, de ces frites graisseuses du marchand ambulant, avec beaucoup, beaucoup de vinaigre. Décrocher le *trolley* d'un tram et prendre la poudre d'escampette. Imiter, marchant derrière lui, l'ivrogne Dada du coin du *Château*. Nous moquer, à sa barbe, du Quasimodo gardien de la patinoire.

Terminées à jamais, ces idioties d'enfants, ces niaiseries et ces bêtises de petits voyous. Je me secouai. C'était vain de refuser de vieillir. Je devais dire adieu à mes chers petits *bums*, aux amis morveux et crasseux comme moi. Je les ai regardés une dernière fois : je les voyais, tournant le coin Beaubien, s'en aller sans moi visionner le *western* du jour. Je suis remonté sur mon vélo, j'ai pédalé très doucement vers le glacier de la rue Bellechasse et je me suis commandé un cornet à deux boules. À la pistache, mon parfum préféré. Je suis rentré chez moi le cœur gros. En léchant la crème glacée verte, je me suis dit : « Reviens-en, ça te fait de la peine mais ce n'est peut-être pas si grave, tout ça. C'est des bons souvenirs pour quand tu seras vieux. »

CHAPITRE 33

La peur

J e retourne chez le quincaillier Damecour et elle
est encore là, comme hier. La belle brunette a été
engagée pour faire des démonstrations pour une firme de
peinture, la Sherwin-Williams. Elle porte un joli sarrau
tout blanc, a des sourires engageants pour tous les clients
de monsieur Damecour. Elle a une voix toute douce :

— Nous vous offrons un choix de couleurs nouvelles.
Aimeriez-vous consulter notre offre ? C'est une vente
spéciale.

Je suis revenu chez Damecour pour échanger la peinture grise que papa veut appliquer sur ses balcons. Il n'a
pas aimé le gris que j'ai choisi hier.

— Trop pâle, m'a-t-il dit. Va me choisir un gris moins
salissant. Un gris perle foncé.

Monsieur Damecour est accaparé par un client qui
discute des prix. La belle jeune femme vient vers moi.

— Bonjour ! Je suis Anita Guay. Aimeriez-vous regarder notre palette de nouvelles couleurs ?

Son sourire étincelant me séduit totalement. Cette
Anita m'a remarqué puisqu'elle me dit :

— Je vous ai vu hier, non ?

Je n'en reviens pas.

— Oui. Nous voulons une peinture grise différente
pour nos balcons.

Pas question de me raccrocher au paternel. Je dois paraître autonome ! Anita doit avoir au moins dix ans de plus que moi.

— Vous êtes étudiant ?

Elle veut mieux me connaître ? Formidable.

— Oui, j'étudie pour devenir avocat.

Mentir un peu. Surtout qu'elle ne semble pas deviner que je n'ai que seize ans. Elle me dit, me touchant le bras et j'en frémis :

— Nous avons plusieurs gris et notre peinture est d'une durabilité à toute épreuve. Voulez-vous lire un rapport là-dessus ? On a effectué des tests, vous savez.

Je lirais n'importe quoi en sa présence.

Elle ressemble à Rita Hayworth, la blondeur en moins. Me voilà tout attendri, tout séduit d'être enfin reconnu, non plus comme un adolescent quelconque mais comme un client adulte, un homme. Anita ne cesse de se recoiffer, de se dandiner devant ses échantillons, ses cartons publicitaires. Elle a un corps qui me semble la perfection même. Je n'en crois pas mes oreilles quand je l'entends me dire :

— Avez-vous des cours cet après-midi ?

Que me veut-elle au juste ? J'hésite un instant. Que dire ?

— Non, j'ai congé. Pourquoi ?

C'est incroyable ce qui se produit :

— Eh bien, nous pourrions peut-être aller voir un film au *Château*, ensemble. Pourquoi pas ?

Je dois rougir. J'espère que je ne rougis pas.

— Après-midi ? Oui. Mais oui, c'est une bonne idée.

Elle me suit à la caisse. Monsieur Damecour semble avoir vu son manège et il a un petit sourire de conni-vence. Je lui dis :

— Mademoiselle m'a convaincu. Je voudrais échanger ces deux gallons de gris pour le gris foncé de Sherwin-Williams.

Anita fait voir la couleur en question sur son dépliant. L'échange de gris est effectué.

— Chanceux, la peinture de mademoiselle est en promotion. Il vous revient donc quatre dollars.

Monsieur Damecour ajoute en murmurant :

— Vous allez pouvoir l'inviter au cinéma avec cette remise, pas vrai, monsieur Jasmin ?

Voilà qu'Anita me reconduit vers la sortie, toujours ondulante dans sa démarche, toujours avec le sourire de l'actrice Hayworth qui me fait fondre. Elle m'ouvre la porte du magasin :

— Alors, c'est entendu ? J'aurai mon congé moi aussi. Je serai au cinéma à une heure trente. J'ai vu l'horaire de leur programme. J'espère que vous aimez Edwidge Feuillère autant que moi.

Je lui dis :

— Oui, euh... oui, une très bonne actrice, oh oui ! J'y serai sans faute, je vous attendrai.

Je sors, plus léger qu'un oreiller de plumes. La vie est belle même s'il pleut légèrement. Je ne marche pas, je vole. J'aperçois, filant à l'indienne, le *gambler* monsieur Odette qui s'éjecte de *Chez Peter's*, où on joue à l'argent dans la cave. Le gros Larouche, dit Barouche, sort du *pool-room* :

— Ton père a-ti reçu de la pizze fraîche, Tit-Claude ?

Il est accompagné de Jack Delorme et de Peau grêlée Perreault, trois *zoots*, clients fidèles de papa. Je dis :

— Je le sais-tu ? et je me faufile entre deux tramways.

Je croise le grand Normand Hudon, qui étudie à l'École supérieure Saint-Viateur, rue Jean-Talon. On a fait connaissance à la danse des jeudis soir qu'il organise à son école pour rivaliser avec la salle des *Blokes* de *Peace Centennial* :

— Mon vieux, je plane ! Monsieur Payette m'a pris deux dessins pour son *Guide du Nord* et *Le Progrès de Villeray* ! C'est très bien payé.

Je le félicite et il s'en va, tout content, avec son grand cartable noir rempli de ses caricatures.

Moi aussi, je plane, Normand! Pour mon rendez-vous d'après le lunch au *Château*, j'ai aussi un peu peur. Je suis beaucoup trop jeune pour cette Anita. Est-ce que je saurai camoufler mon âge? Je mentirai, je dirai que j'ai vingt et un ans. Raymond Lanthier sort de chez lui. Il me dit:

— Tu pourrais m'aider? Ta sœur Marcelle refuse de venir poser nue dans mon atelier du hangar. Si tu pouvais lui expliquer que l'art c'est l'art, pas autre chose. Je ferai pas de folies avec elle. Veux-tu essayer de la convaincre? Elle a le corps idéal.

Je ne dis trop rien. Si ma mère apprenait que Marcelle se montre toute nue, elle la chasserait du logis familial! Raymond dessine bien, mais il est plutôt *wolf*.

J'ai mangé sans grand appétit. Ce rendez-vous au *Château* m'énerve. Je tourne en rond. Je me change. Je tente de me vieillir. Beaucoup de soins, une chemise blanche propre, une belle cravate en laine tricotée par ma tante Rose-Alba. La mode, quoi! Coup de brosse sur mes *loafers*. Mon costume trois-pièces me vieillit un peu. Ça devrait aller. Quand je marche vers le cinéma du coin, les jambes me picotent! Elle est là. Elle me sourit. Je fonds. J'ai de la chance! Elle est si attrayante, si bien faite. Elle me tend le bras. Je paie les deux billets. J'ai refusé son argent. On entre. Le noir propice! On s'installe à l'arrière de la salle, comme font ceux qui veulent se caresser, s'embrasser. Je rêve. Anita se blottit aussitôt contre moi. On doit avoir l'air d'un couple d'amoureux.

Peu de monde dans le cinéma. J'ai peur d'y voir tante Rose-Alba, une abonnée des films français, ou quelqu'un qui irait bavasser chez moi:

— J'ai vu votre garçon avec une fille beaucoup trop vieille pour lui!

Crise de ma sainte mère, alors! Les *Actualités françaises* défilent. La guerre est finie en Europe depuis deux ans, mais on nous montre les privations qui continuent. L'hiver qui a été terrible. Le rationnement de tout. Le manque de logis à Paris. Puis s'amène, rituel bienvenu, le *cartoon*. Un *Woodywood Pecker* déchaîné! Anita rit d'un rire enfantin qui me séduit complètement. Le film principal commence, une histoire d'amours tumultueuses comme je les aime. J'arrive mal à suivre l'intrigue. J'ai la tête ailleurs. Soudain, Anita me prend la main et la pose sur son ventre. Mon Dieu! Quel émoi! Ce matin, je ne connaissais même pas cette belle fille. Je ne sais pas ce que je dois faire. Elle se penche vers moi et m'embrasse chaudement sur la joue, longuement. J'aime sa bouche. J'hésite. Dois-je y aller carrément? Descendre ma main vers ses cuisses? Je n'ose pas. Son ventre est chaud, moelleux, légèrement rebondi. Je ne bouge plus. Elle sourit dans le noir relatif de la projection. Cette femme, car c'est une femme, est heureuse avec moi, un adolescent!

Nous avons droit, comme à l'habitude, à un deuxième film. Il s'agit d'une histoire endormante qui m'assomme. Un film racontant les malheurs d'une famille de romanichels dans un pays inconnu. Un conte abracadabrant. Pas d'action. De longs dialogues poussifs. Une aventure sans rebondissements. Heureusement, la sensuelle actrice Viviane Romance en est la vedette. Je me fiche bien de ce navet. Je regarde Anita qui regarde le film qu'elle semble apprécier. Je l'embrasse sur la joue, dans ses cheveux qui sentent si bon. J'ai osé effleurer ses seins. Ils sont durs, beaux. Une fois, deux fois, trois fois. Elle roucoule, rentre la tête dans son cou. Une gamine! Elle m'a encore forcé à mettre ma main sur son petit ventre rond. Encore une fois, je n'ai pas osé aller plus loin. Je me dis qu'elle veut peut-être vérifier si je suis un de ces gars pressés de peloter une fille. Elle doit être convaincue maintenant que je sais attendre. Le cœur me débat en diable. J'admire ses longues et fines jambes qu'elle croise et décroise.

Quand le deuxième film s'achève, nous sortons du cinéma et je suis mal, craignant de l'avoir déçue par mon manque d'expérience. Au comptoir des rafraîchissements, Anita s'achète un petit sorbet de glace aux fraises. Elle m'en offre au bout de sa petite cuillère de bois. J'y goûte. Je me lèche les babines. Elle me dit :

— T'as une belle bouche, de belles lèvres. Tu donnes le goût d'embrasser.

Je rougis. On ne m'a jamais dit cela ! Dehors, Anita me dit :

— Si tu veux, je te donne mon adresse. J'habite dans l'est, un peu passé Hochelaga. Ce soir, je garde l'enfant de mon grand frère qui habite la maison voisine. Veux-tu passer la soirée avec moi ?

Je réponds d'une voix presque chevrotante :

— Mais... oui. Oui, c'est une bonne idée.

Anita griffonne sur son paquet de cigarettes vide l'adresse de son frère. Elle me fait le plus chaud des sourires. M'embrasse à la sauvette et court vers un tramway qui arrive, rue Bélanger.

Je retourne chez moi en sautillant, fou de bonheur. Enfin, une femme, une vraie ! Pas une adolescente maladroite. Enfin, je pourrai connaître tous les secrets de l'amour physique. Ce soir, nous serons seuls tous les deux dans la maison de son frère marié. Me voilà tout chaviré. Je balance. C'est que je ne sais rien. Je ne connais pas l'amour physique. Si elle me demande de... Si elle ose... Si elle veut... Si elle m'invite au lit ? Comment m'y prendre ? Je passerai pour un niais, pour un puceau innocent. Je rentre chez moi très tiraillé. Je me raisonne : c'est une chance, « ma » chance, l'occasion du dépucelage tant souhaité. Mais j'ai peur. Je me sens un jeune morveux candide, un peureux.

Au souper, Marcelle me dit :

— J'ai rencontré Raymond dans la rue. Paraîtrait qu'il t'a confié une mission ?

J'entraîne ma sœur au boudoir :

— Écoute, Marcelle. Il dessine comme un dieu, ça, je peux te le dire. Il devrait absolument aller aux Beaux-Arts.

Elle dit :

— Oh non ! Raymond veut devenir ingénieur un jour. Il vise l'École polytechnique. C'est toute une bolle.

Je lui dis :

— Faut que je te dise la vérité : Raymond est fou des filles bien faites et il passe de l'une à l'autre.

Elle rit :

— Tu penses que je le sais pas ? J'irai jamais dans l'antre de ce petit maquereau. Je suis en amour pardessus la tête avec Yvon, le beau Yvon Langis qui pensionne chez madame Richer, de l'autre côté de la rue, OK là ? C'est tout nouveau nous deux, mais c'est de la passion. Samedi, on va aller en vélo dans le chemin des Persilliers. C'est une cachette extraordinaire pour les amoureux. Savais-tu ça ?

Je savais ça. J'y allais parfois avec la petite Galerneau.

J'ai fini par lui confier :

— Il y a une fille qui travaille pour un temps chez Damecour. Belle ! Chaude ! On est allés aux vues ensemble cet après-midi. Une beauté rare, une vraie Rita Hayworth !

Marcelle me demande :

— Pis, vous avez necké ?

Je lui confie :

— Garde ça pour toi : elle m'a invité à garder avec elle ce soir. Pis... j'hésite. Me comprends-tu ? J'hésite !

Marcelle éclate de rire :

— Tu en as peur ? C'est ben vous autres ça, les gars de collège classique. Des fils à moman ! Vous savez pas ce que vous voulez. J'en ai connu un, un philosophe du collège Saint-Laurent, un grand *slack*, expert dans la valse-hésitation !

Comment lui dire que je crains ses avances justement ? Que je ne saurais pas comment m'y prendre si jamais elle m'amenait au lit ! On peut pas parler « direct » avec sa sœur. Impossible ! Je me tais.

Anita m'a dit :

— Amène-toi vers sept heures, sept heures et demie.

Il est déjà presque sept heures. Je m'installe à mon pupitre. Faire la version grecque ou aller voir ma belle démonstratrice de peinture ? Là est la question ! Ma mère entre dans ma chambre :

— J'aurais à te parler, mon petit garçon. Ça sera pas bien long.

Elle a son air des grands soirs.

— Je t'écoute, m'man ! Vas-y !

Elle s'assoit sur le bord de mon lit, se frotte un avant-bras. Oh, ça va être délicat, je le sens !

— Claude, il faut que tu sois prudent avec les filles.

Elle a su ! Marcelle a mouchardé !

— Cette noiraude, ta petite Galerneau, je l'ai vue l'autre soir, ici, sur le balcon. Elle te mange des yeux. Elle t'écoute comme si tu étais le bon Dieu ! Elle est entichée de toi pas pour rire. Les filles, ça rêve en couleurs à cet âge-là. Tu es loin d'avoir terminé tes études. Ça va être long. Il te reste quatre ans de classique, après ce sera l'université, deux, trois ans, je sais pas trop. Alors, prudence, faut pas lui en faire accroire. On se comprend bien ? Faut pas lui faire miroiter des choses. Tu n'as pas le droit de lui faire des promesses que tu pourras pas tenir. Est-ce que tu me saisis bien ? Ça m'a l'air de devenir beaucoup trop sérieux, votre histoire d'amour. Vous êtes deux enfants encore. C'est tout ce que j'avais à te dire. Fais bien tes devoirs maintenant.

Ma mère sort enfin! Si elle savait, si elle était au courant pour mon rendez-vous chez une fille dans une maison privée! Pauvre maman, elle ferait une syncope.

J'ai ouvert mon livre de vieux textes grecs. J'ai sorti le paquet de cigarettes vide pour relire l'adresse que m'avait donnée Anita. J'ai eu trop peur et j'ai déchiré le carton en mille miettes. Et puis, je l'ai regretté! Et puis, je ne l'ai plus regretté! C'était une histoire impossible. J'aurais peut-être été pris pour continuer à la fréquenter. De quoi j'aurais eu l'air? La différence d'âge était trop grande. Je ne pouvais pas sortir *steady* avec une fille expérimentée. Peut-être m'avait-elle menti. Cet enfant qu'elle gardait était peut-être le sien! Que de peut-être! Je n'irais pas, ce serait de la folie.

Alors, j'ai plongé dans l'*Iliade*. J'ai ouvert mon énorme vieux dictionnaire qui me venait d'Ernest, l'oncle en Chine. Des grands bouts de texte sur cette guerre de Troie s'y trouvaient. Ça aide. Bon! Mon père maintenant! Pas moyen de rêver tranquille à ma vendeuse... et à Achille, à Hector, aux grands héros de la Grèce antique! Papa est là, goguenard, l'air d'un chat qui vient d'avaler une souris:

— Devine qui est en bas, au restaurant, à t'attendre? T'avais oublié? La petite Galerneau, ta blonde! Tu devais pas l'amener au *Château* ce soir? Descends vite!

Mon Dieu! Oui, j'avais oublié. Ma Rita Hayworth avait brouillé ma mémoire! Elle aussi, Louise, adorait Edwidge Feuillère! J'ai revu les deux films, les mêmes *Actualités françaises*, le même *Woodywood Pecker*! J'ai maudit mon sort et ce maudit film plate de gitans bavards! Elle n'avait pas voulu aller au *Rivoli*:

— Je déteste les films d'épouvante, pas question du *werewolf*, non merci !

— Au *Plaza* alors ?

— Oh non ! Kirk Douglas me pue au nez !

En payant les billets, il m'a semblé que, dans son aquarium-guichet, la caissière du *Château* me regardait d'un drôle d'air !

CHAPITRE 34

L'Oratoire

J'ALLAIS AVOIR DIX-SEPT ANS en novembre. Le printemps s'annonçait précoce cette année-là. Un temps d'une douceur rare. Il faisait soleil depuis plusieurs jours et la neige disparaissait à vue d'œil. Ce beau temps ne calmait pas mon angoisse. Je voyais que j'allais vers un naufrage aux examens de juin. J'avais l'impression que je devais payer une facture. Payer pour une trop belle jeunesse, payer pour cette enfance toute consacrée aux jeux, aux randonnées en vélo — mon amour fou du vélo. Payer pour trop de bon temps sur les plages et dans les salles de danse, l'été — mon amour fou du *boogie-woogie*. Payer pour trop d'escapades sur les pentes, l'hiver — mon amour fou du ski. « Tête heureuse », me répétaient des professeurs du collège. Je n'étais pas un garçon studieux, sérieux. La facture serait salée, je l'anticipais de plus en plus clairement. La morale impitoyable du fabuliste s'illuminait en lettres de feu au-dessus de ma tête : « Vous chantiez, cigale légère ? Eh bien, dansez maintenant ! »

Au collège, le savant père Fillion avait eu beau nous révéler que La Fontaine était « dans les patates » puisque la cigale ne vit qu'un seul été, ça ne changeait pas ma réalité pour la fin de juin : je coulerais, beau temps, mauvais temps. Ma famille n'avait pas les moyens de me permettre de doubler ma versification. Je me retrouvais étrangement dans la même situation que papa, bloqué en versification au petit séminaire de Sainte-Thérèse ! Je n'avais pas, moi, une maman riche pour m'ouvrir des magasins d'importations chinoises. Allais-je devoir me trouver un petit job de commis de bureau comme l'avait d'abord été mon père à la revue du chanoine Groulx, *L'Action nationale*, en face du cinéma *Saint-Denis* ? C'était ce qui arrivait à ceux qui n'avaient qu'un demi-cours classique. Commis où ? Dans une banque ? À douze piastres par semaine ? Bel avenir ! Au milieu de ce mois de mars enchanteur, je n'arrivais plus à suivre en mathématiques, zéro perpétuel. Non, je n'obtiendrais pas le certificat de l'immatriculation. Je ne ferais pas l'année de Belles-Lettres, ni Rhétorique, encore moins les deux Philos. J'étais désolé, déboussolé. Je ne disais rien, je ne parlais pas à ma mère de l'échec appréhendé. Surtout pas à elle. Elle aurait été assommée, abattue par la déception. Elle souhaitait tant avoir un fils « professionnel ». Je me rongeais de plus en plus les ongles.

Je m'étais trouvé une compensation, une consolation assez vaine. J'étais devenu, au fil des années, le meilleur des bouffons. On s'échangeait, hilares, mes caricatures, que l'on faisait ronéotyper clandestinement. J'avais, en la matière, un franc succès. Ainsi, mes camarades de classe me gardaient leur estime et même de l'admiration, ce qui n'était pas courant avec les queues de classe. Je me spécialisais en farces et attrapes et tous étaient contents de fréquenter un as en divertissements gratuits. La belle récompense ! En juin, ça allait être : « Au revoir et merci pour les rires ! » On ne se reverrait pas. Les profs, excédés par les distractions que je causais, envoyaient régulièrement le perturbateur de l'ordre parader chez le préfet de discipline. Le sévère père Langis me reçut un jour avec tristesse. J'en étais à ma énième visite comme fou de la classe :

— Jeune homme, comme c'est malheureux, cette conduite d'infâme cabotin. À votre arrivée ici, nous avions fondé sur vous de grandes espérances. Vous sembliez un garçon sérieux. Que vous est-il arrivé ? Que s'est-il passé ?

J'éprouvai une soudaine envie de lui parler à cœur ouvert mais je ne dis rien. Comme la plupart des adolescents, je n'aimais pas me confier aux adultes. Toujours cette conviction, un préjugé, que personne ne puisse nous comprendre. Le père Langis, lèvres pincées, enchaîna :

— Pourquoi vous être transformé en pitre, en cancre ? Votre oncle missionnaire, mon ami Ernest, serait vivement déçu de votre comportement de clown. Vous ne croyez pas ?

Je gardais un silence obstiné, mais j'étais au bord des larmes. Devais-je lui avouer que, complètement nul en mathématiques, j'avais eu peur d'être rejeté par mes camarades et avais réagi en m'attribuant le rôle d'amuseur en titre de la classe ? Ne pas parler. Ne rien avouer. Rester un mur fermé. Un peu plus tard, le seize mars, à six heures du soir, sortant de la salle d'étude, je fus convoqué d'urgence au bureau de monsieur le directeur Allard :

— Même si vous passez aux examens, il faut envisager votre renvoi. Vos excursions du midi dans les boisés derrière le collège, vos retards, vos torchons dessinés et surtout l'incendie du local des scouts, dont on vous soupçonne d'être les auteurs, vous et vos trois mousquetaires, motivent notre décision. Vous voilà prévenu. Ce sera le renvoi pur et simple pour une tête croche de votre acabit. Mon pauvre ami, vous êtes devenu un indésirable.

Oh ce mot ! J'avais mal.

Il y avait longtemps que je souhaitais aller chez les tolérants Jésuites, au collège Sainte-Marie, rue Bleury. J'y serais refusé vu mes notes en maths. Malgré le beau soleil, ce dix-sept mars fut un jour d'accablement. Quand j'avais parlé à mon père de mes échecs répétitifs en mathématiques, toujours d'un optimisme béat, il avait dit :

— T'en fais pas trop. Ça va se tasser avec le temps.

Calé dans son vieux fauteuil d'osier en face de sa cuisinière à hot dogs et à hamburgers, il m'avait offert un petit verre de notre vin rouge. L'automne dernier, nous avions essayé de fabriquer du vin, lui et moi, comme le faisaient chaque automne les Italiens de la rue Drolet. Deux pleins barils cachés dans la cave derrière un mur du restaurant. À l'aide de coton à fromage, nous avions réussi à nous débarrasser de la multitude de moucherons qui flottaient à la surface. C'était de la piquette, de la bibine, mais c'était « notre » vin. Mon père et moi, nous nous acharnions à en vanter les mérites.

Quand ma mère consentit à y goûter, elle s'écria :

— Pouah ! Imbuvable ! Essayez donc pas d'imiter nos Italiens. Le vin, ils ont ça dans le sang. Vous perdez votre temps.

Elle avait raison mais mon père et moi admirions tant ces voisins émigrés d'Italie. Ils nous semblaient mieux savoir vivre que nous, mieux apprécier l'existence. Ils avaient de beaux jardins bien entretenus dans leurs cours. Ils savaient rire, blaguer, chanter. J'aimais ces odeurs perpétuelles d'oignons frits qui embaumaient notre coin de ruelle. Je sortais souvent sur la galerie arrière quand me parvenait une bonne odeur d'ail. Je humais avec grand plaisir les fumets de leur cuisine particulière. Quand madame Venna criait : « Ubaldo ! Benjamino Gigli chante à la radio, monte ! » je courais vers notre radio pour tenter de synthoniser la station où chantait ce Gigli. Des airs de Verdi, de Puccini emplissaient la ruelle le samedi après-midi et les voix surhumaines de certains opéras m'emballaient. Monsieur Colangelo disait :

— Oui, oui, Gigli, il est fameux mais c'est Caruso, le plus grand. Il est immortel !

Pour les jeunes sportifs que nous étions, l'automne était une prison, donc une saison un peu plus propice aux études, mais aussitôt la première neige tombée, je ne pensais plus qu'au ski, que j'avais découvert depuis un an. Tant pis pour les études en retard. Je n'aimais pas m'asseoir à mon pupitre. À mes yeux, c'était de la non-vie ! Je ne ratais jamais une des excursions dans les Laurentides organisées par le club du collège les jours de congé. Ou bien, en tramway, je me rendais dans Montréal-Nord pour dévaler les collines des Hirondelles. J'ai vite préféré le mont Royal. J'y allais si souvent que je connaissais mieux que personne les côtes les plus excitantes tout autour du grand chalet sur la montagne. Dès janvier, j'étais vite devenu un expert comme certains de mes amis, Laurence, Gauthier, Jérôme. Certains soirs de belle neige, je me contentais de glisser au pied de la montagne, là où veille sur la ville ce grand ange équilibriste sur sa colonne de sculptures. On pouvait y fleureter les plus jolies Montréalaises qu'il se puisse imaginer. C'était féerique avec tous ces lampadaires qui orangeaient les pentes douces, leur donnant l'aspect d'un décor lunaire si romantique.

Les filles ! Ma bicyclette et les filles. Sur mon vélo, je pouvais découvrir, dans les rues avoisinantes, les logis qui abritaient de jolies filles. Il y en avait plusieurs : la délurée June Jonhson, rue Berri, qui me laissait toucher sa poitrine, ouvrant volontiers son manteau de chat sauvage.

Ou cette rouquine moqueuse, rue Saint-Dominique. Ou cette blonde, rue De Laroche, tricotant sans cesse, Pénélope ravissante, si avenante pour les innocents dragueurs de mon espèce. Ou cette ballerine rousse de quinze ans, rue Saint-Zotique, qui répétait, en collant rose, ses figures de danse. Une beauté ! Ou encore la jolie Lise Lavallée, rue Saint-Vallier, qui osait sortir la langue quand je l'embrassais. Émoi ! Je tournais, je tournoyais partout dans l'immense cage embellie des rues de Villeray. Je finissais par approcher la belle. Nous échangions d'abord des banalités pour mieux nous lier, puis surgissait mon invitation rituelle :

— Aimerais-tu faire un tour sur la barre ?

Rue Drolet, il y eut Angéla, chevelure d'or, yeux d'un bleu qui me subjuguait, Vénus italienne parfaite ! Mon vélo virevoltait autour de cette sauvageonne au papa redoutable. Mystérieuse Angéla ! Trop timide, craintive, souvent blottie dans un recoin de garage, suçant toujours un *popsicle* à l'orange.

Fini le temps des jeux énervants dans la ruelle : jeu de drapeau, jeu de moineau, du ballon-chasseur. Je n'étais plus un gamin. Je portais des pantalons longs. Je me parfumais avec l'eau de toilette de mon père. Je choisissais avec soin mes chemises, mes chandails. Je voulais plaire. Je souhaitais l'amour, avoir une fille bien à moi. Je découvrais peu à peu que, pour toujours, j'allais être du côté des filles. Elles seraient le centre de mon monde, mon seul sujet de curiosité, mon seul souci, ma seule traque. Je ne savais pas encore qu'elles seraient aussi la source de peines d'amour adolescentes. Dans trois mois, j'allais devoir payer pour ça aussi : toutes ces jolies filles sur le cadre de mon vélo, sous le vent, avec leurs doux cheveux dans mon visage.

Ce dix-sept mars, à peine échappé de la terrible épître du directeur Allard, je rôdais comme un chien battu dans la maison. Je me sauvais de tout, de ma chambre, de mon pupitre étroit, de mes livres de mathématiques maudites. Les théorèmes étaient du chinois, l'algèbre un casse-tête et la trigonométrie un supplice inventé par des barbares. Je finis par descendre au restaurant pour avaler une pointe de pizze et une bière d'épinette. Comme souvent, papa fumait sa pipe en peignant, sur un mur de son caboulot, un de ses paysages naïfs.

Un client fit son entrée, ancien élève du collège d'à côté. Il avait acheté l'école et était fier de sa carte professionnelle qui proclamait en lettrage embossé : «M. Jean Hudon, Directeur de l'Institut Laroche Inc., 7058 rue Saint-Denis». Ce type cocasse, fécond bavard, adorait relater les grands épisodes de l'histoire de France, surtout les campagnes victorieuses de son vénéré Napoléon Bonaparte. Hudon admirait aussi l'auteur et acteur Sacha Guitry. Il avait vu tous ses films et lu toutes ses pièces de théâtre. Il le citait à propos de tout et de rien, en *aficionado* zélé. Le directeur d'institut se livrait complaisamment à sa marotte, les jeux de mots. Ses calembours étaient souvent d'une lourdeur assommante et papa et moi, l'oncle Léo aussi, nous nous moquions de cet hurluberlu, de ses tics nerveux à la mâchoire, de ses façons de parler haut comme s'il avait toujours en face de lui un auditoire impressionnant. Mon père, ironique, aimait le provoquer. Il le contredisait pour le plaisir sadique de le voir s'exténuer en arguments tarabiscotés, entrer presque en transe pour défendre l'un de ses points de vue. Nous riions et il ne s'en rendait jamais compte, obnubilé par sa dialectique enflammée. Hudon, piqué par le moindre défi qu'on lui lançait, gesticulait comme une marionnette, bavait, postillonnait comme un dément. Sourd et aveuglé par ses raisonnements d'une jactance intempestive, il continuait parfois de parler tout seul, alors que nous avions quitté la place !

Cet autodidacte, ancien comptable d'une bijouterie, ce pédagogue farfelu était notre spectacle des soirs creux. Sa frénésie à citer le petit caporal corse et Sacha Guitry nous fascinait. Au fond, nous aimions voir quelqu'un d'aussi entêté dans ses convictions, phénomène rare à une époque où la plupart des gens se camouflaient dans l'imprécision prudente, la mollesse complaisante et la futilité intéressée. Hudon était encore plus distrait que son prédécesseur, monsieur Laroche. Il s'allumait deux cigarettes, traînait deux chapeaux, un à la main, l'autre sur la tête, tout préoccupé qu'il était à argumenter dès qu'on osait critiquer ses idoles. J'aimais jouter avec lui, juste pour le plaisir de discuter. Aussi, il s'attacha vite à moi, m'invitant fréquemment, après la fermeture de son école, à aller manger des spaghettis au sous-sol de la *Casa Italia*, là où le vin rouge n'était pas de la piquette, ou bien au *Vénus*, rue Saint-Hubert, pour des mets chinois qu'il appréciait par-dessus tout.

Face à son auditeur captif et toujours affamé — on a toujours faim à cet âge —, il faisait l'apologie, tel le père Legault du Grasset, des grands journalistes d'antan, les Buies, Asselin, Fournier, qu'il vénérait. La bouche pleine, il pérorait à en perdre haleine. Un soir, il conclut :

— Tu devrais les imiter. Tu aimes tant écrire. Tu deviendrais à ton tour un défenseur du peuple abusé par les traditions néfastes qui empoisonnent notre liberté.

Sa confiance en moi me faisait du bien, atténuait ma peur des examens de juin. Avait-il raison ? Puisque je ne deviendrais pas avocat, pourquoi ne pas devenir journaliste ? Et flamboyant, comme de raison !

Ce soir-là donc, prenant mon courage à deux mains, je voulus parler à cœur ouvert avec mon père. Il accepta de ranger un moment ses pinceaux.

— Papa, en juin, ce sera terminé pour moi, le cours classique. Je vais couler, c'est certain. Faut que je songe à autre chose pour septembre prochain.

Papa protesta :

— Tu vas m'écouter. Je sais que tu traverses une crise religieuse mais, pour une fois, tu vas t'en remettre au saint frère André, qui peut accomplir un miracle. Après-demain, le dix-neuf, il y a une marche de nuit jusqu'à l'Oratoire. Tu vas m'y accompagner.

J'ai protesté, mais il insista :

— Tu n'as plus rien à perdre. Des milliers et des milliers de gens ont obtenu ses faveurs. Viens, c'est ta dernière bouée de sauvetage. Tu dois m'accompagner.

Depuis plusieurs mois, j'avais pris mes distances avec la religion de mon père. À la messe obligatoire du dimanche au collège, moi et quelques-uns de mes amis apportions des livres de poésie, les contes de Guy de Maupassant, que nous cachions parmi nos missels. Je m'étais un peu confié à l'intelligent prof laïque Roland Piquette, sur cette crise religieuse. Compréhensif, il m'avait conseillé :

— Considère la messe comme un moment de réflexion. Vaut mieux lire la poésie de Verlaine ou de Nelligan plutôt que d'ânonner des prières en lesquelles tu ne crois plus.

J'en avais été rassuré. Je n'étais donc pas un monstre. Je jugeais désormais mon père comme un arriéré, un pauvre dévot ligoté par la peur de l'enfer. Pourtant, j'eus envie de lui être agréable et acceptai cette marche nocturne du dix-neuf mars, fête de saint Joseph. Je lui glissai :

— Écoute, papa. Si ça fonctionne pas, le frère André, je voudrais aller à l'école des Beaux-Arts, rue Saint-Urbain.

Il s'était rembruni :

— Les arts, c'est bien beau mais ça fait pas vivre son homme. Veux-tu finir au Carré Viger, en vagabond, comme ce Ayotte et tous les autres, hein?

Sur ces bonnes paroles d'encouragement, je grimpai rapidement au logis, voulant éviter une autre querelle avec mon père. Elles se multipliaient depuis quelque temps, surtout quand je critiquais son chef Duplessis ou, pire, quand je remettais en cause les enseignements de sa sainte mère, son Église à lui!

Ça m'était de plus en plus difficile d'étudier à la maison. J'avais beaucoup de mal à me concentrer. Trop de bruit. Lucille et Marcelle se chamaillaient, les bons soirs de fréquentation, pour obtenir le salon. Marielle, à quinze ans, devenait agressive et désirait quitter au plus tôt l'école, où elle en arrachait. Elle souhaitait aller gagner des sous comme Lucille et Marcelle, dans un *sweatshop* du quartier. Raynald et Nicole, dans la cuisine, entonnaient à voix haute le par cœur mécanique de leurs leçons. La benjamine, elle, braillait d'énervement, craignant de redoubler sa deuxième année. Sans oublier les sempiternelles chicanes entre mes parents, ma mère répétant *ad nauseam*:

— Édouard, paresseux! Quand vas-tu aller te trouver un emploi à l'extérieur? Ça marche pas, ta binerie de la cave!

Mon père gueulait contre son idée, mais elle s'acharnait:

— Avoir peur du monde extérieur, c'est de la lâcheté!

Intolérable vacarme pour moi qui avais tant de mal à pénétrer dans les arcanes sophistiquées des mathématiques! J'allais souvent me réfugier à la succursale de la Bibliothèque municipale, où tout me portait à la distraction: j'examinais les jolies jeunes étudiantes ou bien, au lieu de potasser mon manuel, j'allais dénicher des livres dans les étagères qui me cernaient. Des ouvrages tellement moins ennuyeux. Et puis, un jour, surprise totale, j'allais rencontrer une prof de maths tout à fait inattendue : ma tante Rose-Alba !

Après la mort de grand-maman Albina, avait sévi une longue bouderie entre ma mère et sa belle-sœur, Rose-Alba, la femme de l'oncle Léo. Une classique chicane d'héritage :

— Comme toujours, votre père trop mou s'est fait avoir comme un niaiseux ! La Rose-Alba a tant influencé son mari, votre oncle Léo, qu'elle a obtenu la crème de l'héritage. Je vais prononcer un mot grave : injustice ! Oui, mes enfants, une grave injustice !

Les deux belles-sœurs ne se parlèrent plus durant des années. Guerre froide totale ! Deux fois par semaine, la tante honnie, obèse, passait devant chez nous pour aller au *Château* voir ses chers films français. Chaque fois, ma mère, derrière les rideaux du salon, se déchaînait en méchants sarcasmes. Devant nous ! Nous étions médusés de constater qu'elle encourageait nos moqueries, qui s'ajoutaient aux siennes. La chose était inhabituelle. Ma mère était si sévère quand nous étions le moindrement impolis envers une voisine. Alors, complices ravis, nous l'écoutions ricaner :

— Oh là là ! Regardez-la passer, ma voleuse. Madame Patatouf !

Nous renchérissions volontiers :

— Ouh ! Ouh ! la baleine à chapeau à plumes ! La tante Badaboum, boum, boum ! La grosse toutoune des vues françaises !

Quel bonheur inédit que cette trêve de censure !

Au cours d'un Noël mémorable, papa et son frère avaient réussi à réconcilier les deux belles-sœurs. La guerre était enfin terminée ! Au printemps de cette année d'amnistie, mon père, son frère Léo, avec l'aide du beau-frère Fernand, de moi, et même de mon petit frère Raynald, nous avions construit un chalet pour tante Rose-Alba et ses deux enfants sur notre terrain de Pointe-Calumet. Cette tante siphonnait deux caisses de vingt-quatre bouteilles de coca-cola par semaine. Défense de s'en moquer désormais. Je la visitai souvent, l'automne suivant la réconciliation. Fameuse tricoteuse, elle m'offrit deux magnifiques chandails de laine pour le ski, l'un avec des chevreuils noirs sur fond de verdure, l'autre avec des sapins sur fond de neige. Un jour de visite, je lui racontai mes affres en mathématiques et, à mon grand étonnement, Rose-Alba me dit :

— Apporte ton manuel. J'étais une première de classe et très forte en mathématiques.

C'était pure vérité ! Ma tante me fit comprendre des problèmes d'algèbre que mon prof n'était pas arrivé à me faire ingurgiter. Merveilleux !

Cette tante, jadis, avait ouvert, au sous-sol de son logis du 7453 de la rue Saint-Denis, une librairie de romans à louer. On y trouvait surtout du Delly, du Magali, du Max du Veuzit. À quinze ans, à son insu, j'avais emprunté un de ses livres. La lecture de *Plus fort que la mort !* de Claude Farrère m'avait remué. Je découvrais le monde adulte des amours contrariées. À mes yeux d'adolescent, c'était une histoire bouleversante. J'avais compris les lectrices de Villeray d'avoir tant fréquenté la librairie de ma tante. Un soir d'étude, elle me dit :

— J'ai vu que tu aimais beaucoup danser, cet été. Si tu veux, je vous offre le sous-sol de mon ancienne librairie, à toi et à tes amis.

J'étais emballé. Ma tante ajouta :

—Il faut que j'arrive à dégourdir ma Marthe, qui est trop timide. Elle amènera des filles de son école.

Le projet d'une salle de danse privée enthousiasma mes amis du collège, Tit-Cor, Reinhart, Jérôme et Gauthier. Chaque samedi soir, je m'amenais avec un sac rempli de patates chips, de tablettes de chocolat, gâteries ramassées au commerce de mon père et que je vendais au prix du gros! La tante, souvent, descendait des tartes ou autres sucreries. Nous étions aux petits oiseaux : nous avions notre propre *dancing*, notre club privé! Pour «les autres» du Grasset, le prix d'entrée devint exorbitant! Nous installâmes des ampoules de couleur, des affiches d'actrices et d'acteurs. On avait le *pick-up* de la tante et, en plus de nos propres «records», on avait ceux de Marthe et de ses amies. Et, bien sûr, un accès illimité aux caisses de coca-cola!

La grosse femme dont nous nous étions tant moqués était devenue une sorte de marraine, une vraie fée. Elle n'était plus une grosse badaboum, une patapouf, ni une toutoune, oh non! C'était la merveilleuse tricoteuse de mes chandails, mon prof de maths, la généreuse proprio d'un lieu où on dansait le *jitterbug* sur les airs à la mode, le *slow* sur les *hits* de Franky Laine et de Johnny Rae. Je l'aimais. Sa Marthe se dégourdissait. Cette cousine me fit connaître sa meilleure amie, Louise Galerneau, une longue jeune fille un peu maigre, aux beaux yeux langoureux, romantique à souhait et qui savait bien se coller pour danser le collé! Je la raccompagnais, le samedi soir, jusqu'au pied de son escalier, rue Guizot :

— Mon père est mauvais! Il veut pas que je fréquente un gars en particulier. Il dit qu'à quinze ans je suis trop jeune. Il est ancien.

J'aimais son spleen, cette tristesse immotivée qui seyait tant à l'adolescence tourmentée. Ce fut bientôt le grand amour entre nous. Tante Rose-Alba, toujours surprenante, se faisait ma complice, m'informant sur ma favorite :

— Ta blonde te fait dire qu'elle a la grippe et ne viendra pas danser ce soir... La petite Galerneau n'arrivera pas avant dix heures, il y a de la visite chez elle... Elle va venir avec son cousin, un expert en *boogie-woogie*.

Je découvrais une adulte pas bégueule, stimulante, ouverte aux amours adolescentes, tout le contraire de ma sévère et scrupuleuse maman.

Fernand Potvin était le frère benjamin délinquant de ma tante Rose-Alba. Comme chaque année, il venait de rentrer du Mexique où il jouait le secrétaire auprès du grand chasseur, le docteur Bédard. Ce Fernand, d'une trentaine d'années, était une sorte de *dandy*. Ma mère disait :

— Un petit maquereau dangereux, un coureur de jupons !

Il aimait me raconter ses conquêtes galantes, jouissait de me narrer méticuleusement ses aventures mexicaines. Il ricanait en décrivant les malheurs des maris qu'il cocufiait. Il essayait d'imiter les allures de ses idoles, Errol Flynn, Humphrey Bogart. Mon père s'inquiétait chaque fois qu'il s'installait sur la galerie pour me faire le récit de ses souvenirs de don Juan :

— Écoute, le Valentino des pauvres. Va donc te trouver du travail au lieu de déverser tes cochonneries dans l'oreille de mon fils !

Fernand rigolait :

— Vous, le père Bénitier, vous ignorez les charmes ensorceleurs des beautés mexicaines. Elles sont des paniers de pêches, dorées et juteuses.

Papa, mortifié par ce beau parleur, me disait :

— Tiens-toi donc avec des gars de ton âge, je t'en prie !

Cela m'amusait d'observer cet intarissable amateur de femmes. J'étais assez certain qu'il exagérait son pouvoir de séduction. Deux dents absentes lui trouaient la bouche, ses cheveux commençaient à tomber, lui faisant une tonsure d'ecclésiastique... défroqué. Je doutais qu'avec douze mots d'espagnol et un clin d'œil il ait pu si facilement mettre dans son lit tant de fatales beautés exotiques. À force d'entendre ses récits à la sexualité débridée, je discernais mieux nos différences. Romantique, je ne me voyais pas du tout en séducteur invétéré. Une fille qui aime devait être respectée et on ne devait jamais se moquer de son sentiment amoureux, ni se jouer de qui vous aviez réussi à vous attacher. Un jour, me disais-je, si la jolie Galerneau et moi allions trop loin dans le jeu des caresses, elle voudrait peut-être rompre, mais je n'allais pas changer de blonde comme on change de chemise ! Élevé comme je l'avais été, Fernand m'apparaissait comme un désaxé, un débauché. Je le soupçonnais de passer ses hivers en solitaire dans le ranch rustique du docteur, rêvassant à des conquêtes imaginaires en faisant à manger pour son patron, en entretenant et polissant ses fusils, en soignant ses chiens. Et tout cela pour une maigre pitance puisqu'il quêtait sans cesse de l'argent à sa grande sœur, Rose-Alba. Comme disait le maigre loup de La Fontaine au chien bien gras : « Mais il y a ce collier autour de votre cou... »

Le dix-huit mars, veille de la marche aux flambeaux à l'Oratoire, Fernand, mon Casanova mexicain, surgit dans la Buick bleue du docteur Bédard :

— Mon *boss* me prête sa belle limousine pour la faire *checker* au garage. Embarque, on va aller faire un tour en ville.

J'hésitai un moment, mais le plaisir de rouler en automobile l'emporta sur mes craintes d'être entraîné dans quelque lieu malfamé. Cet après-midi-là, le grand séducteur s'arrêta devant un de ses *night clubs* favoris, le

Jamaïcan Bar-Café, rue Stanley. Je le suivis timidement. À l'intérieur, sous un éclairage tamisé, j'observai Fernand jouant le familier aimable. Il salua le barman, les serveurs, quelques habitués et une ou deux clientes aux allures de filles de joie. Comme j'étais loin des pères sulpiciens! Je lui avais confié vouloir aller aux Beaux-Arts en septembre. Il me présenta avec emphase à ses amis:

— Regardez-le comme faut, ce gars-là va devenir un grand artiste, un génie de la peinture canadienne!

Rougissant, je baissais la tête, regardais le plancher, les mains dans les poches de mon *windbraker*. Fernand sirota deux *rhum and coke* et je bus, très lentement, une bière. J'en trouvais le goût amer, mais me retenais de grimacer. Je devais faire l'homme. Enfin sortis de ce bouge inquiétant où ça jouait aux cartes avec des paquets de billets de banque bien en vue, Fernand annonça:

— Bon, maintenant, en route pour la beauté des femmes!

Mon Dieu! Je craignais le pire, le *Red Light* et ses lupanars.

On roula vers l'est longtemps et il stoppa son véhicule, rue Logan, dans le Faubourg à m'lasse, devant des maisons rabougries, humbles logis de ce quartier grouillant d'enfants. Il sortit, tout guilleret, sifflotant, vieux chat de ruelle, matou madré, faisant une petite gymnastique comique:

— Suis-moi, mon gars. Tu vas rencontrer du monde pas sauvage comme ta famille de grenouilles de bénitier. Arrive, on monte!

Il sonna des petits coups codés à une porte décolorée et l'ouvrit d'un geste souverain car elle n'était pas verrouillée. Devant nous, un long escalier aux marches usées recouvertes de carpette au caoutchouc déchiré. Arrivé à l'étage, je découvris un logis tout à l'envers. Des traîne-ries encombraient le couloir, le salon, les chambres aux portes grandes ouvertes. Fernand cria :

— Y a-ti quéqu'un ici-d'dans ?

Une voix de matrone répondit :

— On est dans cuisine ! Amenez-vous, qui qu'vous soyez !

La cuisine semblait un coin de taverne pleine de fumée : des verres partout, des bouteilles entamées. Je découvris celle que mon casanova nommait « la pa-tronne », une plantureuse dame aux dents jaunes croches, à la chevelure ébouriffée d'un blond aveuglant. Elle s'exprima dans une langue verte pour apostropher son visiteur :

— Ah ben ! Toé icitte ? Maudit verrat, un revenant du Mexique, tabarnouche ! Comment ça va, paquet d'os ? C'est qui, lui ? C'est-ti ton p'tit chéri ? As-tu viré tapette ?

Fernand riait. Il fit encore une fois mon éloge. Cette fois, j'allais surpasser Michel-Ange et Léonard de Vinci, rien de moins. Deux jeunes filles picoraient des maca-ronis, l'une noiraude boudinée, au visage couvert d'acné, l'autre jolie brunette aux yeux immenses, aux lèvres pulpeuses. Elles me souriaient, attablées comme la patronne entre une cuisinière couverte de chaudrons et de poêlons salis et une machine à coudre couverte de lingerie variée. Dans un coin, une armoire vitrée conte-nait autant de bouteilles que le *Jamaïcan Bar-Café*. La patronne nous offrit des petits cigares :

— Gênez-vous pas, je les ai pour rien !

En les écoutant parler, je comprenais qu'il s'agissait de vagues parents de Fernand. Je ne savais trop de quelle branche. Une des deux filles, la brunette, avait des yeux d'un vert étonnant. J'étais fasciné par son regard lumi-neux. Elle me dévisageait sans cesse, semblait me trouver à son goût. Fernand s'en rendit compte et s'écria :

— Pitchounette, oublie jamais que je t'aurai fait connaître le plus beau mâle du nord de la ville!

Elle éclata d'un rire enfantin qui me séduisit aussitôt. Fernand la fit se lever:

— Sacrée belle robe que tu portes là! Montre-nous les talents de ta couturière de mère.

Mariette, claquant des talons, esquissa quelques pas d'un flamenco comique, une main sur la tête, l'autre dans le dos, gitane radieuse. Elle avait un corps parfait, de jolis seins ronds. La modiste blondasse s'exclama soudain:

— Mariette, ma chouette, amène l'artiste sur le balcon prendre un peu d'air pis fais-y voir des étoiles. T'es capable!

Je me levai. La patronne nous poussa dans le dos:

— Envoyez, vite, diguédine! J'ai à discuter avec mon Mexicain!

Marchant vers ce balcon, je l'entendis gronder:

— Toé, mon sacrament, t'arrives du Mexique ben *loadé*. Ça fa que, enweille, j'veux ravoière mon argent!

Mariette m'avait pris la main, m'entraînait vers un tout petit balcon branlant. J'étais mal à l'aise. Elle donnait des coups de pied dans le parquet du couloir au prélart usé. Elle me dit:

— Si tu veux, on peut aller dans ma chambre. On aurait la paix. Ma mère est pas scrupuleuse une miette!

J'éprouvais une certaine crainte. J'entendais ma mère dire: «C'est pas de notre classe, ce monde-là!»

Je me sentais étranger dans ma propre ville. J'ai dit bêtement:

— Non, pas nécessaire. J'aime regarder la ville, les rues nouvelles.

Mariette finit par réussir à ouvrir la porte mal ajustée de son balcon. En bas, brouhaha d'enfants dépenaillés sur des patins à roulettes ou de vieilles bécanes rafistolées.

La rue Papineau, tout à côté, grondait fort. Au-dessus de nos têtes presque, le pont Jacques-Cartier s'élevait dans le ciel. Toute la maison vibrait quand un mastodonte chargé filait vers Longueuil ou rentrait à Montréal. Un peu partout, des gens jasaient, assis sur des caisses vides devant leur porche, profitant de ce mois de mars aux allures de juillet. Observant la rue étroite, assis sur ma chaise bancale, je me suis rappelé ma mère si fière d'habiter sur... ce qu'elle nommait « le boulevard Saint-Denis ». Ici, pas d'escaliers extérieurs, aucun balcon aux balustrades fignolées. Je me suis souvenu des remontrances de maman, un soir que je revenais à vélo d'un flirt anodin du côté de la rue Villeneuve :

— Ne va donc pas dans ces quartiers louches autour de la rue Mont-Royal. Va plutôt rouler dans Ahuntsic. C'est plusse de notre classe, de notre rang. De notre monde !

Notre monde ? Ces gens du Faubourg à m'lasse n'étaient pas du monde ? Pauvre maman, étions-nous obligés de jouer les quêteux à cheval ? Chaque fois, je la jugeais prétentieuse, snob, elle qui était née près du canal Lachine, à Pointe-Saint-Charles.

Les portes des maisons s'ouvraient directement sur le trottoir. Pourtant, je me sentais bien, rue Logan. Il se dégageait, tout autour, une atmosphère joyeuse, presque d'une fête. Des hommes en camisole buvaient des bières, accroupis sur l'unique marche de pierre des entrées. D'autres gueulaient à tue-tête d'un perron à l'autre :

— Eille, le *bum* en *overall* ! Amène ta carcasse par icitte, ciboire ! On a une belle guidoune à te présenter.

Un autre :

— Tit-cul ! Va pas t'effouérer dans l'égout, osti de coq-l'œil !

Ça chantait dans l'encoignure d'une épicerie bondée, ça s'arrosait autour d'une borne-fontaine débouchée, ça se tabassait ailleurs. Une bataille venait de s'engager entre deux taupins tatoués, les sacres volaient dans l'air de cette rue jonchée de papiers. Appuyé sur la rampe du balcon de Mariette, j'observais, touriste chez moi, ce monde si éloigné des petits-bourgeois de mon Villeray.

Fernand s'amena au moment où Mariette venait de me confier :

— Mon rêve, c'est de sacrer le camp de c'te maudite rue, de c'te nid à rats !

Le Mexicain lissa ses fines moustaches avec sa salive et entoura de ses deux bras la jolie brunette, qui le repoussa aussitôt :

— Mariette ! Fais pas ta farouche. Écoute ça, mon Cloclo. À quatorze ans, mademoiselle sortait avec un homme marié qui avait trois fois son âge. Ça fait que, hein, joue pas la sainte-nitouche !

Je me suis levé :

— Faut qu'on s'en retourne, Fernand ! J'ai ma pièce de théâtre à répéter à Saint-Vincent-Ferrier. Je suis déjà très en retard.

Fernand s'exclama :

— T'as entendu ça, la pitchounette ? Il va devenir un acteur célèbre pis faudra que tu ailles l'admirer dans un cinéma chic du bas de la ville !

Il riait. Puis, il vida son verre d'un trait :

— En tout cas, mon Claude, je t'aurai fait connaître l'adresse de la plus belle plotte en ville. Tu reviendras quand tu voudras.

Mariette m'embrassa à la sauvette. Je lui fis une légère caresse dans le cou.

Une fois assis dans sa voiture, j'avais dit à Fernand :

— Est-ce qu'elle étudie quelque part ?

Il gloussa :

—Es-tu fou? Mariette travaille depuis des années dans une *shop* de cigares, rue Holt, dans Rosemont. Là, elle chôme. Je pense qu'est tombée enceinte, pis personne sait de qui! Vois-tu le genre de poulette?

J'étais malheureux, triste. Cette fille m'avait paru intelligente, vive, capable de rêver aussi. Je rentrais d'une expédition au pays interdit par ma mère. Je revenais du pays des mal partis, des mal instruits. Celui de la misère montréalaise, d'un petit peuple sans avenir. J'étais très songeur. Et moi, mon avenir? Moi, tout ce que je craignais, c'était de couler les examens d'un joli collège pour garçons ambitieux et choyés, rue Crémazie.

Ça y était, nous étions le dix-neuf mars, fête de saint Joseph, patron des travailleurs. Je devais tenir la promesse faite à mon père. Le faux printemps avait changé d'air carrément depuis midi; un vent froid soufflait du nord-ouest. Fini le soleil radieux. Toute la journée de ce mercredi, le ciel s'était couvert d'un immense drap gris très opaque. Mon père m'attendait sur le balcon. Ma mère garderait le magasin. En face de l'église Sainte-Cécile, les hommes se regroupaient en frissonnant. L'organisateur du pèlerinage nocturne remettait à chacun un cierge dans un petit boîtier de carton et un mince livret de cantiques. Petit redoux dans l'air et, soudainement, une neige abondante de flocons épais se mit à tomber lentement sur la ville. Mon père alluma nos cierges puis sa pipe. En peu de temps, la colonne des marcheurs grossit. On donna le signal de départ.

Papa, le rebord de son chapeau recouvert de neige, me dit:

Écoute-moi bien, mon garçon. Arrivé là-bas, fais une seule demande, une seule faveur: passer aux examens. Faut pas encombrer le frère André si tu veux ton miracle!

Je n'avais pas le cœur de lui dire que je n'y croyais plus. Un premier chant s'éleva de notre pieuse cohorte. Les lampions allumés faisaient une longue traînée de lucioles brillantes. Je n'arrivais pourtant pas à m'émouvoir de cette procession sous ce ciel noir rempli de grands cristaux blancs. Je la jugeais moyenâgeuse. Nous marchâmes rue de Gaspé vers la rue Jean-Talon en chantant et certains pèlerins récitaient le chapelet. Ces marmonnements à répétition m'ahurissaient, les « Je vous salue Marie... », les « Sainte-Marie, mère de Dieu... » m'agaçaient. Je ne pouvais plus croire aux vertus de cette religiosité mécanique. C'était terminé. « Tu deviens un mécréant », aurait dit papa s'il avait deviné mon ennui.

La neige se faufilait. On aurait dit des rideaux déchiquetés s'affaissant sur les pèlerins de la nuit. Je trouvais ça beau. Notre défilé formait un gras et remuant boa sombre au long dos scintillant de lumignons. Avant d'arriver devant la gare Jean-Talon, un policier insista pour que nous nous confinions à l'étroit trottoir sous le tunnel des voies ferrées plutôt que dans la rue. Le bedeau Dépatie s'interposa en gueulant, insista pour que la procession reste en plein milieu de la rue.

— On n'a pas à avoir honte d'affirmer notre religion ! répétait-il à l'agent motorisé.

Parfois, un tramway nous faisait nous empiler, ou bien c'était un fardier énorme qui nous forçait à nous ratatiner en bouchons. Il était maintenant près de onze heures du soir et le ciel déversait toujours ses millions de confettis blancs. J'imaginais les autres processions un peu partout dans les autres paroisses. Toutes devaient converger vers le jardin du collège Notre-Dame, en face de l'Oratoire. Personne n'avait prévu cette neige subite. Mes chaussettes s'étaient mouillées rapidement. Je ne portais pas de chapeau et mes cheveux dégoulinaient de neige fondante.

— P'pa? Je vais attraper un rhume carabiné!

Aussitôt, mon père se défit de son foulard de soie blanche et l'enroula autour de ma tête. Je me laissai faire. Bon petit garçon une dernière fois! Je devais avoir l'air d'une sorcière dans la nuit.

Parvenus enfin sur *Queen-Mary Road*, après avoir quitté Côte-des-Neiges, nous aperçûmes d'autres pèlerins chantant des cantiques à gorge déployée. Papa me dit:

— Tu vois cette foule, mon Claude? Malgré tes critiques de notre religion, regarde bien la piété de tous ces hommes. C'est pas merveilleux ça?

Certes, je trouvais émouvant de voir toutes ces silhouettes et leurs lampions, d'entendre toutes ces voix gutturales. J'admirais, mais je n'étais pas touché. J'avais changé depuis ma première procession de la Fête-Dieu, à cinq ans. Je n'arrivais plus à chanter, à prier. Je songeais à cette Mariette sous le pont Jacques-Cartier, à ces pauvres gens qui se débattaient pour échapper à leur destinée rapetissante. Ce soir, on ne les verrait pas ici prier le bon frère André. Sans doute qu'ils n'y croyaient plus, les secours divins étant trop lents à se manifester.

Une fois entré dans la crypte, je m'agenouillai comme mon père devant le tombeau du frère André et je fis cette invocation: «Frère André, faites en sorte que maman, qui croit en vous, ne soit pas humiliée en juin!» Mon père m'amena, un peu de force, devant le cœur du saint frère. Il baignait dans un bocal de formol. Sa vue me répugnait. Paganisme que ces rites. Pourtant, je formulai le même vœu: «Que ma mère n'ait pas trop de chagrin en juin!» Enfin, nous allâmes nous installer dans un banc de la vaste nef de cette crypte et la messe de minuit débuta. Une chorale entonna le *kyrie*. Regardant les enfants de chœur, j'arrivais mal à croire que j'avais tant aimé servir des messes, déambuler en surplis de fine dentelle, manier l'encensoir, parader en soutane rouge, le flambeau tapissé de velours à la main. J'avais l'impression que cette ferveur enfantine qui m'avait habité datait d'une autre vie.

Je découvrais, dans ce sanctuaire vénéré, que je ne croyais plus en Dieu! Je me débattis un peu, me répétai qu'on risque de mal vieillir si on abandonne les croyances de son enfance, de sa famille, de son peuple. Une honte diffuse s'emparait de moi. Définitivement, ayant perdu la foi en Dieu, je n'avais rien à faire dans ce temple célèbre jusqu'aux États-Unis. Mon ami Tit-Cor m'avait fait une confidence en septembre:

— Quand je quitterai le collège, je n'irai plus jamais à la messe. La religion, c'est juste bon à consoler les ignorants. Nous, on doit pas être des faiblards, des crédules niais. On doit se dégager de toutes ces sornettes.

Ce soir, je lui donnais raison, agenouillé dans un banc de chêne, observant froidement l'ampleur de la cérémonie. Les prothèses, les béquilles abandonnées par les miraculés, les *ex-voto* dans tous les coins ne prouvaient plus rien. Ces infirmes avaient eu une foi totale et cette confiance absolue les avait guéris, pas autre chose. Les miracles n'existaient pas. Aucune entité surnaturelle ne me soufflerait les réponses aux examens quand je serais devant les feuilles remplies de questions. J'allais couler. Ma mère allait pleurer de chagrin. Je n'y pouvais rien. Toute l'année, je n'avais pas étudié sérieusement et puis... mon intelligence était peut-être bornée. C'était tout, et au diable les thaumaturges!

Dans le tramway Mont-Royal presque vide, je regardais mon père assis à mes côtés, affaissé, les yeux mi-clos. J'enlevai son foulard que je m'étais noué autour du cou et le déposai sur ses mains jointes. Il ne broncha pas. La bouche entrouverte, à demi endormi, il me parut si vieux, si rapetissé tout à coup. Cet homme emmitouflé dans son paletot noir, sous son vieux chapeau gris cabossé, avait été le héros de mon enfance. Il somnolait comme il somnolait toujours à la grand'messe de onze heures. Enfant, je l'avais vu si souvent, affalé dans son banc, tentant de rester éveillé, s'efforçant d'ouvrir les yeux, se rendormant. J'en étais gêné quand je l'accompagnais à Sainte-Cécile.

Je revenais de bien plus loin que l'Oratoire : je quittais Dieu le père, je quittais le père dieu. Le mien. Au fond des deux choses, la même peine. Un détachement, un arrachement plutôt, qui me faisait mal, que je croyais devoir accomplir si je voulais vieillir enfin. Je craignais de regretter cet éloignement. J'étais si peu sûr de moi encore. Se sentant examiné, mon père se redressa et marmonna :

— Tu vas voir ça, mon garçon, tu n'auras pas marché tout ça pour rien. Tu vas passer aux examens, je te le garantis !

Je n'ai rien dit. Au coin de Beaubien, je me levai d'un bond :

— Je vais descendre, p'pa. J'ai besoin de marcher un peu. Il neige plus.

Je me sauvais de lui, de tout ce qu'il représentait. De tout. Il m'a regardé, tout étonné. Je voulais être seul. Je ne voulais plus rester assis aux côtés de ce petit vieillard rêveur. « Un paresseux ! Un lâche ! » criait souvent ma mère. Moi, je pensais plutôt qu'il avait été un petit garçon pas bien brave. Un enfant sans papa, lui. Un gamin timoré élevé par une mère bigote, la veuve Albina, femme seule qui, ayant peur de tout, lui avait inventé mille fantômes durant toute sa jeunesse et l'avait trop protégé. Papa était bien, heureux, renfermé dans ses piéticailleries, ses dévotionnettes et la vie extraordinaire de

ses saintes stigmatisées. C'était son affaire, il avait droit
de rêver la vie qu'il s'imaginait. Je n'avais qu'à aller mon
propre chemin, à ma guise.

Au coin de Saint-Zotique, je croisai Bernard Lauzier,
un photographe-reporter client du restaurant de papa. Il
portait son lourd appareil-photo avec sa lampe à auréole
de métal luisant. Il m'accosta :

— Veux-tu venir avec moi ? Je couvre un feu qui vient
de pogner rue Logan, dans le Faubourg.

J'ai dit :

— Non, j'ai mon collège demain matin !

En marchant, j'ai pensé à Mariette. Avait-elle pris les
grands moyens, le feu, pour se débarrasser du taudis
qu'elle détestait tant ? J'ai relevé le collet de mon *windbraker* et j'ai accéléré le pas. Je savais que maman m'attendait avec du chocolat chaud. Elle l'avait promis. Je
n'étais pas encore vraiment indépendant et libre. Pourtant, j'étais décidé, malgré mon père, d'aller m'inscrire
aux Beaux-Arts.

Les deux globes du balcon étaient allumés, signe que
j'étais attendu. Je suis rentré sur le bout des pieds. Ma
mère, en robe de chambre, demanda :

— C'est toi, mon grand ?

— Oh maman, s'il vous plaît, faut plus me guetter, je
suis plus un petit garçon !

— Je vous ai fait du chocolat chaud et il y a du café.
Ton père s'est fait un sandwich au porc frais. Tu connais
ses fringales tardives. Il va dormir comme un loir. Suis
sûre qu'il a le ver solitaire !

Elle alla se coucher en souriant. Je voulais me montrer fort. J'avais refusé le chocolat chaud en disant :

— J'ai pas soif et j'ai pas faim, p'pa. Je me couche.
Collège demain.

Je suis entré dans ma chambre pendant que mon père, étonné, s'allumait une pipée. Raynald dormait encore en travers du lit, un cahier à colorier sur le ventre, des craies partout autour de lui. J'allais encore devoir le déplacer. Mon père apparut dans l'embrasure de la porte :

— Claude, je voulais juste te dire, euh... j'suis si content que tu sois venu marcher avec nous autres. Bravo. Euh... Oublie pas ta prière du soir. Ça s'ajoutera, tu sais. Bonne nuit, mon garçon.

Il ignorait que ça faisait une mèche que je ne disais plus de prière avant de me coucher. Je ne voulais surtout pas lui faire de la peine. Mon jeune frère s'est réveillé :

— Pis, votre pèlerinage, pas trop fatigant ? C'était beau ?

Je lui ai répondu :

— Oui, ben beau. Ben beau. Rendors-toi vite. L'école demain.

Raynald s'étira, ajoutant :

— As-tu pu voir le cœur du frère André ?

— Parle pas de ça. Pense pas à ça. Tu vas faire des cauchemars. Rendors-toi vite.

Et dans la noirceur, j'ai commencé à me déshabiller.

CHAPITRE 35

L'indésirable

FIN JUIN, il est midi, par les portes vitrées du salon, je vois ma mère qui semble m'attendre, le visage d'une gravité rare. J'entre, elle me dit :

— Mon garçon, j'ai à te parler très sérieusement.

Je vois tout de suite qu'elle tient une lettre ouverte dans sa main. Je remarque que l'enveloppe décachetée est marquée au sceau de mon collège. J'en ai vite reconnu le sigle, le *G* majuscule imprimé sur un *A*, avec fond quadrillé. J'ai tout compris. J'ai compris que les autorités du collège ont décidé de prévenir ma mère. Elle savait, et je le savais aussi, que je venais de rater mon examen de mathématiques et qu'il ne me restait qu'une toute petite chance de me reprendre en me présentant à l'Université de Montréal aux examens de reprise à la mi-août. J'avais promis d'étudier tout l'été. J'avais promis de régler ma situation en piochant bien fort dans le manuel. La bouche de ma mère tremble, il y a autre chose.

Maman me dit :

— Assieds-toi et écoute bien.

Elle lit :

— « Monsieur, madame, par la présente, il nous faut vous avertir que votre fils, Claude, même s'il réussit aux reprises de cet été, ne sera pas repris au collège en septembre prochain. Nous le considérons comme un élève nuisant à l'ordre général, un indésirable. »

Ma mère éclate en larmes et je ne sais plus où me mettre. Je maudis le supérieur Allard d'avoir cru bon d'alerter ma famille. Je fulmine et je ne sais pas comment consoler ma mère. Elle paraît effondrée par ces lignes :

— Un « élève indésirable ».

Elle répète ces mots plusieurs fois. Je tente :

— Maman, y a d'autres collèges.

Elle renifle, la tête haute :

— Peux-tu me dire, avec franchise pour une fois, ce que tu as fait au juste ? Comment tu t'es conduit pour qu'ils écrivent ça : « indésirable » ? Hein ?

— Rien de grave. J'étais dans la lune la plupart du temps. D'abord, je ne comprenais rien aux mathématiques et puis, je dois l'avouer, je n'étais pas intéressé à comprendre. C'est un domaine qui m'intéresse pas, qui m'excite pas une miette. Je suis un gros zéro dans les affaires abstraites. Est-ce que c'est ma faute, m'man, si je suis bâti comme ça ?

Elle ne dit plus rien, se leva, plaça et déplaça des coussins. Puis, le visage toujours défait, pâle :

— Tu dois me cacher des choses. Ils disent même pas que tu pourrais reprendre ton année. Non, c'est dehors ! Dehors, l'indésirable ! C'est dur à avaler pour une maman qui a toujours eu confiance en toi, sais-tu ça ?

Oui, c'était le plus dur et je haïssais ce mot qu'ils avaient osé écrire : « indésirable ». Je le prenais comme un affront personnel, un jugement injuste. J'allais traîner toute ma vie, il me semblait, ce verdict effronté. Voyant ma mère se lever, aller vers la fenêtre du salon, regarder dehors sans regarder vraiment, la lettre pendue au bout de sa main, je crus bon de préciser :

— Il y a aussi, m'man, que je passais mon temps à bouffonner, à essayer de faire rigoler les autres, à caricaturer les professeurs.

Elle se retourna d'un coup sec :

— Mais qu'est-ce qu'on a fait au bon Dieu pour avoir un gars de ton espèce, un clown, un bouffon ? Tu dérangeais les autres, tu risquais de les faire couler ! Ça, monsieur s'en fichait bien. J'aurais dû me méfier il y a longtemps de ton goût pour les séances de folichonneries. Tu avais six ans et déjà tu ne pensais qu'à t'amuser, qu'à rigoler. La vie, mon pauvre enfant, ce n'est pas une partie de plaisir, pas une rigolade perpétuelle. Ma faute ! J'ai pas été assez sévère avec toi, je me suis pas méfiée. Et ton père, ton pauvre rêveur de père, jamais il m'a secondée. Il s'amusait à défaire mes pénitences une après l'autre. Quand il va apprendre ça, il va revenir sur Terre, ton misérable de père.

Je n'ai pas eu à attendre longtemps car il s'amenait dans l'escalier de la cave. J'entendis :

— Mémaine ? Est-ce qu'il te reste un peu de macaroni gratiné ? J'ai faim !

Un lourd silence, puis :

— Laisse faire le macaroni. Amène-toi. J'ai une fameuse nouvelle pour toi, mon petit homme !

Mon père s'amène, l'air inquiet et, m'apercevant :

— Dis-moi pas qu'il t'est arrivé un accident ? C'est qui ? C'est quoi ? T'as pas frappé un enfant avec ton bicycle, j'espère ?

Ma mère fonce sur lui et lui fourre la lettre de renvoi dans la main :

— Tiens, lis ça, Édouard ! Lis bien attentivement. Notre garçon est un in-dé-si-ra-ble ! C'est-ti clair, ça ? Le collège refuse de le reprendre !

Mon père va calmement s'asseoir sur le *chesterfied* du salon et lit. Maman attend, guette sa réaction. Il finit par lever les yeux sur elle :

— Tu m'as fait peur, Mémaine ! C'est pas la fin du monde. Tu sais pas ce que c'est dur, ces études-là. J'y ai goûté à Sainte-Thérèse. C'est dur, très dur.

Ma mère hausse immédiatement le ton:

— Je te parle pas de son échec aux examens, je te parle d'un mot: «indésirable». As-tu compris ce que ça veut dire? Ton fils est un voyou, un *bum*, aux yeux des Sulpiciens. C'est pas suffisant pour t'ouvrir les yeux? On connaît pas bien notre gars, Édouard. C'est ça qui est clair!

À son tour, mon père m'interroge:

— As-tu fait un mauvais coup? Un coup pendable, Claude? Parle franchement qu'on comprenne.

Je n'avais pas envie de sortir nos quelques méchancetés, surtout pas le début d'incendie au local des scouts dans la cave du collège. Ce n'était pas moi le leader dans ce commando de toute façon. Je n'avais été qu'un complice passif. J'ai essayé:

— C'est sûr que moi pis ma gang on n'est pas des petits saints, mais on n'a jamais rien fait de criminel. Les moines voudraient qu'on se conduise comme des futurs prêtres! On est vivants, on est jeunes, maudit torrieu!

Maman, aussitôt:

— Stop! Au moins, pas de gros mots, hein? C'est pas le bon moment!

Elle s'éponge les yeux avec le coin de son tablier. J'ai pitié de ma mère accablée. Je dis:

— Je vous montrerai un jour ce que je vaux. Laissez-moi aller aux Beaux-Arts. C'est ma seule force, le dessin!

Mon père éclate de nouveau sur le sujet:

— Pas question! Je te le redirai pas mille fois. Pas question! Aucun avenir dans ce domaine-là. Tu vas aller apprendre un métier, c'est tout! Il n'y a que de sottes gens, pas de sot métier.

Je ne me voyais pas à une école de l'automobile ou de cordonnerie. J'insiste:

— Y a des artistes qui gagnent bien leur vie dans le dessin publicitaire!

Ma mère s'en va à ses fourneaux en me bousculant au passage. Elle rage. Mon père la suit. Je suis mon père. Maman fait réchauffer son reste de macaroni, me grogne :

— Cet été, je vais y voir, tu vas étudier. Tu vas rester enfermé dans le chalet. Fini les escapades avec les filles à ton île Mouk-Mouk, aux buttes de sable. Les études sérieuses ! Tu vas passer ta reprise, après on verra où t'envoyer.

Papa répète :

— Oui, il peut toujours se réessayer, mais faut pas en faire une maladie. S'il rate son affaire, je lui dénicherai une école de métiers. Je chercherai, c'est pas les écoles techniques qui manquent.

Songeait-il à l'électricité, à la radiophonie, à la mécanique ? Je ne me voyais pas jouer dans les fils électriques, grimper dans des poteaux ou bricoler des moteurs sous les capots des voitures. Je voulais apprendre le dessin, la peinture.

L'après-midi, encore sous le choc, je décide d'aller plonger et nager au bain Saint-Denis, rue Saint-Hubert. Les cheveux mouillés, mon maillot de bain dans mon petit sac, je pars écornifler dans les vitrines des magasins. Dans un cinq-dix-quinze, je connais une jolie brunette qui me fait les yeux doux, Danièle. Je vais la voir. Elle est à sa pause au bar-fontaine de son bric-à-brac. Je commande un *cherry coke*. Je lui dis :

— Ça m'a l'air que j'en ai fini avec les études et bon débarras ! Mon collège m'a mis à la porte.

Danièle me regarde avec de grands yeux :

— Tu vas peut-être pouvoir te faire engager icitte. Veux-tu que je parle au *boss* ? Il cherchait un gars pour le *shipping* en arrière.

Sa question me donne un rude coup. Je me réveille enfin ! Voilà sans doute ce qui m'attend : finir mes jours dans une cave, dans un entrepôt, à m'occuper de réception et d'expédition de stock. J'ai grimacé. Un peu fat, je lui dis :

— Danièle, j'ai quand même quatre ans d'études classiques dans le ciboulot. Je pense que je pourrais me trouver une place de commis dans un grand bureau d'avocats, ou dans une banque, en commençant au bas de l'échelle.

Je disais n'importe quoi, par orgueil blessé. Danièle fait une moue enfantine :

— On serait ensemble tous les jours, que je me disais. C'est tout. Je voulais pas t'insulter.

Je fuis, je vais marcher jusqu'au parc Jarry. J'ai hâte de retourner au chalet dans quelques jours. Je regarde le kiosque à musique et pense au premier concert de fanfare entendu avec mon père et mes sœurs. Je me rends jusqu'au fond du parc, près des voies ferrées du CPR. Je pense à nos séances de niaisage dans la belle gare Jean-Talon, à mes rêves de voyager. Je prends conscience que je n'irai jamais loin avec, en guise de diplôme, ce papier maudit qui dit : « indésirable ». Je sursaute, un train file en hurlant. Dans les bosquets sauvages jusqu'aux genoux, j'ai une poussée d'angoisse. Je suis conscient qu'il est difficile de vivre de la peinture, et pourtant je me répète que je pourrais devenir un expert en publicité dessinée et qu'un jour je pourrais m'installer à New York comme illustrateur. Une petite voix me dit : « Rêveur ! Lunatique ! Cornichon ! » Je suis un peu désespéré cet après-midi. Si je me faisais un baluchon et si revenais ici pour jumper un train de fret, disparaître en Alaska, au Yukon ou dans le *Far West* ? Non, je chasse l'idée, je n'ai pas ce culot.

Ne sachant plus comment passer le temps, je grimpe au grenier de l'Institut des sourds et muets, proche du parc. J'y regarde sans les voir les animaux empaillés. Je me sens empaillé moi-même, vide, comme mort. Je me répète : « Indésirable, moi ? » Une voix : « Oui, indésirable, toi ! » Je me rends au marché Jean-Talon. On y trouve toujours cette vie trépidante, ces maraîchers frétillants, de belle humeur, rigolards, négociant leurs prix, s'interpellant d'une stalle à l'autre. J'aurais très bien pu naître sur la grande ferme de Laval-des-Rapides où papa fut élevé. Je m'imaginais en jeune cultivateur, vendant à la criée légumes et fruits. Oui, j'aurais pu être quelqu'un d'autre, radicalement différent, non pas l'insouciant amateur de vélo, de nage et de danse que j'étais. Je me méprise. Je ne suis pas grand-chose, un adolescent lymphatique, mou, paresseux, imprévoyant. Jamais studieux. J'ai foncé, tête première, vers ce fiasco scolaire. Vers ce cul-de-sac : des études classiques interrompues. Je sens que, piochage ou non cet été, je ne parviendrai jamais à redresser mes notes aux examens de reprise. Le professeur Maheu, tout excité, sadique, m'a félicité ironiquement :

— Monsieur Jasmin, bravo ! C'est un record. On n'a jamais vu ça dans nos annales. Vous avez obtenu vingt dixième de point sur vingt ! Oui, un record !

La classe s'était esclaffée. Même Jérôme, Tit-Cor, le cruel Martucci, dit Scipion l'Africain. J'avais l'habitude de faire fuser les rires, mais cette fois c'est de moi qu'on riait, du cancre, de la plorine.

L'heure du souper. Maman ne me regarde pas. Sa honte. Sa déception. Elle a pris conscience aujourd'hui que je ne serais jamais un professionnel, jamais un avocat, encore moins un médecin. Son beau rêve à mon sujet s'est écroulé en cendres à ses pieds. Au dessert — son sempiternel Jello rouge —, je dis, pour la calmer un peu :

— Avoue-le, m'man, être heureux, c'est l'essentiel. Regarde-toi, t'es heureuse en brave mère de famille, pas vrai ?

Elle n'a pas même souri. Elle me fustige d'un coup d'œil glacial et s'en va dans sa chambre. Mes sœurs m'interrogent du regard. J'explique :

— Le collège refuse de me revoir la face en septembre. C'est ça qui est ça !

Marcelle dit :

— Tu viendras travailler à ma manufacture. Tu vas pogner avec les filles, garanti !

À mon tour de ne pas sourire. Marielle enchaîne :

— Qu'est-ce tu vas faire ? Qu'est-ce tu vas devenir ?

— Fais-toi-z-en pas ! J'irai aux Beaux-Arts, ça vient de finir.

Raynald s'écrie :

— Quoi ? Il me semble que papa veut pas entendre parler de ça, les Beaux-Arts !

Je me lève de table :

— C'est ben de valeur pour lui, mais le dessin, c'est le seul talent que j'ai !

Beau soir de chaleur, je sors, je m'allume une pipe, je m'assois et tente d'oublier la lettre maudite. Je m'allonge les jambes sur la balustrade du balcon et je lis, en ricanant, un numéro des *Annales de sainte Anne*, puis je feuillette en soupirant la revue *Missions étrangères*. Je me demande ce que mon oncle Ernest, le génie de la famille Jasmin, missionnaire revenu de Chine, dirait de mon échec. Il semble avoir une grande confiance en moi. Par lettres à mon père, il s'informe de mes progrès à partir de son couvent d'Arvida, où on l'a expédié comme aumônier. Il ne cessait de me stimuler quand, plus jeune, j'allais le visiter à son séminaire de Pont-Viau, avant son exil au Saguenay. Il m'offrait ses dictionnaires de latin et de grec, des livres d'appoint. Évidemment, il ne croyait pas, comme ma défunte grand-mère, que j'allais devenir « le premier pape canadien-français » mais il devait penser que j'allais devenir un « quèqu'un ». J'aimais ce mot d'habitant : devenir un « quèqu'un ».

Maman, iceberg permanent, finit par sortir pour lire son cher courrier de Colette. Elle soupire, tourne les pages du journal, l'air abattu au maximum. Je l'entends marmonner :

— Un indésirable ! Un indésirable !

— Reviens-en, m'man, je t'en prie !

— J'en reviendrai jamais !

Tout à coup, Marcelle surgit sur le balcon, suivie de Jacques, son nouveau *chum steady*. Elle fonce sur ma mère :

— Eille, maman ! Jacques et moi, on vient de lire la lettre du collège qui traînait dans le salon. Comme ça, notre futur avocat se fait mettre à porte ?

Maman se remet à pleurer. Je veux rentrer dans le plancher du balcon. Jacques me tapote l'épaule :

— Rien de catastrophique. Tu vas pouvoir devenir un artiste, le beau-frère, pas vrai ?

Ma mère se lève et entre en maugréant des paroles inaudibles. Je dis :

— Pas de saint grand danger ! Mon père veut m'inscrire dans une école technique.

Ainsi s'achevait cette dernière année scolaire. Le tumulte intérieur bouleversant pour moi, le désarroi pour papa, la plus grave des déceptions pour ma mère. Roger, un garçon de la rue de Gaspé, passe devant la maison. Il a été un compagnon de classe à la petite école. Ses deux parents sont sourds et muets et, quand on sonnait chez lui, cela m'avait frappé, une ampoule clignotait dans le couloir. J'avais appris qu'il entrerait, lui, à l'école des Beaux-Arts.

— Eille, Lafortune, as-tu une minute ?

Il grimpe sur le balcon.

— Comment ça se fait que toi, tes parents ont dit oui pour les Beaux-Arts ?

— C'est simple. Je suis pas pire en dessin. On n'est pas riches et c'est gratis, les Beaux-Arts, si tu passes le test d'entrée.

Gratis? Cela devrait infléchir la décision de mon père le radin en ma faveur!

Quand je descends au restaurant lui parler de gratuité, papa me dit:

— Certain que c'est gratuit, une école qui mène direct au chômage!

Ma cause reste désespérée.

Je pars faire un tour chez ma tante Rose-Alba. Elle tricote sur son balcon. Ses enfants lisent des *comic books*. Elle me dit:

— Comme ça, la salle de danse en bas est fermée jusqu'en septembre? C'est le chalet, vendredi qui vient?

Je lui réponds:

— Oh, septembre! Dieu seul sait où je serai en septembre. Le collège vient de me sacrer dehors! On a reçu un billet d'avertissement.

— Bon! Monsieur ira aux Beaux-Arts?

— Non. Mon père veut pas en entendre parler! Il dit que c'est se préparer à crever de faim toute sa vie.

Tante Rose-Alba pouffe:

— Je vais y parler, à ton ignorant de père. Il va savoir qu'il y a des artistes qui se débrouillent très bien, qui sont très appréciés.

Mon père traitant souvent ma tante de rêveuse, de dévoreuse de romances, je crains qu'elle me nuise si elle va plaider ma cause. L'oncle Léo apparaît en camisole, bretelles sur la taille.

— Mon oncle, parlez à mon père. Il me refuse les Beaux-Arts en septembre et le collège m'a mis à la porte.

Mon oncle, comme à son habitude, rigole un bon coup d'abord, puis:

— Faut comprendre mon grand frère : il a même peur des souris dans son restaurant. Mais tu sais, mon gars, j'en vois du monde sur les trains, j'en rencontre des vagabonds. Faut que je te dise, c'est vrai, y a plein de rapins de la bohème qui chiquent la guenille, qui mangent de la vache enragée et qui tirent le diable par la queue. Veux-tu des noms ?

Je suis guère avancé. Papa a un allié de taille.

Le soir venu, tard, Raynald dort dans notre lit commun. J'ouvre quand même ma petite lampe. Dans mon satané livre d'algèbre, je revois les pièges d'examen, les théorèmes maudits. J'essaie de lire très attentivement. Cette science est toujours du chinois pour moi. Je referme mon livre et éteins. Je m'allonge tout habillé, les bras derrière la tête, les yeux grands ouverts dans la noirceur. « Demain, me dis-je, de mon propre chef, librement cette fois, j'écrirai une longue lettre à tante Corinne, ma marraine muette vivant à Paris. Je vais la supplier, l'implorer de m'aider. Paris la vraie place pour les artistes. Elle va fondre de compassion. Je trouverai les paroles qu'il faut, celles qui vont enfin la remuer. » Je me couche. Je me vois déjà à Montmartre, à Montparnasse, le chevalet bien planté devant un site merveilleux. Là-bas, on sait reconnaître le talent. Je finirais par gagner des concours dans des salons officiels et être reconnu. Je reviendrais un jour dans mon Villeray, auréolé du prestige d'avoir été exposé et vendu dans une galerie d'art très cotée. Quoi faire d'autre que rêver ? Je ne resterais pas longtemps un « indésirable ». Les Sulpiciens du collège se trompaient.

CHAPITRE 36

Premier job

J'AVAIS DIX-SEPT ANS et ma vie allait changer de bord, de frontière. Comme on émigre. Adieu les étés de *farniente*. « On n'est pas riches. Tu dois maintenant aller travailler l'été comme tous les enfants d'ouvriers », m'avait expliqué maman, la comptable de la maisonnée.

Papa, venu au chalet comme tous les lundis, se grattait la tête comme à son habitude. Il cherchait une idée de boulot pour son adolescent. Je contemplais le grand lac des Deux-Montagnes, ses plages de sable, et je me disais que c'en était fini de ma liberté. Fini la nage à cœur de jour, la danse tous les soirs, les quelques randonnées à cheval chez *Gabriel's* à Oka. Fini les balades en vélo dans les rues de Pointe-Calumet, dans les chemins du comté des Deux-Montagnes. Une sorte d'exil m'attendait. Comme mon père, prisonnier de son caboulot, j'allais bientôt passer mes étés en ville à travailler. D'ailleurs, j'étais toujours embarrassé, les vendredis soir, quand mes midinettes de sœurs, Lucille et Marcelle, Marielle depuis peu, remettaient leurs maigres salaires à ma mère, ne gardant que quelques dollars pour leurs petites dépenses. J'avais l'âge qu'elles avaient quand elles s'étaient engagées comme couturières dans les manufactures du quartier. Je me sentais injustement privilégié de continuer mes études parce que j'étais un garçon. Mon père avait décrété :

— Les filles, ça va se marier. Pourquoi un diplôme ?

J'acceptai donc d'aider un peu les miens avec ce boulot projeté car j'avais honte de ne pas contribuer au budget toujours fragile de la famille. Sa gargote lui rapportant peu, mon père avait déjà grugé une bonne part de l'héritage de sa mère. Il lui avait fallu vendre le petit cottage de Ville Saint-Laurent dès 1945, puis, en 1947, l'an dernier, le duplex de la rue Henri-Julien. Ça n'allait pas du tout et ma mère chicanait :

— Édouard ! quand vas-tu te décider à aller travailler au-dehors, comme tout le monde ?

Cette question d'argent était une source de querelles incessantes entre eux dont nous étions, les enfants, les tristes témoins. Je me rongeais les ongles et je clignais des yeux de plus en plus, harassé par leurs jérémiades. Le climat familial se détériorait. Guerre froide déclarée entre papa et maman.

Quand, deux ans plus tard, Lucille et Marcelle quitteront le logis pour prendre époux, maman installera la chambre parentale dans la leur. Sur une colonne du balcon, elle affichera une pancarte « Chambre à louer ». Évincée de sa chambre, dans laquelle dormiraient dorénavant Marie-Reine et Nicole, Marielle devrait se contenter d'un *divanport* dans le boudoir jouxtant notre chambre, à Raynald et à moi. Promiscuité qu'elle détestera. Il faudra même libérer une tablette dans le réfrigérateur déjà trop exigu, pour accommoder les chambreuses qui allaient se succéder au rythme... des reproches que ma mère leur servira.

Ce lundi-là, au chalet, soudain, mon père eut une idée :

— Je l'ai ! Je t'ai trouvé la job ! Ton oncle Léo s'en vient pour me ramener en ville. On va profiter de son auto pour aller voir des gens que je connais, les demoiselles Bernier. Elles possèdent *Le Baronnet*, un petit hôtel à Oka. Elles vont peut-être te prendre comme *waiter*. T'as de l'expérience, pas vrai?

De l'expérience à dix-sept ans? L'automne dernier, j'avais travaillé pendant un mois dans un *bowling* comme planteur. Je n'avais pas aimé ce job où je devais remettre à une vitesse folle les quilles dans leurs tenons de fer et toujours surveiller les lourdes boules qui fonçaient sur moi. J'avais vite abandonné ce boulot stressant pour me faire embaucher comme *wrapper* dans un marché Steinberg's, le numéro 13, rue Saint-Hubert. J'avais tout de suite aimé ce perpétuel contact avec le public. Je faisais le bouffon derrière la caissière, mais je m'efforçais d'être le plus rapide, le plus efficace du magasin. C'était un jeu encore. Les achats des clientes volaient en l'air, mes sacs s'ouvraient à la vitesse de l'éclair, je faisais l'aimable clown. La clientèle semblait apprécier ce gringalet aux manières de prestidigitateur. Hélas! un vieux rabougri et deux sévères bonnes femmes se plaignirent de ma désinvolture. Je fus remercié au bout de trois mois. Mes maigres économies m'avaient permis de m'acheter quelques babioles pour les fêtes, des vêtements que je convoitais depuis longtemps, dont une veste de velours côtelé vue chez Sauvé et Frères.

Fin janvier, un voisin, le grand Normand Lemire, m'accosta:

— Quel âge as-tu maintenant?

— Dix-huit ans bientôt!

Il me confia:

— Tout en étudiant à l'université, mon frère Denis et moi, on est *waiters* au *Buffet de Paris*, rue d'Iberville. On sert aux banquets des compagnies, aux gros mariages dans des hôtels un peu partout. C'est pas mal payant. Ça t'intéresserait?

Évidemment, j'ai dit oui. C'était cela, l'expérience à laquelle faisait allusion mon père au chalet. J'avais aimé ce boulot de serveur aux banquets. Nous partions très tôt, les samedis matin, les dimanches aussi, dans une camionnette marquée : « *Buffet de Paris Inc.* » Nous avions nos caisses de verres, d'ustensiles, de vaisselle. Une autre camionnette apportait la nourriture dans des réchauds. On m'avait prêté un costume de *waiter*. Fils de Germaine, j'aimais rencontrer les gens. Je me transformais, comme chez Steinberg's, en désopilant serveur et causais volontiers avec les clients, me montrant affable, rigolard, mais aussi très efficace. Je servais et desservais avec une célérité qui épatait le patron. Je me révélais un serveur joyeux et poli à la fois, comme se doivent de l'être les professionnels de ce métier plus difficile qu'on croit. Fin juin, le *Buffet* congédia les surnuméraires comme moi, les réceptions se faisant moins nombreuses. C'est ainsi que, chômeur involontaire, j'avais cru pouvoir passer un été de plus à batifoler sur les plages et dans les *dancings* de Pointe-Calumet. Mais non, ma mère :

— C'est fini de paresser tout l'été. On a besoin que tu gagnes un peu. Tu dois comprendre ça.

Je comprenais. Je comprenais que mon enfance s'était envolée à jamais. Cette réalité me faisait mal. J'avais été si longtemps un garçon libre. Bien sûr, il y avait parfois du travail : le bois à couper pour le gros poêle Bélanger, des réparations — quand le toit coulait, je devais grimper pour y badigeonner de ce fameux *pitch* gluant que papa achetait chez le quincaillier Gravel. Il fallait aussi épandre les tas de sable que monsieur Proulx dompait sur le terrain marécageux derrière notre chalet. Pas trop astreignantes mes charges. Entre ces corvées, j'avais tout mon temp pour plonger du radeau des Cousineau, pour nager dans le lac si clair de la sablière, pour emprunter le canot des Laurin ou la chaloupe à moteur des Bélanger, pour fleureter les filles de la place, et surtout pour m'agiter en *jitterbugs* effrénés à l'autel sacré du *juke-box* ! Aussi, pour aller embrasser les plus délurées, sous les hauts cèdres de la Plage Robert. Cela, jusqu'à ce qu'éclate l'amour fou avec une noiraude de l'avenue Lauzon, cette Micheline aux yeux si noirs qui devint ma meilleure. On ne se lâchait plus. Alors, mon frère Raynald perdit à jamais son moniteur.

On m'attendait donc à l'hôtel *Le Baronnet* d'Oka. J'y aurais ma chambrette sous les combles. Le matin — Éva et Gaby, les propriétaires, m'ayant proclamé l'artiste du lieu —, j'avais pour mission d'aller choisir et couper des fleurs de leur grand jardin pour décorer les tables.

— Jamais avant d'avoir nettoyé et dressé la douzaine de tables des salles à manger, avaient-elles spécifié.

J'avais aussi la charge d'accompagner nos clients intéressés à visiter le célèbre calvaire des Sulpiciens, pas loin, sur une colline. Dans mes moments de loisirs, je m'essayais à l'aquarelle, y ayant été initié depuis cette première année à l'École du Meuble. Je brossais les paysages bucoliques de la petite prairie entourant l'hôtel. Je n'avais plus que le lundi de congé — l'hôtel des sœurs Bernier fermait ce jour-là — pour retrouver ma famille. Je regardais les grèves sablonneuses de mes jeunes années. Elles avaient perdu de leur charme. Huit années de loisirs libres étaient derrière moi. J'avais émigré au pays des travailleurs. J'étais devenu quelqu'un d'autre. Je n'arrivais plus à retrouver mes élans des étés précédents.

Il y avait rupture. Je me devais de muer, de devenir un grand gars sérieux qui travaille et rapporte un peu d'argent à la maison. Prisonnier d'un horaire strict, pris dans le filet d'un labeur organisé, ce premier été de travail fut douloureux. J'éprouvais un pincement au cœur.

Tout était allé si vite. On s'imagine que le bonheur est là pour la vie entière, qu'on ne vieillira pas. On découvre brusquement que son existence de jeune villégiateur bronzé, fainéant, accaparé par ses petits plaisirs de collégien libéré pour deux longs mois, est terminée à jamais! Je disais adieu à mon ancienne belle vie. Le cœur triste, je m'étais consolé: «Pas grave, j'ai eu du bon temps.» Dorénavant, je devais me transformer en homme. Et homme je devenais puisque, comme les hommes qui m'entouraient, je gagnais un salaire. Tant pis pour la liberté. Je découvrais que la liberté c'était l'enfance. Je l'avais épuisée, il n'en restait plus pour moi.

CHAPITRE 37

L'injustice

J E VIVAIS LE PIRE MOMENT de ma jeune vie. J'étais devant un tribunal étrange. Mon accusateur n'était même pas présent. Je ne savais même pas qui il était. J'étais dans tous mes états. C'était la première fois que j'étais soupçonné de malhonnêteté. Un sale moment à passer. Je ne savais pas comment m'en sortir. Je ne savais plus quoi dire. J'étais effondré. J'avais envie de mourir. J'avais honte et pourtant je n'étais coupable de rien. Dans le bureau de l'hôtel *Le Baronnet*, trois adultes me regardaient avec tristesse. Avec une sorte de pitié. Ils devaient se dire : « Un si gentil garçon. Un garçon en qui nous avions confiance. » Les sœurs Bernier me fixaient avec de grands yeux étonnés. J'y lisais : « Est-ce que ça se peut ? Est-ce que c'est possible qu'il ait volé ? » Elles attendaient mes protestations. Elles attendaient que je fasse la preuve que je n'étais pas coupable du vol des pourboires.

À la mi-août, le petit hôtel de luxe avait été transformé, hélas, en une sorte de *beer joint*, en une sorte de *dancing*, pour attirer une nouvelle clientèle plus jeune, plus populaire. *Le Baronnet* ne fonctionnait plus très bien, paraît-il, et son gérant, monsieur Alarie, avait fini par convaincre les deux sœurs propriétaires qu'il était souhaitable et urgent de faire du petit hôtel une sorte de mastroquet bien tenu. Une fois terminés les repas chers

destinés aux rares clients fortunés de la région, la grande
salle à manger, rotonde toute vitrée, devenait un repaire
pour le populo du comté des Deux-Montagnes. Le
gérant Alarie avait engagé un trio de musiciens. L'éclairage devenait celui d'une boîte de nuit, l'ambiance changeait, et en avant la musique populaire, on danse ! On
engagea deux serveurs de plus. Pour la première fois de
son existence, l'hôtel vit s'amener des petites foules de
jeunes gens adeptes de *jitterbug*, de *boogie-woogie* et de
romances à la mode. L'argent semblait entrer, les grosses
bouteilles de bière remplacèrent les vins fins et les
liqueurs de luxe. Alarie, *barman* maintenant débordé,
semblait satisfait de la nouvelle allure du site. Il était
l'amant discret de l'une des deux sœurs Bernier, Éva, la
véritable directrice du *Baronnet*. Gabrielle, moins entre-
prenante, obéissait docilement à sa sœur aînée.

En ce matin de fin du mois d'août, j'étais donc à la
barre des accusés. Un des serveurs de métier avait
dénoncé un serveur étudiant qui mettait « dans ses
poches des pourboires qui ne lui appartenaient pas ».
C'était moi, ce voleur ! Éva et Gaby ne me lâchaient pas
des yeux. Elles m'avaient fait confiance. Elles connais-
saient un peu mon père qui m'avait amené chez elles.
Elles savaient que je venais, comme on dit, d'une famille
bonne et pieuse. Elles ne cessaient de me répéter :

— Il faut t'expliquer. Ton accusateur n'en démord
pas. Tu aurais empoché les pourboires des autres.

J'étais anéanti, incapable de prouver que je n'étais pas
ce voleur. Plus raide, monsieur Alarie me disait :

— C'est très grave, Claude. On ne fera pas venir la
police, c'est certain, mais tu ne peux plus travailler ici,
c'est évident.

Quoi dire ? Comment leur prouver que, élevé comme
je l'avais été, jamais je n'aurais osé voler mes compagnons
de travail.

Papa avait cru bon, avant de me dénicher cet emploi de vacances, de me raconter une drôle d'histoire :

— Mon mariage a été une erreur ! Ma mère faisait affaire avec une couturière, rue Panet, qui était la mère des deux sœurs Bernier. Cette modiste, une veuve, avait hâte de caser sa plus vieille, Éva. Elle proposa à ma mère de m'envoyer à sa place afin de me présenter sa fille. Maman, ta grand-mère, m'avait prévenu que sa modiste allait me présenter une jeune fille, sans préciser qu'il s'agissait d'Éva. J'avais dix-neuf ans et, comme je n'avais pas de blonde, je me rendis volontiers rue Panet. Dans la salle d'attente, une jeune fille attendait son tour. C'était ta mère ! Elle venait se chercher une robe. La mère Bernier apparut et me dit : « Ah ! Vous êtes Édouard, le fils de ma cliente ! Je vous présente mademoiselle Germaine Lefebvre. » J'étais certain que cette Germaine était celle dont m'avait parlé ma mère. Tu saisis ? Ta mère est une erreur, mon gars ! Je me suis mis à la fréquenter et ce fut vite le mariage !

Ce récit d'un malentendu ne semblait pas déranger ma mère plus qu'il faut. Elle avait même ajouté en riant :

— C'est ça la vie, mon petit garçon ! Une suite de hasards qui peuvent tourner en notre faveur.

Ce midi-là, à Oka, ma juge était celle-là même qui avait failli devenir ma mère ! Éva m'avait accueilli comme un fils à son hôtel. Elle me faisait maintes confidences, me racontait des bribes de sa vie, me parla un jour d'un amour contrarié. Elle me vantait son coin de retraite annuelle à Vaison-la-Romaine, au pied de la montagne Sainte-Victoire, tant célébrée par le peintre Cézanne. Éva en parlait comme d'un refuge de rêve, vantait sans cesse ce coin de Provence, « paradis terrestre » chaque hiver. Elle appréciait mon habileté pour mes arrangements de fleurs choisies dans leur grand jardin, aimait mon ambition de devenir artiste. Elle m'encourageait, me stimulait, me faisait voir des albums d'art. Bref, elle m'avait, comme on dit, à la bonne et je me sentais apprécié, protégé par la patronne.

Ses meilleurs clients des heures de repas, des juges, des artistes cotés, des politiciens importants, quelques ministres, étaient, disait-elle, ses amis intimes. Elle se vantait d'être la confidente du grand patron pour tout le Canada d'une firme transnationale. Il était un client fidèle et il exigeait que je sois toujours son serveur. Elle m'en félicitait, me disant :

— Monsieur X sait d'instinct reconnaître tes bonnes manières, ta discrétion, ta fiabilité.

Comme plusieurs ministres ou juges, ce monsieur X, toujours en galante compagnie, jamais la même de week-end en week-end, louait souvent la suite royale. Bref, Éva Bernier aimait se confier au grand adolescent qui aurait pu être son fils. Son gérant et amant discret, ce Alarie suractif, tonitruant, un rien vulgaire, semblait lui servir de pis-aller comme compagnon. J'avais parfois surpris de vives discussions entre eux sur la marche des affaires à Oka. Cette idée de transformer le petit hôtel luxueux en bar-salon fut difficile à plaider au début. Il y eut des disputes et des haussements de voix. Éva avait fini par plier, la situation financière l'exigeant.

À cette séance de tortures, à ce procès expéditif, Éva était très mal à l'aise face à son protégé :

— Claude, il faut être franc. C'est peut-être une erreur de jeunesse. Si tu avoues, ça ne sortira pas d'ici. Tu seras renvoyé et on n'en parlera plus jamais.

Alors, à bout, j'éclatai en larmes. C'était trop bête. Ce serveur-dénonciateur était un jaloux, c'était clair pour moi. Je devinais qu'il s'agissait de G. Je l'avais vu gronder et me défier, se moquer de moi chaque fois que la patronne me confiait une tâche quelconque. Il persiflait :

— Le petit chouchou de madame! Le petit préféré de madame!

Gêné par ma crise de larmes, le gérant Alarie, qui m'aimait bien, m'offrit des mouchoirs de papier.

— C'est pas la fin du monde, Claude. C'est juste qu'on peut pas tolérer ça. C'est une injustice pour tes camarades de travail. Tu dois comprendre ça.

Je pleurai de plus belle. J'étais enragé aussi. Comment leur prouver à tous mon innocence? J'étais impuissant à le faire. J'envisageai deux solutions: fuir immédiatement et aller me cacher, ou bien aller confronter cet accusateur planqué et lui cracher au visage. Oser me traiter de voleur sans preuve formelle! J'étais atterré, au bord d'un gouffre. Je tremblais d'émotion. Je me sentais sali, bafoué, trahi. J'ai fini par balbutier:

— Je suis pas meilleur que les autres mais, s'il y a une chose intolérable, c'est de se faire accuser à tort. J'ai des défauts mais jamais, au grand jamais, je n'oserais prendre de l'argent qui ne m'appartient pas.

Je pleurais comme une fontaine. Voyant mon état de panique, la patronne finit par trancher:

— Bon, finissons-en. De toute façon, il ne reste que deux semaines avant ton retour aux études. Alors, on va passer l'éponge, on va te garder. N'en parlons plus.

La quinzaine fut éprouvante. G. semblait triomphant. Il me narguait, faisant voir ostensiblement que j'étais, comme on me l'avait signifié au collège, un « indésirable ». Je continuais, sans aucun enthousiasme, de servir les repas chics et, le soir venu, la bière et le fort aux clients du *beer joint*. Le cœur n'y était plus et je gardais en moi une plaie virulente qui cicatrisait mal. J'avais connu l'injustice, les humiliantes accusations gratuites. Un midi, réunion urgente du personnel. Éva Bernier nous annonça:

— Nous avons mené notre petite enquête. Des pièces de coutellerie disparaissaient chaque jour et nous avons surpris le coupable. Monsieur G a été congédié. Mon pauvre Claude, celui qui t'accusait était très probablement le voleur de pourboires.

Piètre soulagement. Le cœur lourd, dès septembre je quittai l'hôtel pour retourner à l'École du Meuble. L'injustice est une chose effroyable. Je le savais pour toujours.

L'adieu

Maman est très énervée. Je pars pour longtemps. Je quitte le nid. Elle rôde, va de sa cuisine à ma chambre où je suis en train de paqueter mes petits. Fini Villeray. Terminé mon coin de rue. Je pars pour de bon et je ne sais pas du tout si je reviendrai un jour dans mon quartier. Adieu, vieux cocon familial ! Ma mère a pris un visage douloureux. Je la connais bien : elle n'est pas contente, elle a peur, elle s'inquiète encore pour son « petit garçon » et cela me met très mal à l'aise. Je ne veux pas m'attendrir. Cette fois il ne s'agit pas d'aller passer une nuit dans une grange de Carillon avec les gars du collège. C'est sérieux et elle le sait. C'est grave, son fils aîné quitte le nid douillet. Que va-t-il lui arriver ? Comment va-t-il s'en sortir ? Je voudrais qu'elle soit ailleurs, partie faire ses courses ; tout serait plus facile. Je passerai des nuits et des nuits loin d'elle dans une écurie abandonnée dans les Laurentides, à Sainte-Adèle. J'y aurai mon atelier et je donnerai des cours de modelage, de céramique aux résidants et aux touristes abonnés au petit Centre d'art de Pauline Rochon.

— Je comprends que je te reverrai pas avant long-temps. C'est ça, hein ?

Ma mère ne me regarde même pas en disant cela, tapotant un oreiller que j'emporte là-bas.

— Écoute, m'man. Je suis en âge de partir, non ?

Elle plie mon pyjama, renifle fort. Ses mains tremblent un peu et je n'aime pas ça du tout. Je veux m'en aller librement, sans aucun sentiment d'abandon. De qui ou de quoi que ce soit. Elle me complique les choses.

— On dirait que t'es content de t'en aller. Ça me fait drôle, ça, mon petit garçon.

Ma mère ne voit donc pas que j'ai grandi, que je ne suis plus son petit garçon ?

— J'ai vingt ans. Vingt ans !

Je rassemble nerveusement mon bagage. Je veux n'apporter que le minimum, l'essentiel. Deux chemises dont ma noire, ma préférée, mon veston usé de velours côtelé, deux pantalons, mon gros chandail rouge à col tortue et, pour l'hiver qui s'en vient, mon gros paletot et une tuque, un foulard, des mitaines. Ne pas oublier mes vieux skis à *steel edges*. Je les sors sur le balcon. Aussi le petit poêle électrique à deux ronds. L'essentiel : une casserole, un poêlon à frire, deux tasses à café, deux verres, des assiettes, quelques ustensiles. Le principal.

— Tu sais même pas te faire cuire un œuf. Comment tu vas te nourrir là-bas ?

Maman me tend une salière, une poivrière qui viennent du restaurant, aussi un sucrier ébréché, un gros cendrier de vitre, une petite lampe qu'elle dévisse de mon dessus de pupitre, la radio portative de la cuisine.

— Pas grave. Ça va te désennuyer. On va s'en acheter un neuf pour ici.

J'attends impatiemment mon beau-frère Jacques, fraîchement marié à ma sœur Marcelle. Il a accepté de me déménager avec sa camionnette. J'ai hâte de partir. Il m'avait dit : « Deux heures pile ! » Il est deux heures et demie. J'ai hâte et pourtant je ressens une drôle de petite douleur. Un regret vague d'abandonner le petit monde de mon enfance, le monde de ma tendre jeunesse, ma rue Saint-Denis, le bain public, la *Casa*, le parc Jarry, la rue Saint-Hubert et mes magasins familiers, le marché Jean-Talon. Et certaines filles. De ce côté, je balance, je butine, j'hésite à me fixer. Bonne chose de m'exiler dans le Nord. Ça allait, me disais-je, clarifier mes sentiments.

Parmi mes amours, il y a Louise, la fille d'un psychiatre de l'asile des fous où s'étiolent notre cousin inconnu, Olivier, et le poète Nelligan. J'ai connu Louise à l'École du Meuble. Elle y était étudiante libre en céramique. C'est une fille bizarre, tourmentée, angoissée comme moi en somme. Grande blonde maigre au visage de madone italienne. Grands yeux pâles. Elle n'est pas bien dans sa peau, ne parle pas beaucoup mais écoute bien, ce qui arrange toujours les bavards existentialistes dans mon genre. Il y a aussi deux filles de l'École des beaux-arts. Michèle, une brunette rondelette, habite la chic Ville Mont-Royal, avenue Vivian. Elle est joyeuse de tempérament, légère, facile à vivre. Trop, au goût de l'anxieux perpétuel que je suis. Je lui reproche, sans le lui dire, de traverser la vie sans aucun questionnement métaphysique. Bêtise ? L'autre, aspirante peintre aussi, Yolande, habite rue Berri pas loin de chez moi. Une fonceuse, bien incarnée, qui a été promue cheftaine — présidente de la Masse — de son école, où elle semble se préparer un destin de conquérante. Yolande a un autre soupirant qui étudie à Paris avec une bourse quelconque. Elle est divisée entre son exilé, le débrouillard Parisien, et moi, le rêveur ancré dans Villeray.

Ma mère poule supervise toujours mon déménagement avec ses « N'oublie pas ceci, n'oublie pas cela ». Elle surgit dans la chambre que je vais abandonner aujourd'hui à mon frère Raynald ; enfin, il l'aura à lui tout seul :

— Ta brosse à dents, mon garçon ! Tu l'oubliais hein ?

J'ai du mal à boucler la vieille valise offerte par ma
sœur Lucille.

— Attends un peu, tu oubliais ton rasoir et ta
lotion! Tête de linotte, va!

Maman place tout cela avec précaution dans un coin
de ma valise. Je constate que sa peine augmente. Elle a
des soupirs qui m'en disent long, mais je refuse encore de
me laisser attendrir. Ce n'est pas le moment. Partir le
cœur léger, c'est plus difficile que je l'aurais cru, hélas.

Papa semble plus calme. Il doit juger tout à fait normal que je tente de m'installer quelque part. À Sainte-
Adèle ou ailleurs, quelle différence? Il surgit et place
dans ma valise un épais missel et un chapelet. Le sien! Il
dit:

— Un petit souvenir de ton père!

C'est tout lui!

— Tu vas trouver que le Nord c'est frette, mon gars.
Apporte des foulards, des bas de laine en masse, et même
une bouteille de sirop Lambert. L'hiver pogne vite. Tu
pourrais voir de la neige bientôt. Oui, oui, ils ont déjà vu
de la neige en septembre!

Je ris tout bas. Par en dedans. Papa bourre sa pipe,
l'allume, ajoute:

— Cet atelier dans ton centre d'art, c'est peut-être
une bicoque infernale avec le vent qui rentre partout. Tu
devrais accepter cette chambre qu'ils t'ont offerte au
quartier général des employés du *Chantecler*. Une écurie,
c'est une écurie!

Je ne rétorque rien à mon père poule.

Je sors une dernière fois sur la galerie d'en arrière.
Fini d'entendre le mémérage sur trois étages. Je suis
content de m'en aller et j'éprouve en même temps une
certaine peine. Un peu d'herbe pousse maintenant dans
la cour depuis que la bande a cessé de fouler la terre de
ses chevauchées de petits diables impétueux. Raynald, qui

a maintenant quinze ans, a, lui aussi, abandonné le jeu dans la cour. Papa a pu planter de petits arbres ici et là. Il ne reste rien de mon palais branlant, de ma forteresse imprenable. Rien de mon coffre aux trésors. Qu'en ai-je fait? Je marche vers la ruelle. Calme plat. Les vacances d'été sont terminées pour les gamins de ma ruelle. Le silence est total: aucun cri, aucun rire, aucune clameur d'enfants au jeu. Ce silence me trouble. Je viens de perdre tout un été à me chercher un emploi. Les petites manufactures de poterie, Vandesca à Joliette, Bouchard à Sainte-Thérèse, la briquerie de Laprairie, celle de Saint-Jean d'Iberville, l'usine de Saint-Jérôme... on n'a nul besoin d'un concepteur ou d'un technicien en céramique. Ces petites usines ont des convoyeurs mécaniques avec des modèles préfabriqués, importés le plus souvent, qui défilent sur leurs chaînes. Autour, de toutes jeunes filles remplissent d'argile, à pleins boyaux, les moules stéréotypés défilant à cœur de jour. L'offre du centre d'art de Pauline Rochon a donc été une bouée de sauvetage inattendue. Assez de vivoter, de désespérer ma mère, qui a découvert comme moi que le diplôme obtenu en juin ne menait à rien.

Je fais des yeux le tour de la ruelle. Je pense à tout ce que j'ai vécu ici, aux images d'une *Madona della difesia* dans le ciel nocturne, image d'étincelles d'artificiers qui me parlait, me disant: «Bonne nuit, fais de beaux rêves!» Je songe à cet incendie du hangar chez madame Delfosse, aux chats de gouttière qu'on tyrannisait. À nos cris de mort, aux excitantes parties de *soft-ball*, à nos furieuses batailles de cow-boys quand on se faisait tuer mille fois. Je songe à nos guerres saintes, pourchassant les *Blokes* de Holy Family. Machinalement, je pose un couvercle sur une de nos poubelles. Une dernière fois. Désormais, Raynald devra s'occuper de tout. Il y a des vêtements sur la corde de madame Denis et de madame

Lemire. Un petit vent de septembre les fait battre mollement. Plus rien à voir avec la féerie de drapeaux multicolores que j'y voyais petit. Je n'entendrai plus les cris lancinants du guenillou «plein de poux, les oreilles plein' de poils»! Je ne reverrai plus les marchands de légumes criards avec leurs « On a du chou, des radis, des belles tomates, du beau blé d'Inde!» Plus de « Glace en haut? Glace en bas?» Je quitte mes Italiens, leurs bonnes odeurs d'ail et d'oignons frits, leurs chants d'opéra à tue-tête le samedi. Je rentre en jetant un dernier coup d'œil au hangar, mon théâtre de folichonneries, le cinéma de Pété Légaré, les pantomimes de l'inoubliable Cinq-Mars.

— T'es allé jeter un dernier *look* à ton royaume? dit maman, qui brasse une fricassée dans une grande marmite. Tu n'oublies pas de mettre dans ta valise savon, débarbouillettes et serviettes, hein?

Je la sens soucieuse et triste.

— Mon grand gars qui s'en va! soupire-t-elle.

Je retourne dans ma chambre. J'allais oublier mes vieilles bottes de ski. Oui, longtemps cette ruelle fut notre royaume, celui d'enfants candides, agressifs ou doux comme des agneaux. Le royaume aboli des Lanthier, Turcotte, Vincelette, Malbœuf. De Roland, Tit-Yves et Tit-Gilles. Adieu, royaume de pacotille! Modeste royaume, source, racines de mes jeunes souvenirs. La maison me paraît très silencieuse, ce midi. Nicole et Marie-Reine sont à l'école. Tant mieux, il n'y aura pas d'adieux en chorus. Raynald fait sa première année à l'École des arts et métiers, en bas de Saint-Denis. Dans trois ans, il deviendra cuisinier, pâtissier, saucier. Il aura sans doute plus de facilité que moi à se trouver un job. Marielle, elle, apporte toujours son lunch dans son *sweatshop* de la rue Saint-Urbain. Lucille, l'aînée, habite à l'étage et s'occupe de son premier bébé, Michel. Quant à Marcelle, elle habite à quelques rues d'ici, chez la tante de son mari, Jacques. Ce Jacques au camion qui n'arrive pas. Je vais porter un dernier bagage sur le balcon, un grand sac à poignées Tousignant plein de livres de poche. Mon maigre trésor.

Sur le balcon, une dernière fois, je regarde attentivement mon coin de rue, mon beau jeu de blocs de bois aux balcons empilés. En face, le maintenant célèbre docteur Saine raccompagne un des innombrables clients arthritiques qu'il soigne avec du venin d'abeille! Il me fait un petit salut de la main. Pitou Lafontaine ramasse les premières feuilles mortes du parterre de son épicerie. Je songe aux cris désespérés de la folle, madame Cordier, aux « bye bye » pathétiques de madame Labbé à son sorteux de mari. Je n'entendrai plus les dernières nouvelles de madame Le Houiller, ni les potins de madame Denis, ni non plus les commérages de madame Bégin ou de madame Diodati. Je m'évade de mon passé. Je m'exile au pays des collines d'épinettes, au pays du très célèbre Séraphin Poudrier, le sempiternel avare de la radio, populaire encore et toujours en 1950.

Le professeur Hudon apparaît sur son balcon :

— Comme ça, tu pars? Tu abandonnes Villeray! T'as pas honte ?

Il rit, mâchouillant un petit cigare Tip-Top éteint :

— J'irai te rendre visite avec ma petite Anglia !

Hudon m'a tiré de ma jonglerie. J'étais en train de m'imaginer, à dix ans, imprudent homme volant dans ces amas d'escaliers en tire-bouchon. C'est un miracle que nous soyons encore vivants, mes amis et moi ! La chatte de papa s'allonge sous la vitrine peinturlurée. Je lui fais une petite caresse :

— Adieu, vieille minoune ! Tombe pas dans un mal. Tu finirais, crac ! dans la poche du charbonnier Thériault !

Mon beau-frère s'amène enfin dans sa camionnette :
— *All aboard* ! T'es prêt ?

Jacques m'aide à transborder mes affaires. J'ai quelques briques et quatre planches pour me faire une petite bibliothèque. Oui, je suis prêt. Prêt pour une autre vie. Maman et papa sont à mes côtés, immobiles, silencieux. Il me semble que je dois faire un dernier geste, dire les derniers mots importants, mais il n'y a plus rien à dire. Je dois m'en aller. Je tire un rideau. J'aurais voulu revoir les amis d'enfance une dernière fois. C'est impossible. Quant aux gars du collège, ils étudient en ce moment. Ils seront, un jour, des professionnels. L'un sera avocat, l'autre notaire, un autre médecin, quelques-uns prêtres. Tit-Yves a dû se trouver un job de commis dans un bureau ou une banque. Je l'ai perdu de vue. Tit-Gilles, alias Moéneau, a disparu de notre rue il y a quelques années. Selon la rumeur, il chanterait *Ma pomme* ! ou *Je chante* ! dans des cabarets en province. Il doit ramasser de meilleurs cachets. Fini pour lui la casquette du mendiant dans la ruelle ou la quête avec notre cheval de guenille aux entrées des cinémas du coin. Roland, je l'ai su, est entré dans l'armée.

Le petit Thériault vient m'offrir son aide. Il me dit :
— Penses-tu revenir de temps en temps ?

Je lui réponds :
— Mais oui, évidemment ! À Noël. Au jour de l'An.

Mon père suit un client dans l'escalier de sa gargote. Il n'aura donc pas à me faire sa cérémonie des adieux. J'aime mieux ça. Bientôt, ça y est, tout est entassé dans la boîte du camion. Jacques me dit :
— Bon, ben, en voiture ! Pas de temps à perdre, des clients m'attendent, moi.

Je m'assois à ses côtés et il démarre en trombe. Je sais que ma mère me mange des yeux sur le balcon, mais je ne me retourne pas. Je résiste. Elle a trop de peine et moi aussi. La tendresse, l'affection, personne ne sait quoi faire avec ça ! Il faut bien que je vive ma vie ailleurs, quelque part. Pourquoi pas dans les Laurentides ? Là ou ailleurs, ce sera toujours la même insécurité. Allait-on m'apprécier comme professeur de modelage, de céramique ? Et si ça ne fonctionnait pas là-haut, allais-je revenir ici gros-Jean comme devant ? Serais-je de nouveau condamné à vivoter de petit job en petit job dans les firmes éphémères du *window display* ?

J'ai confiance. Un peu. Pas trop. Je resterai un perpétuel inquiet. Je me suis imaginé tant de choses, plus jeune. J'ai tant rêvé. Je ne serai jamais avocat, plaideur fougueux des causes désespérées, ni grand reporter parcourant la planète ! Je n'étais qu'un bricoleur, un barbouilleur, un petit potier qui allait tenter sa chance dans un petit centre d'art que l'on disait agonisant. Je devais me débattre, comme tout le monde à vingt ans. Assez de rêvasser ! Ma caisse de poèmes d'adolescent ? Jetée au feu dans la fournaise de la cave. Au coin de Bélanger, mon beau-frère sort de son camion en courant pour se procurer des cigarettes au *United cigar store* près du cinéma *Rivoli*, où on affiche un film d'action. Douglas Fairbanks, junior, couteau entre les dents, bandeau au front, torse nu, grimpe au mât d'un vaisseau de corsaires. Moi, je grimpe dans le Nord...

Nous filons, Jacques et moi, rue Drolet, rue Jean-Talon, tournons sur Saint-Denis, vers le nord, visant le pont Viau et le boulevard des Laurentides. En passant devant le 7453 de l'oncle Léo, je vois la tante Rose-Alba qui tricote sur son balcon.

— Veux-tu arrêter lui dire un petit bonjour ? m'offre le beau-frère.

— Non. Non. J'ai trop hâte de m'installer dans ma chic écurie.

Il rit, embrayant en troisième vitesse, vire sur Jarry, fonce dans la rue Lajeunesse qui conduit au pont. On roule vers mon avenir! L'ami Julien Plouffe, le futur avocat, doit être en train de faire des cornets de glace chez *Robil*, coin Sauvé. Pas le temps d'aller vérifier car je file vers mon destin. Dans une centaine de minutes, j'installerai mes quatre planches sur les briques rouges dans mon petit atelier. J'y rangerai mes livres de poche, ma seule richesse et, par les soirs, je relirai Rimbaud, Verlaine, Maupassant. Aussi Dos Passos, Hemingway, Erskine Caldwell, Steinbeck, et qui encore? Depuis quelques années, il y a cela: la lecture. Lire pour m'évader du réel trop encombrant et si malcommode!

— Ça y est, on est rendus!

Jacques approche sa machine de l'entrée de l'ancienne écurie du *Chantecler*. Je débarque mes affaires.

Après le départ de mon beau-frère, je pars souper dans un petit restaurant juste au coin de la rue Morin, tenu par une grosse dame de bonne humeur. Je pense à papa et à sa gargote. Il doit être en train de servir ses *zoot-suits* fidèles après avoir abandonné à regret ses pinceaux et sa murale naïve nouvelle sur un des murs. Maman doit préparer le repas pour les petites et Raynald. Il a fait un temps maussade toute la journée. Une pluie tombe en fine averse. Après ce premier souper, je cours, rue Chantecler, vers mon écurie, bon cheval confiant. Un grand silence règne tout autour. Pas un seul tramway, pas de cette circulation intense de la rue Saint-Denis. Je grimpe dans l'échelle clouée au mur pour aller lire sous les combles. Chambre bancale, une commode, un grabat. Ça frappe: toc, toc, toc, toc! Le vent, devenu très fort, fouette le mur de cette chambrette à coups de branche de pin. Je suis très loin de mon grand jeu de blocs de bois, des escaliers de fer partout, loin de mon enfance et

pour longtemps. Aurais-je dû apporter la boîte de boutons, la boîte de craies de cire, les bijoux chinois de la
garde-robe ? Je vois la lune au-dessus du Sommet Bleu, à
côté de la croix de fer illuminée. J'ai une pensée tendre
pour le petit garçon derrière les rideaux du salon qui
s'imaginait que c'était un beau gros ballon perdu dans les
nuées.

Table

CET OUVRAGE
COMPOSÉ EN GALLIARD CORPS 12 SUR 14
A ÉTÉ ACHEVÉ D'IMPRIMER
LE VINGT-QUATRE OCTOBRE DE L'AN DEUX MILLE
PAR LES TRAVAILLEURS ET TRAVAILLEUSES
DES PRESSES DE MARC VEILLEUX IMPRIMEUR
À BOUCHERVILLE
POUR LE COMPTE DE
LANCTÔT ÉDITEUR.

IMPRIMÉ AU QUÉBEC (CANADA)